Bescherelle Collège

- Grammaire
- Orthographe
- Conjugaison
- Vocabulaire
- Littérature et image

Marie-Pierre Bortolussi
agrégée de lettres classiques

Christine Grouffal
agrégée de lettres modernes

Isabelle Lasfargue-Galvez
agrégée de grammaire

© HATIER - Paris 2017 - ISSN 0990 3771 - ISBN 978-2-401-02990-3

▶ Nouveaux programmes, nouveau Bescherelle

Cette nouvelle édition du *Bescherelle collège* a été entièrement revue et corrigée afin de suivre les Instructions officielles des nouveaux programmes de français entrés en vigueur à la rentrée 2016.

▶ Un Bescherelle pour le collège

Bescherelle collège couvre la totalité de ces programmes en cinq parties : grammaire, orthographe, conjugaison, vocabulaire, littérature et image. Les élèves de la 6ᵉ à la 3ᵉ y trouveront toutes les notions indispensables à la maîtrise de la langue française pour lire, comprendre, analyser et produire des textes à l'écrit comme à l'oral.

▶ Un Bescherelle pour faire le lien entre les cours et le travail à la maison

Bescherelle collège a pour objectif de présenter de manière simple et méthodique les notions au programme. *Bescherelle collège* veille à rendre accessible la terminologie en usage et à la mettre en relation avec une terminologie plus traditionnelle. En fin d'ouvrage, l'index a été conçu de manière à retrouver facilement une notion sous ses diverses dénominations. Avant de commencer chaque partie, *Bescherelle collège* propose un test d'auto-évaluation.

▶ Un Bescherelle pour découvrir la littérature

Bescherelle collège comprend 106 chapitres s'appuyant sur des exemples tirés de la littérature. Plus de 500 citations illustrent concrètement les points grammaticaux ou lexicaux expliqués. La majorité de ces citations est empruntée aux œuvres au programme. Les élèves seront ainsi familiarisés avec la grande variété et la richesse de la littérature. Dans un souci de transition, *Bescherelle collège* offre aussi quelques exemples extraits d'œuvres au programme des classes de lycée.

● Un Bescherelle pour lire et analyser les textes littéraires

La partie consacrée à la littérature a été enrichie. Elle fournit les outils pour identifier les caractéristiques des genres littéraires que les élèves rencontreront au collège – récit, théâtre, poésie –, depuis les textes fondateurs, avec l'épopée, en passant par l'utopie et l'écriture autobiographique, jusqu'à la poésie engagée du xxe siècle.

● Un Bescherelle pour s'initier à la lecture d'image

Bescherelle collège propose également les notions et les outils d'analyse essentiels pour comprendre et commenter une image, qu'il s'agisse d'une image fixe (peinture, photographie, dessin de presse, bande dessinée) ou d'une image mobile (cinéma).

● Un Bescherelle pour préparer le Brevet

Les élèves y découvriront une aide utile pour se préparer à l'épreuve du nouveau Brevet. *Bescherelle collège* contient tous les outils nécessaires pour répondre aux questions de langue et de compréhension d'un texte, ainsi qu'aux questions portant sur l'image. À cet usage, est donné, en fin d'ouvrage, un lexique des notions essentielles.

● Un Bescherelle pour aborder le lycée

Bescherelle collège est un ouvrage de référence auquel l'élève de lycée pourra se reporter pour revoir une règle, une notion, et dont l'aide lui sera précieuse pour consolider ses connaissances.

● Un Bescherelle pour le plaisir...

Par ses illustrations amusantes, par ses références littéraires, par la précision de ses explications, cet ouvrage est l'occasion de voir la langue française et ses règles grammaticales intimidantes sous un nouveau jour. C'est tout le plaisir que vous souhaitent les auteurs du *Bescherelle collège*.

Les auteurs

SOMMAIRE

Reconnaître la phrase complexe et les propositions subordonnées

Étudier l'énonciation

ORTHOGRAPHE

Avant de commencer page 192

CONJUGAISON

Avant de commencer page 258

SOMMAIRE

VOCABULAIRE

Avant de commencer page 320

LITTÉRATURE ET IMAGE

Avant de commencer page 364

Lire le récit

Lire le théâtre

Lire la poésie

Reconnaître les figures de style

Lire l'image 📷 **Lire l'image**

SOMMAIRE

ANNEXES

 Lire l'image

Le logo signale la présence de lectures d'images dans un chapitre ou dans l'ensemble d'une partie.

GRAMMAIRE

Avant de commencer

Testez vos connaissances en grammaire !

Besoin d'aide ? Reportez-vous au(x) paragraphe(s) indiqué(s) à droite. Dans certains cas, plusieurs réponses sont possibles.

1. Le mot *de* peut être :

☐ un article ☐ un déterminant ☐ une préposition

2

2. Complétez les phrases suivantes avec le bon pronom.

a. La ville .... je me souviens le mieux est Rome.

b. La ville .... je suis né est Paris.

c. La ville .... j'aime le plus est Lyon.

28

3. Dans la phrase *Je pense que ce roman va gagner un prix littéraire*, quelle est la nature de *que* ?

☐ pronom relatif ☐ conjonction de subordination ☐ adverbe

50

4. Le mot *oh* est :

☐ une onomatopée ☐ un déterminant ☐ une interjection

52

5. Dans les phrases suivantes, soulignez les compléments de phrase.

a. Le corbeau jura, mais un peu tard, qu'on ne l'y prendrait plus.

b. Autrefois, le rat des villes invita le rat des champs.

c. Un agneau se désaltérait dans le courant d'une onde pure.

73

6. Soulignez le prédicat de la phrase suivante : *Lundi dernier, j'ai attrapé un mauvais rhume.*

98

7. Transformez la phrase suivante à la forme passive : *Le renard saisit le fromage du corbeau.*

....

110

8. Combien y a-t-il de propositions dans la phrase suivante ? *La voiture que j'ai achetée n'a pas plu à mon frère sous prétexte qu'il avait la même.*

☐ une ☐ deux ☐ trois

113

9. Transformez les phrases simples suivantes en phrases complexes en utilisant les mots entre parenthèses.

113
à
115

a. Les jeux Olympiques se déroulaient en Grèce dans l'Antiquité. (époque moderne ; réinventer)

b. La comédie est un art théâtral. (chercher ; faire rire ; spectateurs)

c. Le printemps arrive. (les hirondelles ; faire leur nid)

10. Choisissez la (les) forme(s) correcte(s) pour compléter la phrase suivante : *Je voudrais que tu ... me voir demain.*

122

☐ viennes   ☐ viens   ☐ vinsses   ☐ vins

11. Soulignez les modalisateurs dans les phrases suivantes.

163

a. Demain, à 8 heures, la sonnerie de l'école retentira peut-être.

b. Demain, à 8 heures, la fatale sonnerie de l'école retentira.

c. Demain, à 8 heures, à coup sûr, la sonnerie de l'école retentira.

12. Associez chaque énoncé au type de paroles rapportées correspondant.

169
à
172

1. Il lui a dit qu'il était en retard
à cause des transports.   **a.** discours direct

2. Il lui dit : « Je suis en retard
à cause des transports. »   **b.** discours indirect

3. Sa défense était claire : il était en retard
à cause des transports.   **c.** discours indirect libre

13. Soulignez le procédé de reprise dans les phrases suivantes : *J'ai pris deux poires et un kiwi. Ces fruits étaient mûrs.*

182

14. Indiquez le lien implicite entre ces phrases : *Je pense. Je suis.*

187

☐ donc   ☐ mais   ☐ ni

15. Transformez les phrases suivantes en mettant en valeur le propos (mots soulignés).

192

a. <u>Mathilde</u> a voyagé en Ardèche cet été.

b. Mathilde a voyagé <u>en Ardèche</u> cet été.

c. Mathilde a voyagé en Ardèche <u>cet été</u>.

Corrigés p. 478

Les classes grammaticales

*La grammaire, du **verbe** et du nominatif,*
*Comme de l'**adjectif** avec le **substantif**,*
Nous enseigne les lois.

▶ Molière, *Les Femmes savantes.*

Les mots *verbe*, *adjectif* et *substantif* désignent des classes grammaticales.

1 Qu'est-ce qu'une classe grammaticale ?

▶ Une classe grammaticale (ou classe de mots) regroupe des mots qui présentent les mêmes caractéristiques grammaticales. On dit aussi qu'ils sont de même **nature**.

▶ **Nature** et **classe grammaticale** sont devenus des termes synonymes dans les grammaires scolaires. Ainsi, se demander à quelle classe grammaticale appartient un mot ou quelle est sa nature revient à se poser la même question.

*Quelle est la **classe grammaticale** du mot « **assez** » ?* (adverbe)
*Quelle est la **nature** du mot « **assez** » ?* (adverbe)

2 Quelles sont les différentes classes grammaticales ?

▶ Il existe neuf classes grammaticales :
– le nom (aussi appelé substantif) : *maison, idée, France* ;
– le déterminant : *le, des, cette, chaque, deux* ;
– l'adjectif qualificatif : *rouge, grand, patient* ;
– le pronom : *je, on, celle-ci, quelqu'un* ;
– le verbe : *marcher, écrire, être* ;
– l'adverbe : *bien, prudemment, aussitôt* ;
– la préposition : *de, chez, dans, par* ;
– la conjonction : *et, mais, que, puisque* ;
– l'interjection : *oh, fi, diantre.*

*Si tu trouves sur la plage
un très joli coquillage
compose le numéro
Océan 0.0.*

*Et l'oreille à l'appareil
la mer te racontera
dans sa langue des merveilles
que papa te traduira*

▶ Claude Roy,
« Bestiaire du coquillage », *Enfantasques.*

• Les mots *plage, coquillage, numéro, océan, oreille, appareil, mer, langue, merveilles, papa* appartiennent à la classe grammaticale des *noms.*

• Les mots *la, un, le, l', sa, des* appartiennent à la classe grammaticale des *déterminants.*

• Le mot *joli* appartient à la classe grammaticale des *adjectifs qualificatifs.*

• Les mots *tu, te, que* appartiennent à la classe grammaticale des *pronoms.*

• Les mots *trouves, compose, racontera, traduira* appartiennent à la classe grammaticale des *verbes.*

• Le mot *très* appartient à la classe grammaticale des *adverbes.*

• Les mots *sur, à, dans* appartiennent à la classe grammaticale des *prépositions.*

• Les mots *si, et* appartiennent à la classe grammaticale des *conjonctions.*

▶ Pour savoir à quelle classe grammaticale appartient un mot, il suffit de consulter le dictionnaire. Celui-ci indique la nature du mot au début de l'article, sous forme d'abréviation.

amitié [amitje] *n. f.*
La lettre *n* indique que le mot est un nom.

coudre [kudr] *v. tr.*
La lettre *v* indique que le mot est un verbe.

Résumé

▶ Une classe grammaticale regroupe les mots de même nature.

▶ On distingue neuf classes grammaticales : le nom, le déterminant, l'adjectif qualificatif, le pronom, le verbe, l'adverbe, la préposition, la conjonction, l'interjection.

Le nom

*C'est vrai, répondit **d'Artagnan** ; je n'ai pas l'**habit**, mais j'ai l'**âme**. Mon **cœur** est **mousquetaire**.*

▶ Alexandre Dumas, *Les Trois Mousquetaires*.

Tous les mots en gras, malgré leur diversité, appartiennent à une seule classe grammaticale : le nom.

3 Qu'est-ce qu'un nom ?

◖ Le nom, appelé aussi substantif, est un mot qui désigne :

– un être vivant, **animé** : il peut s'agir d'un être humain *(une fille)*, d'un animal *(un loup)* ;

– une réalité **inanimée** : il peut s'agir d'un objet concret *(une chaise)*, d'une action *(des applaudissements)*, d'une notion abstraite *(la liberté)*, d'un sentiment *(la gentillesse)*.

Attention

Devant un nom, on utilise la préposition *à* ou *chez*, selon qu'il s'agit d'un nom animé ou d'un nom inanimé.

Lorsqu'il s'agit d'un nom animé, on doit employer la préposition **chez**.
*Auriane va **chez** le coiffeur.*

Lorsqu'il s'agit d'un nom inanimé, on doit employer la préposition **à**.
*Auriane va **à** la pharmacie.*

◖ Le nom a un **genre** défini, indiqué par le dictionnaire ; il peut être de genre **masculin** ou de genre **féminin** : *un tableau, une maison.*

◖ Le nom est un mot variable en **nombre** ; il peut être au **singulier** ou au **pluriel** : *un garçon, des garçons.*

◖ Le **nom composé** est formé de deux ou plusieurs mots. Ils sont séparés par un trait d'union *(un porte-monnaie)*, ou se présentent sous la forme de deux noms juxtaposés *(une chaise longue)* ou d'un nom suivi d'un complément du nom *(le chemin de fer)*.

▶ Lorsqu'un mot, qui appartient à une autre classe grammaticale, est employé comme nom, on dit qu'il est **substantivé** : *le dîner* (verbe employé comme nom), *l'ailleurs* (adverbe employé comme nom), *les jeunes* (adjectif employé comme nom).

4 Nom commun et nom propre

▶ Le **nom commun** est employé pour désigner une réalité qui n'est pas unique mais qui existe sous des formes diverses. Il est en général précédé d'un **déterminant**.

> **Mon chat** *guette* **la nuit**, *tout droit, comme* **une cruche**.
>
> ▶ Léon-Paul Fargue, « Une odeur nocturne », *Poésies*.

▶ Le **nom propre** prend toujours une **majuscule**. Il désigne une réalité unique. Il s'emploie le plus souvent **sans déterminant**.

> **Venise** *pour le bal s'habille.* Venise désigne une ville unique.
>
> ▶ Théophile Gautier, « Carnaval », *Émaux et Camées*.

▶ Certains noms peuvent être tantôt noms communs, tantôt noms propres : *le breton* (la langue) ; *le Breton* (l'habitant ou le natif de la Bretagne). La majuscule permet de les différencier.

 Attention

Le même mot peut être employé comme nom commun, nom propre ou adjectif.

> *Le* **corse** *est enseigné dans certaines écoles.* (nom commun)
> *Mon ami est un* **Corse**. (nom propre)
> *J'aime le fromage* **corse**. (adjectif)

D'anciens noms propres sont devenus des noms communs.

▪ Certains noms propres, à l'usage, sont devenus des noms communs et ont perdu leur majuscule : *camembert* (fromage fabriqué dans la région de Camembert).

▪ Certains noms propres de marques déposées sont passés dans le langage courant : *scotch* (ruban adhésif), *kleenex* (mouchoir en papier jetable).

5 Nom dénombrable et nom indénombrable

◗ Lorsqu'un nom désigne ce qui peut être dénombré, compté, on parle de **nom dénombrable** ou **comptable** : *des pommes, des enfants*.

◗ Lorsqu'un nom désigne quelque chose qui ne peut être dénombré, on parle de **nom indénombrable** ou **non comptable**. Il s'agit principalement de noms désignant un sentiment, une notion abstraite, un état : *l'humour, la faim*.

⚠ Attention

Le même nom peut être dénombrable ou indénombrable.

*Les **poulets** sont élevés en plein air.* (dénombrable)
*Nous avons mangé du **poulet**.* (indénombrable)

6 Nom générique, nom spécifique et nom collectif

◗ Lorsque le nom commun désigne toute une catégorie d'objets, de personnes ou de notions, on dit qu'il est **générique**.

◗ Lorsque le nom commun désigne un élément particulier, on dit qu'il est **spécifique**.

Arbre est un nom **générique**, alors que *peuplier* est un nom **spécifique**.

*C'était une de ces **coiffures** d'ordre composite, où l'on retrouve tous les éléments du **bonnet** à poil, du **chapska**, du **chapeau** rond, de la **casquette** de loutre et du **bonnet** de coton.*

▶ Gustave Flaubert, *Madame Bovary.*

Coiffures est un nom générique désignant l'ensemble des couvre-chefs ; *bonnet, chapska, chapeau, casquette* sont des noms spécifiques correspondant à des « coiffures » particulières.

● Lorsque le nom commun désigne un ensemble d'éléments, on dit qu'il est **collectif** *(vaisselle, famille, foule…).*

*Et comme **la foule** sortait de l'église, des cris d'étonnement retentirent.*

▶ « Merlin l'enchanteur », *Les Romans de la Table ronde.*

Comment éviter les répétitions en utilisant un nom générique ?

Utiliser un nom générique peut être utile pour reprendre une réalité désignée par un nom spécifique.

*Adam, en possession de son **chien** et de sa **brebis**, manifeste une grande joie et se réjouit. D'après le livre, ces deux **animaux** ne peuvent vivre longtemps qu'en la compagnie des hommes.*

▶ *Le Roman de Renart.*

Animaux est le terme générique qui reprend *chien* et *brebis*, qui sont des noms spécifiques.

Résumé

● Le nom permet de désigner des êtres vivants, des objets et des idées.

● On distingue les noms propres et les noms communs.

● Le nom a un genre (féminin ou masculin) et il varie en nombre.

Les déterminants

*Le soir, comme ils rentraient **des** champs,
les parents trouvent le chat sur **la** margelle
du puits où il était occupé à faire **sa** toilette.*

▶ Marcel Aymé, *Les Contes du chat perché.*

On appelle *déterminants* les mots
qui précèdent le nom et qui forment
avec lui le groupe nominal minimal.

Les règles d'emploi des déterminants

7 Le rôle des déterminants

▶ Les déterminants permettent d'insérer le nom dans la phrase.

> *Il y a dans **la** même île **des** rhinocéros, qui sont **des** animaux
> plus petits que **l'**éléphant et plus grands que **le** buffle.*
>
> ▶ « Sindbad le marin », *Les Mille et Une Nuits.*

Sans la présence des déterminants, la phrase serait grammaticalement
incorrecte.

▶ Les déterminants s'emploient :

– pour préciser le nom ;

> ***Un** meunier ne laissa pour **tous** biens à **trois** enfants qu'il avait,
> que **son** moulin, **son** âne et **son** chat.*
>
> ▶ Charles Perrault, *Le Maître Chat ou le Chat botté.*

– pour relier le nom à d'autres mots du texte ;

> *Il était une fois une petite fille de village, la plus jolie
> qu'on sût voir ; sa mère en était folle, et sa mère-grand
> plus folle encore. **Cette** bonne femme lui fit faire un petit
> chaperon rouge.*
>
> ▶ Charles Perrault, *Le Petit Chaperon rouge.*

Cette relie bonne femme à sa mère-grand.

– pour relier le nom à la situation d'énonciation ▶ 150 .

> — ***Mon*** *enfant, est-ce que tu ne reconnais plus **ta** mère ?*
>
> ▶ JULES VERNE, *Michel Strogoff.*
>
> *Mon* renvoie au locuteur (celui qui parle) et *ta* à l'interlocuteur
> (celui à qui le locuteur parle).

8 L'absence de déterminant

▶ Il arrive que le nom ne soit pas précédé d'un déterminant ; c'est
le cas en particulier :

– de noms propres : ***Paris*** *est la capitale de la France.*

– de noms en fonction d'apostrophe : ***Garçon,*** *l'addition !*

– de noms en fonction d'apposition : *Thomas,* ***enfant*** *sociable,
adore les sports d'équipe.*

– de locutions verbales : *avoir **faim**, prendre **froid**, tenir **tête**...*

– de noms précédés d'une préposition : *une nuit sans **étoiles**.*

– de titres : ***Lettres*** *de mon moulin.*

– d'énumérations : *L'automne arrive : **vent**, **pluie**, **froid**.*

9 La place du déterminant

▶ Le déterminant précède le nom et forme avec lui un **groupe
nominal**.

> <u>Le trésor</u>*, s'il existait, était enterré dans* <u>cet angle sombre</u>*.*
>
> ▶ ALEXANDRE DUMAS, *Le Comte de Monte-Cristo.*
>
> *Le trésor* et *cet angle sombre* constituent deux groupes nominaux.

▶ Il arrive que le déterminant soit séparé du nom par des expansions du nom qui viennent enrichir celui-ci ; dans ce cas, le déterminant marque toujours le début du groupe nominal.

> <u>Ces</u> *élégants* ***habits***, <u>cette</u> *riche*
> ***veste*** *brodée, faisaient de moi*
> <u>un</u> *tout autre* ***personnage***.
>
> ▶ THÉOPHILE GAUTIER, *La Morte amoureuse.*
>
> *Ces élégants habits, cette riche veste brodée*
> et *un tout autre personnage* constituent
> trois groupes nominaux.

10 L'accord des déterminants

◗ Les déterminants s'accordent en **genre** et en **nombre** avec le nom qu'ils précèdent : *un chien, **une** chienne, **des** chiens.*

◗ C'est souvent grâce aux déterminants que l'on est renseigné sur le genre et le nombre du nom : *un pianiste, **une** pianiste;* ***un** choix, **des** choix.*

◗ Les déterminants permettent aussi de différencier des homonymes : *un mémoire, **la** mémoire; **un** voile, **une** voile.*

11 Les catégories de déterminants

◗ On distingue :
– les articles : définis *(le mur)*, indéfinis *(une rose)*, partitifs *(du lait);*
– les déterminants démonstratifs *(cette année)*, possessifs *(mon ami)*, indéfinis *(plusieurs jours)*, interrogatif ou exclamatif *(quel homme? quel homme!)*, numéraux cardinaux *(deux ans).*

⚠ Attention

Dans les anciennes grammaires, les déterminants démonstratifs, possessifs, indéfinis étaient appelés adjectifs.

adjectif démonstratif → déterminant démonstratif
adjectif possessif → déterminant possessif
adjectif indéfini → déterminant indéfini

◗ Les articles et les déterminants possessifs ou démonstratifs peuvent s'employer en même temps que d'autres déterminants.

> — *Pas du tout, a répondu Papa; il est temps que Nicolas apprenne la valeur de l'argent. Je suis sûr qu'il dépensera **ces dix** nouveaux francs d'une façon raisonnable.*
>
> ◗ Jean-Jacques Sempé et René Goscinny, *Le Petit Nicolas a des ennuis.*
> *Ces* est un déterminant démonstratif; *dix* est un déterminant numéral cardinal.

12 Les articles définis

▶ Les articles définis sont les suivants :

Masculin singulier	le, l'
Féminin singulier	la, l'
Masculin féminin pluriel	les

▶ Les articles définis servent à désigner :

– des êtres ou des choses que l'on connaît ;

> *Je vais à **la** mairie.*
> Il s'agit de la mairie de la ville où je me trouve.

– des êtres ou des choses dont on a déjà parlé.

> *Il était une fois <u>une princesse</u> qui possédait, tout en haut du donjon, juste sous les créneaux, une grande salle avec douze fenêtres qui donnaient sur tous les secteurs du ciel ; et lorsqu'elle y montait et regardait par ces fenêtres, <u>la princesse</u> pouvait surveiller et embrasser du regard tout son royaume.*
>
> ▶ Les Frères Grimm, « Le Ouistiti », *Contes.*
> L'article défini *la,* dans *la princesse,* reprend *une princesse.*

▶ On emploie également les articles définis devant les **noms génériques**, c'est-à-dire les noms qui désignent des espèces ou des catégories d'êtres ou de choses.

> *Le **cheval** est la plus noble conquête de **l'homme**.*

 Attention

L'article défini est élidé ou contracté dans certains cas.

■ Devant une **voyelle** ou un **h muet**, l'article défini singulier s'élide, c'est-à-dire qu'il perd sa voyelle finale : *l'atelier, l'humeur.*

■ L'article défini se contracte avec les prépositions **à** et **de** : à le = **au** ; de le = **du** ; à les = **aux** ; de les = **des**. On parle alors d'article défini contracté.

13 Les articles indéfinis

● Les articles indéfinis sont les suivants :

Masculin singulier	un
Féminin singulier	une
Masculin féminin pluriel	des

● Les articles indéfinis servent à désigner :

– des êtres ou des choses dont on n'a pas encore parlé ;

> *Une Grenouille vit un Bœuf*
> *Qui lui sembla de belle taille.*
>
> ▶ Jean de La Fontaine, *La Grenouille qui veut se faire aussi grosse que le bœuf.*

– des êtres ou des choses dont on ne peut pas ou ne veut pas préciser l'identité.

> *Monsieur, voilà un médecin qui demande à vous voir.*
>
> ▶ Molière, *Le Malade imaginaire.*

  Attention

Des devient de ou d' dans les phrases négatives ou lorsque le nom est précédé d'un adjectif.

> *J'ai des devoirs.* → *Je n'ai pas de devoirs.*
> *De grosses vagues se brisent sur les rochers.*

14 Les articles partitifs

● Les articles partitifs sont les suivants :

Masculin singulier	du, de l'
Féminin singulier	de la, de l'
Masculin féminin pluriel	des

● Les articles partitifs s'emploient devant des noms de choses qu'on ne peut pas compter (indénombrables) ; ils indiquent des quantités indéfinies. Ils s'emploient aussi bien devant des noms concrets *(du chocolat)* que devant des noms abstraits *(de la peine)*.

Tiens, il est neuf heures. Nous avons mangé
***de la** soupe, **du** poisson, **des** pommes de terre au lard,*
***de la** salade anglaise.* ▶ Eugène Ionesco, *La Cantatrice chauve.*

⚠ **Attention**

Du et *de la* sont remplacés par *de* dans une phrase négative.

*Elle faisait **du** sport.* → *Elle ne fait plus **de** sport.*

Les autres déterminants

15 Les déterminants démonstratifs

▶ Les déterminants démonstratifs sont les suivants :

Masculin singulier	ce, cet
Féminin singulier	cette
Masculin féminin pluriel	ces

▶ Les déterminants démonstratifs s'emploient pour désigner :

– des êtres ou des choses qui appartiennent à la situation d'énonciation et que l'on montre (*démonstratif* vient du latin *demonstrare*, qui signifie « montrer ») ;

« ***Ce** pied fera mon affaire* », *dis-je au marchand, qui me regarda d'un air ironique et sournois en me tendant l'objet demandé pour que je pusse l'examiner plus à mon aise.*
▶ Théophile Gautier, *Le Pied de momie.*

– des êtres ou des choses dont on a déjà parlé ;

Un Loup n'avait que les os et la peau ;
Tant les Chiens faisaient bonne garde.
***Ce** Loup rencontre un Dogue aussi puissant que beau.*
▶ Jean de La Fontaine, *Le Loup et le Chien.*

– des êtres ou des choses dont on va parler.

> *Le 15 mai 1796, le général Bonaparte fit son entrée dans Milan à la tête de **cette** jeune armée qui venait de passer le pont de Lodi.*
>
> ◗ STENDHAL, *La Chartreuse de Parme.*

Le déterminant *cette* annonce l'information apportée par la proposition relative qui suit.

◗ Les déterminants démonstratifs peuvent être renforcés par les particules **-ci** ou **-là** ; **-ci** insiste sur la proximité dans l'espace ou dans le temps, **-là** sur l'éloignement : *ces temps-ci, en ce temps-là.*

> *Pour **cette** petite clef-**ci**, c'est la clef du cabinet au bout de la grande galerie de l'appartement.*
>
> ◗ CHARLES PERRAULT, *La Barbe bleue.*

Cette petite clef-ci renvoie à la clef que Barbe bleue a dans la main.

⚠ Attention

Ce devient cet devant un mot commençant par une voyelle ou un *h* muet.

> *cet arbre ; cet homme.*

Les déterminants possessifs

◗ Les déterminants possessifs sont les suivants :

1ʳᵉ personne singulier mon, ma, notre	1ʳᵉ personne pluriel mes, nos
2ᵉ personne singulier ton, ta, votre	2ᵉ personne pluriel tes, vos
3ᵉ personne singulier son, sa, leur	3ᵉ personne pluriel ses, leurs

◗ Les déterminants possessifs indiquent le possesseur. En plus du genre et du nombre, ils portent la marque de la personne et peuvent constituer ainsi un indice de l'énonciation.
À la première personne, le possesseur est le locuteur ; à la deuxième personne, le possesseur est l'interlocuteur.

Mon cher Poil de Carotte,
Ta lettre de ce matin m'étonne fort.
Je la relis vainement.
Ce n'est plus ton style ordinaire.

▶ Jules Renard, *Poil de Carotte.*

17   Les déterminants indéfinis

◗ Les déterminants indéfinis sont les suivants : *aucun, autre, certain, chaque, différents, divers, maint, même, nul, plusieurs, quelconque, quelque, tel, tout, pas un, n'importe quel...*
Des noms et des adverbes de quantité jouent aussi le rôle de déterminants indéfinis : *la plupart de, une foule de, beaucoup de, moins de, (un) peu de, plus de...*

◗ Les déterminants indéfinis sont très nombreux et difficiles à classer. Ils expriment généralement une idée de quantité (on parle alors de **quantifiants**) :
– une quantité nulle : *aucun, pas un* ;
– une quantité non précisée : *quelques, certains* ;
– une totalité : *tout.*
Certains expriment une idée d'identité : *même, tel.*

◗ Souvent, les déterminants indéfinis s'emploient en même temps qu'un article, un déterminant possessif ou démonstratif : *un **même** succès, **tous mes** amis, **ces quelques** livres.*

◗ **Certain**, **différent**, **divers**, **nul** sont aussi des adjectifs qualificatifs ; dans ce cas, ils se placent derrière le nom ou en fonction d'attribut et changent de sens.

Certaines *nouvelles nous parvenaient.*
Certaines, déterminant indéfini, a le sens de *quelques.*

La nouvelle était **certaine.**
Certaine, adjectif qualificatif, a le sens de *sûre.*

18 Le déterminant interrogatif et le déterminant exclamatif

▶ Le déterminant **quel** peut être interrogatif ou exclamatif ; il s'accorde en genre et en nombre avec le nom auquel il se rapporte. Il prend les formes suivantes : **quel, quels, quelle, quelles**.

> *Quels yeux ! avec un éclair ils décidaient de la destinée d'un homme.*
>
> ▶ Théophile Gautier, *La Morte amoureuse.*

> *Quelle taille veux-tu avoir ?*
> ▶ Lewis Carroll,
> *Alice au pays des merveilles.*

▶ Le déterminant interrogatif **quel** se rencontre aussi bien dans l'interrogation directe que dans l'interrogation indirecte ▶ 124 .

> *Quelle robe mettras-tu ?* (interrogation directe)
> *Je me demande quel temps il fera.* (interrogation indirecte)

▶ **Quel** s'emploie également comme attribut.

> *Le valet de chambre accuse la cuisinière, qui accuse la lingère, qui accuse les deux autres. Quel est le coupable ?*
> ▶ Guy de Maupassant, *Le Horla.*
> Quel est attribut du sujet *le coupable.*

▶ **Quel** peut aussi se rencontrer dans des phrases exclamatives ; il est alors déterminant exclamatif et exprime une réaction et des sentiments variés, comme la surprise, l'impatience, l'admiration, l'indignation...

> *Quelle journée !*
> Cette phrase pourra signifier, suivant le contexte, que la journée a été merveilleuse ou désastreuse.

19 Les déterminants numéraux cardinaux

● Les déterminants numéraux cardinaux indiquent le nombre précis de ce dont on parle : *un, deux, trois, cent, mille*.

> *Au-delà de **six** fleuves et **trois** chaînes de montagnes surgit Zora, ville que ne peut oublier celui qui l'a vue **une** fois.*
>
> ❱ Italo Calvino, *Les Villes invisibles*.

⚠ Attention

Le déterminant numéral cardinal n'indique pas toujours un nombre précis.

Le nombre n'est pas précis dans certaines expressions familières :
> *voir **trente-six** chandelles ; faire les **quatre cents** coups.*

● Les adjectifs numéraux ordinaux ne sont pas considérés comme des déterminants, mais comme des adjectifs qualificatifs. Ils indiquent le rang : *premier, deuxième...*

Résumé

● Les déterminants précèdent le nom et forment avec lui un groupe nominal (GN).

● Ils précisent le nom, le rattachent au contexte.

● On distingue :
  – les articles définis : *le, la, les...*
  – les articles indéfinis : *un, une, des...*
  – les articles partitifs : *du, de la, des...*
  – les déterminants démonstratifs : *ce, cette...*
  – les déterminants possessifs : *mon, ton, son...*
  – les déterminants indéfinis : *chaque, quelque...*
  – le déterminant interrogatif ou exclamatif : *quel.*
  – les déterminants numéraux cardinaux : *trois, huit...*

Les pronoms

Étymologiquement, « pro-nom » signifie « à la place du nom ». Or, le pronom remplace d'autres mots que le nom et peut même ne rien remplacer du tout !

20 À quoi servent les pronoms ?

▶ Les pronoms peuvent avoir un rôle de **substituts** quand ils remplacent des mots ou des groupes de mots. Les éléments qu'ils reprennent sont appelés **antécédents**.

> *Il n'est pas facile de lire sur la figure d'un Chouan : mais*
> *celui-ci s'est trahi par le désir de montrer son intrépidité.*
> ▶ HONORÉ DE BALZAC, *Les Chouans.*

Le pronom *celui-ci* remplace le groupe nominal *un Chouan*. *Un Chouan* est le GN antécédent du pronom *celui-ci*.

▶ Les pronoms peuvent aussi avoir un rôle de **représentants** quand ils sont employés **sans antécédents**. Ils renvoient alors à la situation d'énonciation : qui parle ? à qui ? où ? quand ?

> *Je ne te dis plus rien. Venge-moi, venge-toi.*
> ▶ PIERRE CORNEILLE, *Le Cid.*

Je et *moi* désignent celui qui parle, don Diègue. *Te* et *toi* désignent son interlocuteur, son fils Rodrigue.

Les pronoms personnels

21 Le rôle des pronoms personnels

▶ Les pronoms personnels peuvent remplacer des groupes nominaux pour éviter les répétitions ou désigner des personnes qui communiquent entre elles : celui qui parle, celui à qui l'on parle, celui dont on parle. Ils existent aux trois personnes du discours : **je**, **tu**, **il**, **elle**, **on** au singulier et **nous**, **vous**, **ils**, **elles** au pluriel.

⚠ Attention

On et *il* ne sont-ils que des pronoms personnels ?

- Non, **on** existe aussi en tant que pronom indéfini.

- Non, **il** peut avoir un sens impersonnel. Dans ce cas, il ne remplace rien et ne représente rien. Il est sujet d'un verbe impersonnel : *il pleut*.

22 Les différents pronoms personnels

▶ On distingue les pronoms personnels **simples**, **renforcés**, **réfléchis** et **adverbiaux**.

Pronoms	Singulier			Pluriel		
	1re pers.	2e pers.	3e pers.	1re pers.	2e pers.	3e pers.
simples	je, me	tu, te	il, elle, on, le, la, lui	nous	vous	ils, elles les, leur
renforcés	moi	toi	lui, elle	nous	vous	eux, elles
réfléchis	me	te	se, soi	nous	vous	se
adverbiaux			en, y			

▶ Les **pronoms personnels simples** sont les plus utilisés. Ils varient selon la fonction qu'ils occupent dans la phrase.

> *Il **nous** regarde.* Il est sujet, *nous* est COD.

> ***Nous lui** donnons un cadeau.* Nous est sujet, *lui* est COS.

▶ Les **pronoms personnels renforcés** sont utilisés pour renforcer des pronoms ou derrière une préposition.

> ***Eux** aussi nous dévisageaient, comme s'ils étaient tombés chez les sauvages.* ▶ ROLAND DORGELÈS, *Les Croix de bois*.
> *Eux* est une forme renforcée de *ils*, employée pour insister.

> *Tiens, ma fille, voici un carnet que j'ai acheté pour **toi**.*
> ▶ EUGÈNE LABICHE, *Le Voyage de Monsieur Perrichon*.
> *Toi* est une forme renforcée de *tu*, employée derrière la préposition *pour*.

▶ Les **pronoms personnels réfléchis** sont utilisés quand ils renvoient aux sujets des propositions dans lesquelles ils se trouvent.

> *Pauline **se** regarda dans le miroir.*
> Le pronom *se* (COD) désigne la même personne que *Pauline* (sujet).

● Les **pronoms personnels adverbiaux** sont invariables. Ils sont utilisés pour remplacer des noms désignant des animaux, des objets ou des idées. On ne peut les employer pour les êtres humains.

> *Elle commande, dès le lendemain matin, avec une voix épouvantable qui faisait trembler tout le monde, qu'on apportât au milieu de la cour <u>une grande cuve</u> qu'elle fit remplir de vipères, de couleuvres et de serpents, pour y faire jeter la reine et ses enfants.*
>
> ● CHARLES PERRAULT, *La Belle au bois dormant.*

Le pronom y remplace le nom *cuve.*

Les pronoms possessifs

23 Le rôle des pronoms possessifs

● Les pronoms possessifs permettent de reprendre des noms en les présentant comme des objets possédés par quelqu'un.

> GUEUSELAMBIX. — *Voici notre village.*
>
> OBÉLIX. — *Ça ressemble au **nôtre** !*
>
> ● RENÉ GOSCINNY et ALBERT UDERZO, *Astérix chez les Belges.*

24 Les différents pronoms possessifs

● Les pronoms possessifs varient selon le **possesseur** mais aussi selon le **genre** et le **nombre** des éléments possédés.

Possesseur	Un seul élément possédé		Plusieurs éléments possédés	
	Masculin	Féminin	Masculin	Féminin
moi	le mien	la mienne	les miens	les miennes
toi	le tien	la tienne	les tiens	les tiennes
lui, elle	le sien	la sienne	les siens	les siennes
nous	le nôtre	la nôtre	les nôtres	les nôtres
vous	le vôtre	la vôtre	les vôtres	les vôtres
eux, elles	le leur	la leur	les leurs	les leurs

Les pronoms démonstratifs

25 Le rôle des pronoms démonstratifs

▶ Les pronoms démonstratifs s'emploient pour désigner :
– des êtres ou des choses qui appartiennent à la situation d'énonciation ▶ 150 et que l'on montre ;

> *Marius regarde <u>les voitures</u> dans la vitrine : « **Celle-ci** me plaît ! » dit-il.*
>
> Le pronom *celle-ci* désigne l'une des *voitures* montrées par Marius.

– des êtres ou des choses dont on a déjà parlé ;

> *L'amie qui était le plus souvent avec eux, c'était <u>la pauvreté</u>, hélas, et il n'est pire compagnie que **celle-là**, pire tourment que sa présence obsédante.*   ▶ « Estula », *Fabliaux du Moyen Âge.*
>
> Le pronom *celle-là* reprend *la pauvreté*.

– des êtres ou des choses dont on va parler.

> *Je vous donne **ceci** : la montre de mon grand-père.*

▶ Quand les formes composées **celui-ci** et **celui-là** sont employées ensemble, elles s'opposent : **celui-ci** désigne ce qui est le plus proche dans le temps ou dans le texte ; **celui-là** désigne ce qui est le plus éloigné dans le temps ou dans le texte.

> *Corneille nous assujettit à ses caractères et à ses idées ; Racine se conforme aux nôtres : **celui-là** peint les hommes comme ils devraient être ; **celui-ci** les peint comme ils sont.*
>
> ▶ JEAN DE LA BRUYÈRE, *Les Caractères.*
>
> *Celui-là* désigne Corneille, *celui-ci* désigne Racine.

26 Les différents pronoms démonstratifs

● Les pronoms démonstratifs existent sous une **forme simple** et sous une **forme composée**.

	Singulier		Pluriel		Invariable
	Masculin	Féminin	Masculin	Féminin	
Formes simples	celui	celle	ceux	celles	ce, c'
Formes composées	celui-ci, celui-là	celle-ci, celle-là	ceux-ci, ceux-là	celles-ci, celles-là	ceci, cela, ça

● Les **pronoms démonstratifs simples** sont toujours suivis de propositions subordonnées relatives ou de groupes nominaux.

> *J'ai deux robes : **celle** que je préfère est bleue.*
> *Il y a deux récréations au collège : **celle** du matin est la plus longue.*

● Les **pronoms démonstratifs composés** s'emploient seuls.

> *Regarde les chapeaux ! **Celui-ci** est joli.*

● Les **pronoms démonstratifs invariables** reprennent :

– des noms inanimés : *Les bandes dessinées, **ça** m'intéresse.*
– des infinitifs : *Dormir à la belle étoile, **cela** me plaît !*
– des propositions entières : *Tu triches ! **ce** n'est pas drôle.*

Les pronoms indéfinis, relatifs, interrogatifs

27 Les pronoms indéfinis

● Les pronoms indéfinis sont des termes de formes variées. Le mot **indéfini** indique l'idée d'une **imprécision** ou d'une incertitude dans l'élément remplacé ou désigné par ces pronoms.

> *Je vois **quelque chose**.*
> Le pronom *quelque chose* désigne une réalité incertaine, pas très bien identifiée.

◗ On peut classer les pronoms indéfinis selon leur sens.

Sens négatif	aucun(e), nul(le), personne, pas un(e)... *Nul ne peut entrer.*
Sens quantitatif	plusieurs, certains, beaucoup, tout (tous, toutes), quelques-uns, quelques-unes... *Certains marchaient lentement.*
Sens distributif	les uns, les autres, chacun, chacune... *Chacun à son poste !*
Sens indéterminé	on, quelque chose, quelqu'un... *À quelque chose malheur est bon.*

⚠ Attention

Il ne faut pas confondre *on* pronom personnel et *on* pronom indéfini.

Pour les distinguer, on peut les remplacer par un autre pronom.
On ne sait rien, on n'a pas d'ordres.

◗ ROLAND DORGELÈS, *Les Croix de bois.*

On peut être remplacé par *nous* (pronom personnel) car il désigne l'auteur et ses compagnons, durant la guerre de 1914-1918.

Elle crut entendre dans l'allée un bruit de pas qui s'approchaient.
— On vient ! dit-elle.

◗ GUSTAVE FLAUBERT, *Madame Bovary.*

On peut être remplacé par *quelqu'un* (pronom indéfini).

28 Les pronoms relatifs

◗ Les pronoms relatifs introduisent des **propositions relatives**. Ils ont un **antécédent** qui peut être un nom, un groupe nominal ou un autre pronom.

J'ai déjà vu la jeune fille qui attend l'autobus.
Jeune fille est l'antécédent du pronom relatif qui.

▶ Les **pronoms relatifs** simples sont : **qui**, **que**, **qu'**, **quoi**, **dont**, **où**. Ils varient selon la fonction qu'ils occupent à l'intérieur de la proposition relative.

> *J'achetai des marchandises propres à faire le trafic*
> ***que** je <u>méditais</u>, et je partis une seconde fois avec*
> *d'autres marchands **dont** <u>la probité</u> m'était connue.*
>
> ▶ « Sindbad le marin », *Les Mille et Une Nuits.*
>
> Le pronom *que* est COD de *méditais* et le pronom *dont* est complément du nom *probité*.

▶ Les **pronoms relatifs composés** varient selon le genre et le nombre de l'antécédent et peuvent être soudés aux prépositions **à** et **de**.

> *Il ne comprit pas tout de suite le curieux <u>travail</u> **auquel***
> *se livrait Vendredi.*
>
> ▶ MICHEL TOURNIER, *Vendredi ou la Vie sauvage.*
>
> Le pronom relatif *auquel* s'accorde avec l'antécédent *travail*, au masculin singulier ; il est soudé à la préposition *à*.

	Masculin singulier	Féminin singulier	Masculin pluriel	Féminin pluriel
Sans préposition	lequel	laquelle	lesquels	lesquelles
Avec la préposition *à*	auquel	à laquelle	auxquels	auxquelles
Avec la préposition *de*	duquel	de laquelle	desquels	desquelles

29 Les pronoms interrogatifs

▶ Les pronoms interrogatifs permettent de **poser des questions**. On distingue les **pronoms interrogatifs** de forme **simple**, de forme **composée** et de forme **complexe**.

▶ Les **pronoms interrogatifs simples** ne varient pas en genre et en nombre. Ils varient :

– selon qu'ils désignent un être humain ou non ;

> ***Qui** regardes-tu ?* (*Qui* désigne un être humain.)
>
> ***Que** regardes-tu ?* (*Que* peut désigner un animal ou un objet.)

– selon la fonction qu'ils occupent dans la phrase.

> ***Que** regardes-tu ?* (*Que* est COD.)
>
> *À **qui** écris-tu ?* (*À qui* est COI.)

● Les **pronoms interrogatifs composés** varient en genre et en nombre : **lequel, laquelle, lesquels, lesquelles**.

Un pronom interrogatif composé remplace toujours un élément du contexte :

– soit en reprenant un élément déjà mentionné ;

> *Tu as mangé deux <u>bonbons</u>. **Lequel** était le meilleur ?*
> Le pronom *lequel* a pour antécédent *bonbons*.

– soit en étant suivi de l'élément qu'il représente.

> ***Lequel** de ces deux <u>bonbons</u> vas-tu manger en premier ?*
> L'élément représenté par le pronom *lequel* est placé après lui ;
> il s'agit de *bonbons*.

● Les **pronoms interrogatifs complexes** se présentent sous la forme de locutions verbales composées de l'auxiliaire **être** et de pronoms : **qui est-ce qui**, **qu'est-ce que**. Les deux pronoms interrogatifs simples qui encadrent la locution varient selon qu'on parle d'un être humain ou non et selon la fonction de la locution dans la phrase.

> ***Qui est-ce qui** a écrit sur la table ?*
> Le pronom *qui est-ce qui* représente le sujet (humain) du verbe *a écrit*.

> ***Qu'est-ce que** tu écris sur la table ?*
> Le pronom *qu'est-ce que* représente le COD (non humain) du verbe *écris*.

Résumé

● Les pronoms remplacent des éléments de la phrase ou représentent des éléments de la situation d'énonciation.

● Les pronoms changent de forme selon leur genre, leur nombre et leur fonction.

● On distingue :
– les pronoms personnels : *je, tu, nous, eux...*
– les pronoms possessifs : *le mien, les nôtres...*
– les pronoms démonstratifs : *ceci, celle-ci...*
– les pronoms indéfinis : *aucun, quelque chose...*
– les pronoms relatifs : *qui, lequel...*
– les pronoms interrogatifs : *que, lequel, qu'est-ce que...*

L'adjectif qualificatif

Le mot *adjectif* vient du latin *adjicere*, qui signifie « ajouter ». L'adjectif ajoute en effet des précisions à un nom ou à un pronom.

30 Qu'est-ce qu'un adjectif qualificatif ?

▶ L'adjectif qualificatif est un mot qui caractérise un nom ou un pronom en lui apportant des précisions.

> *Son nez **décharné**, **haut** et **effilé**, lui donnait l'air d'un **vieil** oiseau de proie.* ▶ CONAN DOYLE, *Le Ruban moucheté*.
> Les trois premiers adjectifs caractérisent le mot *nez*, le quatrième le mot *oiseau*.

▶ L'adjectif qualificatif est un mot **variable** : il s'accorde en genre et en nombre avec le nom ou le pronom auquel il se rapporte.

> *Tante Éponge était **petite** et **ronde**, **ronde** comme un ballon.* ▶ ROALD DAHL, *James et la grosse pêche*.
> Les trois adjectifs s'accordent avec *tante Éponge* au féminin singulier.

▶ Le participe passé et le participe présent peuvent s'employer comme des adjectifs qualificatifs et s'accordent donc comme eux.

> *Alors la jeune femme, d'une voix **entrecoupée**, **tremblante**, commença : « Mes braves gens, je viens vous trouver parce que je voudrais bien... votre petit garçon. »*
> ▶ GUY DE MAUPASSANT, « Aux champs », *Contes de la Bécasse*.
> *Entrecoupée* (participe passé) et *tremblante* (participe présent) s'accordent, comme deux adjectifs, avec le nom *voix*.

31 La place de l'adjectif qualificatif

▶ L'adjectif qualificatif se place généralement **après le nom** qu'il qualifie : *Cyprien a raconté une histoire **formidable** !*

● Cependant, il existe quelques cas particuliers :

– certains adjectifs qualificatifs courts se placent **avant le nom** ;

> *Pascal porte un **vieux** chapeau.*

– lorsque l'adjectif qualificatif est attribut, il est généralement placé **après le verbe.**

> *Et puis Mme Bongrain a apporté le rôti, qui était **rigolo**,*
> *parce que dehors il était tout **noir**, mais dedans c'était*
> *comme s'il n'était pas cuit du tout.*
>
> ❱ Jean-Jacques Sempé et René Goscinny, *Le Petit Nicolas et les copains.*
>
> *Rigolo* qualifie *le rôti*, *noir* qualifie le pronom *il*. Ces adjectifs sont placés après le verbe *était*.

● Quelques adjectifs qualificatifs épithètes ne peuvent **jamais** être placés **avant le nom**, comme certains adjectifs de couleur.

> *Je préfère le pantalon **bleu**.* (⊖ et non *le bleu pantalon* !)

⚠️ **Attention**

La place de l'adjectif qualificatif peut en modifier le sens.

La place de l'adjectif qualificatif épithète (avant ou après le nom) peut parfois changer le sens du GN. C'est le cas pour des adjectifs comme *grand, triste, curieux, propre, pauvre, brave* : *un garçon **curieux*** fait preuve de curiosité, mais *un **curieux** garçon* est un garçon étrange.

Les adjectifs relationnels

● Certains adjectifs n'expriment pas une qualité mais une relation avec un nom, on les appelle des **adjectifs relationnels**. Ils sont l'équivalent d'un complément du nom.

> *Quant à Passepartout, la face rouge comme le disque*
> ***solaire** quand il se couche dans les brumes, il humait*
> *cet air **piquant**.*
>
> ❱ Jules Verne, *Le Tour du monde en quatre-vingts jours.*
>
> L'adjectif qualificatif *piquant* donne une caractéristique de l'air. L'adjectif relationnel *solaire* équivaut au complément du nom « du soleil ».

● Les adjectifs relationnels ont trois particularités : ils sont toujours placés après le nom ; ils ne varient pas en degré ; ils sont toujours épithètes.

33 Les degrés de l'adjectif qualificatif : les comparatifs et les superlatifs

▶ L'adjectif qualificatif peut exprimer une propriété ou une caractéristique avec plus ou moins de force, il **varie** alors en **degré**. C'est l'ajout d'adverbes (*plus, moins*) qui exprime cette variation.

— *Vieille imbécile ! Je suis **plus beau** que toi ! tu entends !*
***Plus beau** que toi !*
— *Ce n'est pas vrai ! Espèce de brimborion ! C'est moi*
***la plus belle** !*

▶ Marcel Aymé, *Les Contes du chat perché.*

Plus beau est un comparatif, *la plus belle* est un superlatif.

Les comparatifs

▶ On distingue plusieurs types de comparatifs :

– le comparatif **de supériorité** (*plus + adjectif*) ;
*Elle est **plus courageuse** que moi.*

– le comparatif **d'infériorité** (*moins + adjectif*) ;
*Il a un frère **moins âgé** que je ne le croyais.*

– le comparatif **d'égalité** (*aussi + adjectif*).
*Tu es **aussi discret** qu'un éléphant dans un champ de betteraves !*

▶ Le comparatif est le plus souvent suivi d'un complément introduit par **que**.

*Un petit gros monsieur, court et rond, parut, donnant le bras à une grande et belle femme, **plus haute** que lui, beaucoup **plus jeune**.* ▶ Guy de Maupassant, *Bel-Ami.*

Que lui est le complément du comparatif *plus haute* mais il n'est pas répété pour le complément du comparatif *plus jeune*.

Les superlatifs

▶ On distingue deux types de **superlatifs relatifs** :

– le superlatif **relatif de supériorité** (*le plus + adjectif*) ;
*Le Loup se mit à courir de toute sa force par le chemin qui était **le plus court**, et la petite fille s'en alla par le chemin **le plus long**.* ▶ Charles Perrault, *Le Petit Chaperon rouge.*

– le superlatif **relatif d'infériorité** (*le moins + adjectif*).
*Il est **le moins habile** des trois.*

▶ Le superlatif relatif est le plus souvent suivi d'un complément introduit par **de**.

> *Nous avons ici un vieillard retiré de la Cour, qui est **le plus savant homme** du royaume, et **le plus communicatif**.*
>
> ▶ VOLTAIRE, *Candide*.
>
> *Du royaume* est le complément du superlatif *le plus savant homme* mais il n'est pas répété pour le complément du superlatif *le plus communicatif*.

▶ Le superlatif **absolu** permet d'indiquer le très haut degré d'une caractéristique attribuée à une réalité sans qu'il soit question de la comparer à une autre réalité. Il se forme en faisant précéder l'adjectif d'un adverbe de quantité comme *très, extrêmement, merveilleusement*.

> *Quand il s'amuse, il est **extrêmement** comique.*
>
> ▶ EDMOND ROSTAND, « Le petit chat », *Les Musardises*.

Les comparatifs et les superlatifs irréguliers

▶ Il existe des cas où l'adjectif lui-même peut porter la marque de cette variation en degré, ce sont des comparatifs ou superlatifs irréguliers.

	Comparatif de supériorité	Superlatif
bon	meilleur	le meilleur
mauvais	pire	le pire
petit	moindre	le moindre

Résumé

▶ L'adjectif qualificatif permet de caractériser le nom ou le pronom auquel il se rapporte.

▶ Il s'accorde en genre et en nombre avec le nom qu'il qualifie et peut varier en degré.

Le verbe

Je fume,
tu fumes,
il tousse,
nous toussons,
vous toussez,
ils s'arrêtent
de fumer.

▶ Pef, *L'Ivre de français.*

34 Qu'est-ce qu'un verbe ?

▶ Le verbe est un mot qui peut exprimer :
– une **action** effectuée ou subie par le sujet ;

Le kangourou boxe, il reçoit des coups.

▶ Marc Alyn, « Girafe », *L'Arche enchantée.*

– l'attitude ou l'**état** du sujet.

La girafe est belle, elle est une échelle.

▶ Marc Alyn, « Girafe », *L'Arche enchantée.*

▶ Le verbe est le **noyau** de la phrase car c'est autour de lui que se construit celle-ci. Il constitue avec ses compléments le **prédicat** de la phrase, c'est-à-dire ce qui apporte une information sur le sujet.

Pascal récite son texte.

Pascal est le sujet du verbe *récite* ; son texte est le COD du verbe *récite*.

▶ Le verbe est le seul mot qui peut varier à la fois en genre, en nombre, en temps, en personne, en mode et en voix : l'ensemble des formes que peut prendre le verbe s'appelle sa **conjugaison**.

▶ Seul le verbe peut être encadré par la **négation** : *ne... pas, ne... plus, ne... jamais, ne... rien.*

La Fourmi n'est pas prêteuse.

▶ Jean de La Fontaine,
La Cigale et la Fourmi.

35 La forme du verbe

◗ Le verbe se compose de deux parties :

– un **radical**, qui porte le sens du verbe ;

– une **terminaison** (qu'on appelle aussi désinence), qui porte les marques de la conjugaison : personne, temps, mode.

> *Ils **mang-eront**.*
> Mang- est le radical et -eront est la terminaison à la 3ᵉ personne du pluriel, au futur de l'indicatif.

◗ Les verbes se répartissent, selon leur infinitif, en **trois groupes**. Savoir à quel groupe appartient le verbe permet de le conjuguer.

◗ Le verbe est parfois composé de deux ou trois mots formant une unité de sens. On parle alors de **locution verbale** : *avoir raison, faire peur...*

> *Oui, j'**avais peur** des grandes bêtes cornues.*
>
> ◗ CAMARA LAYE, *L'Enfant noir*.

36 Les verbes auxiliaires

◗ **Être** et **avoir** peuvent servir à la conjugaison des autres verbes ; ils perdent alors leur sens propre : ce sont des **auxiliaires**. On les emploie pour former les temps composés.

> *L'homme <u>était</u> parti de Marchiennes vers deux heures.*
>
> ◗ ÉMILE ZOLA, *Germinal*.

37 Les verbes d'état

◗ Les verbes d'état expriment un état ou un changement d'état : *être, paraître, sembler, devenir, demeurer, rester...*

◗ Les verbes d'état se construisent avec un **attribut**. On les appelle aussi verbes attributifs.

> *Il **devient** gras. Il **est** de plus en plus beau, ma foi.*
>
> ◗ MARCEL AYMÉ, *Les Contes du chat perché*.
> Il, qui désigne un cochon, est relié à gras et beau (attributs) par deux verbes attributifs, devient et est.

38 Les verbes transitifs et les verbes intransitifs

🔸 À côté de l'infinitif du verbe, le dictionnaire indique la façon dont le verbe se construit par des abréviations du type **v. tr.**, **v. i.** On distingue en effet les verbes transitifs des verbes intransitifs.

🔸 Un verbe est **transitif direct** s'il se construit avec un complément d'objet direct.

> *Le zébubus /* ***Transportait*** */ Noirs et Blancs.*
>
> > 🔹 Joël Sadeler, « Fable », *Mon premier livre de poèmes pour rire.*
> *Noirs et Blancs* est le COD du verbe *transportait*.

🔸 Un verbe est **transitif indirect** s'il se construit avec un complément d'objet indirect.

> *Elle* ***ressemblait à*** *un énorme chou blanc cuit à l'eau.*
>
> > 🔹 Roald Dahl, *James et la grosse pêche.*
> *Ressembler* se construit avec la préposition *à* qui introduit le COI, *un énorme chou blanc cuit à l'eau* (il s'agit de la tante de James).

🔸 Quand un verbe transitif est employé sans complément d'objet, on dit qu'il est employé **absolument**.

> *Il* ***buvait*** *un horrifique trait de vin blanc.*
>
> > 🔹 François Rabelais, *Gargantua.*
> Le verbe *boire* est employé avec un COD : *un horrifique trait de vin blanc.*

> *Le bonhomme Grandgousier, alors qu'il* ***buvait*** *et rigolait avec les autres, entendit le cri horrible de son fils.*
>
> > 🔹 François Rabelais, *Gargantua.*
> Le verbe *boire* est employé absolument.

🔸 Un verbe est **intransitif** s'il se construit sans complément d'objet.

> *Elle n'avait autour d'elle que des ennemis.*
> *— Où vais-je* ***mourir*** *? dit-elle.*
> *— Sur l'autre rive, répondit le bourreau.*
>
> > 🔹 Alexandre Dumas, *Les Trois Mousquetaires.*
> Le verbe *mourir* se construit sans complément d'objet.

39 Les verbes pronominaux

● Certains verbes sont précédés d'un **pronom réfléchi**, qui varie selon la personne ; on les appelle des verbes pronominaux. Le dictionnaire indique **v. pron.** ou **v. pr.**

> *Il y a des gestes différents pour toutes les lettres :*
> *on se gratte l'oreille, on se frotte le menton, on se donne*
> *des tapes sur la tête, comme ça jusqu'à « z », où on louche.*
> *Terrible.*
>
> ▶ Jean-Jacques Sempé et René Goscinny, *Le Petit Nicolas et les copains.*

40 Les verbes impersonnels

● Le verbe **impersonnel** ne se conjugue qu'avec le pronom **il** (qui dans ce cas ne remplace aucun nom) : *il pleut, il s'agit...*

● Certains verbes ne sont qu'impersonnels : *il neige, il faut...*

> *S'il fait beau, c'est une canne, s'il fait du soleil,*
> *c'est une ombrelle, s'il pleut, c'est un parapluie.*
>
> ▶ Guy de Maupassant, *Bel-Ami.*

● D'autres verbes peuvent parfois être employés de façon impersonnelle : *il arrive (que), il semble (que)...*

> Perrichon. — *Il me semble qu'un homme du monde peut*
> *avoir des pensées et les recueillir sur un carnet !*
>
> ▶ Eugène Labiche, *Le Voyage de Monsieur Perrichon.*

Résumé

● Le verbe est le noyau de la phrase.

● Il se conjugue et peut se construire avec ou sans complément : il est transitif ou intransitif.

● Le verbe d'état se construit avec un attribut.

● Le verbe pronominal est précédé d'un pronom réfléchi.

Les adverbes

Ailleurs, bien loin d'ici! trop tard! jamais peut-être!
> CHARLES BAUDELAIRE, « À une passante », *Les Fleurs du mal.*

Ce vers de Baudelaire a la particularité de n'être constitué que d'adverbes.

41 Le rôle des adverbes

▶ Les adverbes servent à **modifier le sens** :

– d'un verbe : *Le randonneur <u>marche</u> **rapidement**.*

– d'un adjectif qualificatif : *La mer est **plus** <u>agitée</u> qu'hier.*

– d'un adverbe : *Je me sens **parfaitement** <u>bien</u>.*

– d'une phrase.

> <u>On s'entretint de la guerre</u> **naturellement**. *On raconta des faits horribles des Prussiens, des traits de bravoure des Français.*

> GUY DE MAUPASSANT, *Boule-de-Suif.*

▶ Les adverbes de liaison jouent le rôle de **connecteurs** en organisant la progression temporelle *(d'abord, ensuite)* ou logique *(toutefois, en effet)* d'un texte.

> *Il s'attacha **d'abord** à régler dans la paix et la prospérité toutes les affaires du royaume. **Puis** il entreprit une série d'expéditions, dont le but était de prendre connaissance des richesses artistiques des pays voisins.*

> MICHEL TOURNIER, *Les Rois mages.*

 Attention

L'adverbe peut s'employer comme un nom ou un adjectif.
Il remplit alors les fonctions propres à ces mots.

> *les gens d'**ici** ; un homme **bien**.*

Ici remplit la fonction de complément du nom *gens, bien* celle d'épithète du nom *homme.*

42 Les caractéristiques des adverbes

● Les adverbes sont toujours **invariables**.

Elle s'arrêta net.

● On peut les supprimer sans rendre la phrase incorrecte.

Le père et la mère, les voyant occupés à travailler, s'éloignèrent d'eux insensiblement, et puis s'enfuirent tout à coup par un petit sentier détourné.

● Charles Perrault, *Le Petit Poucet.*

43 Les différentes sortes d'adverbes

● Il existe une grande variété d'adverbes. On distingue :

– les adverbes de **manière** : *ainsi, bien, ensemble, rapidement...*

– les adverbes de **temps** : *hier, aujourd'hui, demain...*

– les adverbes de **lieu** : *ici, là, ailleurs, loin, partout...*

– les adverbes de **quantité** ou d'**intensité** : *assez, autant, peu...*

– les adverbes de **liaison** : *puis, enfin, cependant, d'abord...*

– les adverbes **interrogatifs** : *où, quand, pourquoi, comment...*

– les adverbes **exclamatifs** : *comme, combien, que...*

– les adverbes d'**affirmation** et de **négation** : *oui, peut-être, certes, non, ne... pas, ne... jamais, ne... plus...*

● Certains adverbes sont constitués de plusieurs mots ; il s'agit de **locutions adverbiales** : *d'ailleurs, bien sûr...*

● L'adjectif qualificatif peut être employé comme adverbe ; il est alors invariable.

Elle parlait fort.

Résumé

● L'adverbe est un mot invariable.

● Il sert à modifier le sens d'un verbe, d'un adjectif, d'un autre adverbe ou d'une phrase.

Les prépositions

Les prépositions sont des chefs de groupe. L'étymologie nous apprend qu'elles sont « placées à l'avant » d'un groupe de mots, comme l'indique le verbe latin *praeponere*, qui signifie « mettre devant ».

44 Le rôle des prépositions

◗ Les prépositions servent à mettre en relation un mot ou un groupe de mots avec un autre élément de la phrase. Elles forment ainsi un **groupe prépositionnel** dont elles sont le mot de tête.

◗ Ce groupe peut être complément :
– d'un **verbe** : *se souvenir **de** ses vacances* ;
– d'un **adjectif** : *facile **à** écrire* ;
– d'un **nom** : *le chapeau **de** Marie* ;
– d'une **proposition** (ou d'une phrase).
   ***À la fin de l'année**, je passerai mon brevet.*

45 Les caractéristiques des prépositions

◗ Les prépositions sont des mots **invariables**.

◗ On ne peut pas les supprimer.
   *Je suis allé **à** Paris /* ◒ *Je suis allé Paris.*

◗ Les prépositions existent en nombre limité sous deux formes :
– des **mots simples** et souvent brefs : *à, de, par, avec, pour, dans…*
– des groupes de mots composés d'une préposition simple et d'un autre mot ; on les appelle des **locutions prépositionnelles** : *à cause de, grâce à, en vue de…*

   *Le marchand me suivait **avec** précaution **dans** le tortueux passage pratiqué **entre** les piles **de** meubles.*

   ◗ Théophile Gautier, *Le Pied de momie.*
   Il y a quatre prépositions dans cette phrase.

> ⚠️ **Attention**
>
> À et *de* se contractent avec les articles *le* et *les*.
> **Du** (⊝ de le), **des** (⊝ de les), **au** (⊝ à le), **aux** (⊝ à les).

> **Comment ne pas confondre les prépositions avec les adverbes et les conjonctions ?**
>
> ▪ Contrairement aux adverbes, les prépositions sont toujours suivies d'un complément.
>
> *Depuis ton départ, je suis triste.* (préposition)
> *Tu es parti, je suis triste depuis.* (adverbe)
>
> ▪ Contrairement aux conjonctions, les prépositions n'introduisent pas de verbes conjugués.
>
> *Avant de partir, viens me voir.* (locution prépositionnelle)
> *Avant que tu ne partes, viens me voir.* (locution conjonctive)

46 Les prépositions de sens limité, les prépositions de sens multiples

▶ Certaines prépositions indiquent un seul type de relation.

– **À cause de** indique la cause : *À cause de lui, j'ai raté le bus.*

– **Pendant** indique une durée : *Il a plu pendant deux jours.*

▶ D'autres prépositions ont des sens multiples.

– La préposition **avec** indique : la manière *(avec facilité)*, le moyen *(avec un stylo)*, l'accompagnement *(avec Marie)*.

– La préposition **à** indique : la fonction *(un bac à vaisselle)*, la manière *(à tâtons)*, le lieu *(à Metz)*, le temps *(à dix heures)*…

Résumé

▶ Les prépositions introduisent des groupes de mots qui ont des fonctions diverses dans la phrase.

▶ Elles sont indispensables et invariables.

Les conjonctions

Les conjonctions sont des mots outils invariables.
Le mot *conjonction* vient du latin *conjungere*, qui signifie
« joindre avec ».
On distingue les conjonctions de coordination
et les conjonctions de subordination.

Les conjonctions de coordination

47 Le rôle des conjonctions de coordination

▶ Les conjonctions de coordination servent à **relier des mots** ou des groupes de mots qui ont la **même fonction** dans la phrase.

*Le grand veneur **et** le premier eunuque ne doutèrent pas que Zadig n'eût volé le cheval du roi **et** la chienne de la reine.*

▶ VOLTAIRE, *Zadig.*

Les groupes nominaux sujets, *le grand veneur* et *le premier eunuque*, ainsi que les groupes nominaux COD, *le cheval du roi* et *la chienne de la reine*, sont reliés par la conjonction de coordination *et*.

▶ Les groupes coordonnés sont le plus souvent de **même nature**.

MAÎTRE DE PHILOSOPHIE. — *Vous ne voulez que de la prose ?*
MONSIEUR JOURDAIN. — *Non, je ne veux **ni** prose **ni** vers.*
MAÎTRE DE PHILOSOPHIE. — *Il faut bien que ce soit l'un **ou** l'autre.*

▶ MOLIÈRE, *Le Bourgeois gentilhomme.*

Ni coordonne deux noms, *ou* coordonne deux pronoms.

▶ Ils peuvent aussi être de nature différente, à condition de jouer le même rôle grammatical.

*Un Souriceau tout jeune, **et** qui n'avait rien vu,*
Fut presque pris au dépourvu.

▶ JEAN DE LA FONTAINE, *Le Cochet, le Chat et le Souriceau.*

Et coordonne un groupe adjectival *(tout jeune)* et une proposition subordonnée relative *(qui n'avait rien vu)* ; mais tous deux servent à qualifier le nom *Souriceau*.

● Les conjonctions de coordination **relient** également **des propositions** de même nature ; on dit que ces propositions sont **coordonnées**.

> Scapin. — *[Parbleu, Monsieur, je suis un fourbe]* **ou**
> *[je suis un honnête homme] ; c'est l'un des deux.*
>
> ▶ Molière, *Les Fourberies de Scapin.*
>
> Les propositions indépendantes *Parbleu, Monsieur, je suis un fourbe* et *je suis un honnête homme* sont reliées par la conjonction de coordination *ou.*

> *J'avoue que j'aimerais rencontrer une personne*
> *[que je pourrais aimer]* **et** *[qui s'intéresserait un peu à moi].*
>
> ▶ Romain Gary, *La Promesse de l'aube.*
>
> Les propositions subordonnées relatives *que je pourrais aimer* et *qui s'intéresserait un peu à moi* sont reliées par la conjonction de coordination *et.*

● Elles peuvent **relier des phrases**. Les conjonctions de coordination jouent alors un rôle de **connecteur** : elles permettent de structurer le texte en mettant en évidence sa progression temporelle ou logique, tout comme les adverbes de liaison.

> — **Mais** papa, lui dis-je, elle monte, la rue Tivoli !
> — *Oui, me dit-il. Maintenant, elle monte.* **Mais** *je suis presque sûr qu'au retour elle descendra.*
>
> ▶ Marcel Pagnol, *La Gloire de mon père.*

48 Les différentes conjonctions de coordination

● Il existe sept conjonctions de coordination : **car**, **donc**, **et**, **mais**, **ni**, **or**, **ou**. Elles se placent devant le mot ou le groupe de mots qu'elles coordonnent, à l'exception de **donc** dont la position est variable.

ASTUCE

💡 **Comment mémoriser
les conjonctions de coordination ?**

Une formule mnémotechnique bien connue facilite cette mémorisation :
mais, ou, et, donc, or, ni, car
(Mais où est donc Ornicar ?).

● Les conjonctions de coordination peuvent avoir un ou plusieurs sens.

	Sens	Exemple
Car	Cause	• *Ils hâtèrent le pas, **car** le ciel était menaçant.*
Donc	Conséquence	• *Les issues étaient bloquées; ils ne purent **donc** pas sortir.*
	Conclusion d'un raisonnement	• *Tous les hommes sont mortels; or Socrate est un homme; **donc** Socrate est mortel.*
Et	Addition	• *Mince **et** agile, la fillette se glissa sous le portail.*
	Succession Conséquence	• *Il but son café **et** sortit.* • *Une seule erreur **et** tout est à recommencer.*
	Opposition	• *Ils dépensaient des fortunes **et** n'obtenaient aucun résultat.*
Mais	Opposition	• *Ils voulurent partir, **mais** il les retint encore une heure.*
Ni	Addition de négations	• *Elle ne dormait **ni** ne mangeait.*
Or	Objection	• *Nous voulions partir, **or** il se mit à pleuvoir.*
	Introduction d'une nouvelle donnée	• *Tous les hommes sont mortels; **or** Socrate est un homme.*
Ou	Alternative	• *Fromage **ou** dessert?*

49 Le rôle des conjonctions de subordination

▶ Les conjonctions de subordination servent à **relier deux propositions** en subordonnant l'une à l'autre, c'est-à-dire en plaçant l'une dans la dépendance de l'autre. La proposition qui est introduite par la conjonction de subordination est appelée **proposition subordonnée conjonctive**, alors que l'autre proposition est appelée **proposition principale**.

> *[Quand l'amour s'en va,] [l'espoir fuit.]*
> ▶ Victor Hugo, *Les Contemplations.*
> Cette phrase est formée d'une proposition principale précédée
> d'une proposition subordonnée conjonctive.

▶ Les conjonctions de subordination jouent également un rôle de **connecteur** : comme les adverbes de liaison, elles contribuent à structurer le texte en exprimant les rapports temporels ou logiques qui unissent les propositions entre elles.

> *Alors, donnant un vigoureux coup de pied, il remonta libre*
> *à la surface de la mer, tandis que le boulet entraînait dans*
> *ses profondeurs inconnues le tissu grossier qui avait failli*
> *devenir son linceul.*
> ▶ Alexandre Dumas, *Le Comte de Monte-Cristo.*
> L'adverbe de liaison *alors* et la locution conjonctive *tandis que*
> soulignent la chronologie du récit.

50 Les différentes conjonctions de subordination

▶ Il faut distinguer **que** des autres conjonctions de subordination. **Que** n'a pas de sens particulier et se comporte comme un outil grammatical servant à relier deux propositions. Cette conjonction introduit une **proposition subordonnée conjonctive complétive**.

> *Ma mère dit [**qu'**il ne faut pas gâter les enfants.]*
>
> ▶ Jules Vallès, *L'Enfant*.
>
> *Qu'il ne faut pas gâter les enfants* est une proposition subordonnée conjonctive complétive, COD du verbe *dire*.

 Attention

Que peut être une conjonction de subordination, un pronom ou un adverbe.

Il ne faut pas confondre la conjonction de subordination **que** avec :
– le pronom interrogatif : ***Que*** *veux-tu ?*
– l'adverbe exclamatif : ***Que*** *j'aime ce pays !*
– le pronom relatif.

> *Il trouva agréable le voyage [**que** nous avions entrepris.]*
>
> *Que nous avions entrepris* est une proposition subordonnée relative introduite par le pronom relatif *que* et dont l'antécédent est *le voyage*.
>
> *Il trouva [**que** le voyage était agréable.]*
>
> *Que le voyage était agréable* est une proposition subordonnée conjonctive introduite par la conjonction de subordination *que*.

▶ Toutes les autres conjonctions de subordination expriment un rapport de temps ou un rapport logique. Elles introduisent des **propositions subordonnées conjonctives circonstancielles**.

> *Et, à la maison, [**depuis que** j'ai fumé le cigare,] papa n'a plus le droit de fumer la pipe.*
>
> ▶ Jean-Jacques Sempé et René Goscinny, *Le Petit Nicolas*.
>
> *Depuis que j'ai fumé le cigare* est une proposition subordonnée conjonctive circonstancielle de temps.

▶ La plupart de ces conjonctions sont formées de plusieurs mots : on parle alors de **locutions conjonctives** (*avant que, si bien que...*). Les conjonctions et locutions conjonctives sont très nombreuses, mais on peut les classer en fonction de leur sens.

Temps	*après que, avant que, comme, quand…*
Cause	*comme, parce que, puisque…*
Conséquence	*au point que, de sorte que, si bien que…*
But	*afin que, de peur que, pour que…*
Condition	*à condition que, pourvu que, si…*
Opposition	*bien que, quoique, sans que…*
Comparaison	*aussi… que, comme, le même… que, plus… que…*

 Attention

**On peut éviter de répéter une conjonction
en employant *que* à sa place.**

Lorsque plusieurs propositions subordonnées circonstancielles sont coordonnées entre elles ou juxtaposées, on évite de répéter la conjonction en employant **que** à sa place. Dans ce cas, **que** introduit une subordonnée conjonctive circonstancielle.

> *Lorsqu'un homme marié était mort et **que** sa femme bien-aimée voulait être sainte, elle se brûlait en public sur le corps de son mari.*
>
> ▶ VOLTAIRE, *Zadig.*

Que est mis pour *lorsque*.

Résumé

▶ Les conjonctions sont des mots outils invariables.

▶ Les conjonctions de coordination relient des mots ou groupes de mots qui ont la même fonction.

▶ Les conjonctions de subordination relient une proposition subordonnée à la proposition principale

▶ Les conjonctions ont aussi un rôle de connecteur.

Les interjections

*Ô lyre! ô délire! oh! — assez! **attention.***

▶ TRISTAN CORBIÈRE, *Les Amours jaunes.*

Ô, oh et *attention* sont des interjections.

51 Le rôle des interjections

▶ Mots souvent courts, toujours **invariables**, les interjections expriment un comportement affectif, une **émotion** de la part du locuteur : colère, étonnement, satisfaction, politesse... On parle aussi de mots exclamatifs.

Ô rage! ô désespoir! ô vieillesse ennemie!

▶ PIERRE CORNEILLE, *Le Cid.*

▶ Les interjections sont souvent redoublées et accompagnées d'un **point d'exclamation**.

Oh! oh! dit le chat, vous êtes plus méchants que je ne pensais. ▶ MARCEL AYMÉ, *Les Contes du chat perché.*

▶ Elles n'ont pas de réelle fonction dans la phrase. Elles ne se rapportent à aucun autre mot de la phrase. Pour cette raison, elles sont souvent séparées par une virgule des autres mots de la phrase. On peut aisément les déplacer et les supprimer.

Au secours, au secours, voilà monsieur le marquis de Carabas qui se noie!

▶ CHARLES PERRAULT, *Le Maître Chat ou le Chat botté.*

On pourrait dire : « Voilà monsieur le marquis de Carabas qui se noie! », ou encore « Voilà monsieur le marquis de Carabas qui se noie, au secours! »

52 Les principales catégories d'interjections

▶ Les interjections peuvent être :

– des **onomatopées**, qui sont des mots servant à retranscrire des bruits comme le rire *(ha, hi, ho)*, les cris *(ah, oh)* : **Ha, ha**, *c'est une plaisanterie !*

– des **mots expressifs** utilisés pour exprimer un sentiment, une sensation, une attitude, comme le mépris *(fi)*, la douleur *(aïe)*, l'agacement *(zut)*, la plainte *(hélas)* : **Hélas !** *il était trop tard !*

– des **noms** ou des **groupes nominaux** : *Attention ! Ma parole ! Juste ciel ! Par exemple !*

– des **adjectifs** : *Bon ! Chic !*

– des **adverbes** : *Alors ! Bis ! Bien ! Eh bien !*

– des **verbes à l'impératif** : *Allons ! Tiens ! Voyons !*

– des **phrases** ou des **expressions figées** : *Sauve qui peut ! Vogue la galère ! Bonjour !*

7. Pourquoi certaines interjections viennent-elles de jurons déformés ?

Les jurons évoquent souvent des puissances religieuses : *Dieu ! Jésus !* Pour éviter d'avoir à prononcer le mot *Dieu* ou un autre terme lié à la religion (ce qui est considéré comme irrespectueux), certaines interjections, par déformation ou substitution, ont fait disparaître habilement le terme tabou : *morbleu* (pour *mort de Dieu*), *parbleu*, *pardi* (pour *par Dieu*), *sapristi* (déformation de *sacristi*, diminutif de *sacré*).

Résumé

▶ Les interjections sont des mots expressifs d'origines diverses.

▶ Elles n'ont pas de fonction dans la phrase.

Nature et fonction

La **nature** d'un mot est sa carte d'identité (ce qu'il est et sera toujours) et sa **fonction** est son métier (ce qu'il fait dans la phrase et qui peut changer).

53 Nature et fonction d'un mot

◗ Pour trouver la **nature** d'un mot, on cherche à quelle **classe grammaticale** il appartient. La nature d'un mot permet de le reconnaître, quel que soit le contexte. Un mot ne change jamais de nature : le mot *enfant* est toujours un nom commun.

◗ Pour trouver la **fonction** d'un mot, on peut se demander quelle **relation** il entretient avec le reste de la phrase, quel rôle il joue.

Le temps a laissé son manteau.

◗ CHARLES D'ORLÉANS, *Rondeaux.*

Dans cette phrase, *Le temps* est le sujet, *a laissé* est le verbe et *son manteau* est le complément d'objet direct.

◗ La **place** d'un mot permet parfois de repérer sa **fonction**.

Virginie regarde Paul. Paul regarde Virginie.

Dans la première phrase, *Virginie* est sujet, *Paul* est COD.
Dans la seconde phrase, la place des mots étant inversée, *Virginie* devient COD et *Paul* devient sujet.

Mais la place d'un mot n'est pas un critère suffisant pour reconnaître sa fonction.

*Peut-être veux-**tu** manger ici ?*

Tu est le sujet du verbe *veux*, il se trouve cependant après le verbe.

⚠ **Attention**

■ **Un même mot peut remplir plusieurs fonctions.**

*Elle a félicité **Pierre**. **Pierre** était très ému.*

Le nom *Pierre* est COD dans la première phrase et sujet dans la seconde phrase.

■ **Des mots de natures différentes peuvent remplir une même fonction grammaticale.**

Par exemple, lorsqu'on cherche le sujet dans une phrase, il ne faut pas automatiquement chercher un nom.

Le chat lèche sa patte, il est très propre.

Dans la première proposition, la fonction sujet est remplie par un groupe nominal dont le mot noyau est le nom *chat* ; dans la seconde proposition, elle est remplie par le pronom *il*.

54 Nature et fonction d'un groupe de mots

▶ On appelle groupe de mots un ensemble de mots construit autour d'un mot **noyau**. Le noyau donne au groupe sa **nature** : un **groupe nominal** a pour noyau un nom, un **groupe verbal** a pour noyau un verbe et un **groupe adjectival** a pour noyau un adjectif qualificatif.

*Ma **voisine** de palier **a terminé** sa décoration grâce à un papier peint **facile** à poser.*

Le groupe nominal *Ma voisine de palier* a pour noyau le nom *voisine*, le groupe verbal *a terminé sa décoration* a pour noyau le verbe *a terminé* et le groupe adjectival *facile à poser* a pour noyau l'adjectif *facile*.

▶ Pour trouver la **fonction** d'un groupe de mots, il faut se demander quelle est la fonction du mot noyau.

*[Le petit **violon** d'un moustique] s'obstine.*

▶ Léon-Paul Fargue, « Une odeur nocturne », *Poésies*.

Violon est le nom noyau du groupe nominal *Le petit violon d'un moustique*, il occupe la fonction sujet. Le groupe nominal est donc le groupe sujet.

55 Nature et fonction d'une proposition

▶ Il existe différentes **natures** de propositions : la proposition **indépendante**, la proposition **principale** et la proposition **subordonnée**.

▶ On distingue cinq natures de propositions subordonnées :
– la proposition subordonnée **relative** ;
– la proposition subordonnée **conjonctive** ;
– la proposition subordonnée **interrogative indirecte** ;
– la proposition subordonnée **infinitive** ;
– la proposition subordonnée **participiale**.

Comment trouver la nature d'une proposition ?

Le plus souvent, il suffit de repérer le mot qui l'introduit : ainsi le pronom **relatif** introduit la proposition **relative**, la **conjonction** introduit la proposition **conjonctive**.

▶ Pour trouver la **fonction** d'une proposition, il faut se demander quel rôle elle joue dans la phrase. Une proposition peut remplir les mêmes fonctions qu'un mot ou un groupe de mots : quelle que soit sa nature, elle peut être sujet, complément d'objet...

Je sais bien [que tu as raté ton train,]
[et que tu vas me téléphoner.]
Les deux propositions subordonnées
sont des conjonctives COD du verbe *savoir*.

56 L'analyse grammaticale

▶ L'analyse grammaticale consiste à identifier la nature et la fonction des différents éléments d'une phrase. On peut analyser la **nature** et la **fonction** de chaque **mot** ou **groupe de mots** d'une phrase.

Jeanne regarde son enfant avec tendresse.

Nature des mots : *Jeanne* : nom • *regarde* : verbe • *son* : déterminant • *enfant* : nom • *avec* : préposition • *tendresse* : nom.

Fonction des mots et groupes de mots : *Jeanne* : sujet • *regarde son enfant* : groupe verbal • *avec tendresse* : complément circonstanciel de manière • *son enfant* : COD de *regarde*.

▶ On peut aussi analyser la **nature** et la **fonction** des différentes **propositions** composant une phrase.

[On entendait ainsi un bruit de tam-tam,]
[cependant que les navires marquaient un roulis]
[qui s'accentuait jusqu'à devenir inquiétant.]

▶ MICHEL TOURNIER, *Gaspard, Melchior et Balthazar.*

Cette phrase est formée de trois propositions :

• *On entendait ainsi un bruit de tam-tam* : proposition principale ;

• *cependant que les navires marquaient un roulis* : proposition subordonnée conjonctive circonstancielle ;

• *qui s'accentuait jusqu'à devenir inquiétant* : proposition subordonnée relative épithète.

Résumé

▶ La nature d'un mot ne varie jamais, elle désigne ce qu'il est, sa classe grammaticale : un adverbe, un pronom, un nom, un adjectif qualificatif...

▶ La fonction d'un mot est variable, elle désigne le rôle qu'il joue dans la phrase : sujet, complément du nom, complément d'objet, complément circonstanciel...

La fonction sujet

*Hiver, **vous** n'êtes qu'un vilain.*
Été est plaisant et gentil :
*En témoignent **Mai et Avril***
Qui l'escortent soir et matin.
▶ CHARLES D'ORLÉANS, *Poèmes.*

Comme le montrent ces vers,
identifier le sujet d'un verbe est parfois difficile
car sa nature et sa place peuvent varier.

57 Le rôle du sujet

▶ Le sujet indique **de qui** ou **de quoi on parle** dans la phrase ; il désigne qui fait l'action exprimée par le verbe.

> *J'ai ouvert ma fenêtre / et **la lune** m'a souri.*
>
> ▶ PHILIPPE SOUPAULT, « Pleine Lune », *La Nouvelle Guirlande de Julie.*
> *J'* est le sujet de *ai ouvert* et *la lune* est le sujet du verbe *a souri.*

▶ Le sujet est un **constituant obligatoire** de la phrase : il ne peut être supprimé.

▶ Le sujet commande **l'accord** en nombre et parfois en genre du verbe conjugué.

> *« Tu as vu comment elle est attifée, la voisine ?*
> *a dit Maman à Papa, on dirait qu'**elle** s'est habillée*
> *avec un rideau ! »*
>
> ▶ JEAN-JACQUES SEMPÉ et RENÉ GOSCINNY, *Le Petit Nicolas et les copains.*
> *Elle* est le sujet du verbe *s'est habillée*, qui s'accorde au féminin singulier.

ASTUCE

Comment identifier le sujet ?

Le sujet peut être identifié en posant la question **qui est-ce qui ?** ou **qu'est-ce qui ?** suivie du verbe. Pour répondre, on utilisera la formule **c'est... qui**, le sujet se trouvant placé entre **c'est** et **qui**.

Le clown a cassé son violon.
Qui est-ce qui a cassé son violon ? C'est le clown qui a cassé son violon,
le clown est donc le sujet de a cassé.

58 La nature du sujet

🔸 La fonction sujet peut être remplie par :

– un nom : *Cyprien aime le sport.*

– un pronom : *Elle marche beaucoup.*

– un groupe nominal : *Son cadeau d'anniversaire lui plaît.*

– un verbe à l'infinitif : *Voler est un de ses rêves d'enfant !*

– une proposition subordonnée : *Qu'elle ait renoncé à ce travail ne me surprend pas.*

Lorsque la fonction sujet est remplie par un groupe de mots, on parle de **groupe sujet**.

ASTUCE

Comment reconnaître les pronoms personnels sujets ?

La plupart de ces pronoms ont une forme particulière lorsqu'ils sont sujets, il est donc facile de les reconnaître : **je**, **tu**, **il**, **ils**, **on**…

59 Le sujet apparent et le sujet réel

🔸 Dans une tournure impersonnelle, on distingue le sujet **apparent** (il), ou sujet **grammatical**, et le sujet **réel**, ou sujet **logique**.

> *Il reste du dessert.*
>
> Le pronom *il* est le sujet apparent ; *du dessert* est le sujet réel.

Le sujet réel n'est pas toujours présent : *Il neige.*

🔸 Le sujet **apparent** commande l'**accord** du verbe, mais ne désigne rien. Le sujet **réel** n'impose **aucun accord** au verbe.

> *Il pleut des voix de femmes.*
>
> 🔸 GUILLAUME APOLLINAIRE, « Il pleut », *Calligrammes.*
>
> *Des voix de femmes* est le sujet réel au pluriel, mais le verbe s'accorde avec le sujet apparent *il*, donc au singulier.

🔸 Le sujet **réel** peut être un groupe nominal, une proposition subordonnée complétive (introduite par **que**) ou un infinitif.

> *Il est bon de parler, et meilleur de se taire.*
>
> 🔸 JEAN DE LA FONTAINE, *L'Ours et l'Amateur des jardins.*
>
> Le pronom *il* est le sujet apparent ; ni ce sujet ni le verbe *être* ne sont répétés dans la deuxième proposition ; *de parler* et *de se taire* sont les sujets réels.

60 La place du sujet

🔹 Le sujet est généralement placé **avant le verbe**.

🔹 Le sujet est parfois **éloigné** du verbe.

> *Aramis, craignant de salir ses bottes*
> *dans ce mortier artificiel,*
> *les apostropha durement.*
>
> 🔹 Alexandre Dumas, *Les Trois Mousquetaires.*
> Le sujet du verbe *apostropha* est *Aramis.*

61 Le sujet inversé

🔹 Il arrive que le sujet soit placé **après le verbe**, on parle alors de **sujet inversé** ou de **sujet déplacé**.

🔹 L'inversion du sujet est **obligatoire** pour :

– un pronom personnel sujet d'un verbe de parole ou de pensée dans une **proposition incise** (c'est-à-dire placée à l'intérieur d'une autre proposition) ou à la fin d'une réplique ;

> *Il est, dit-il, le meilleur de la classe.*

– un pronom personnel sujet dans une phrase commençant par certains adverbes et locutions adverbiales comme *ainsi, aussi, peut-être, sans doute* ;

> *Aussi changèrent-ils d'avis.*
> *Ils* est le sujet du verbe *changèrent.*

– un groupe nominal dans une phrase commençant par un subjonctif marquant un souhait.

> *Puisse le ciel vous entendre !*
> *Le ciel* est le sujet du verbe *puisse.*

🔹 L'inversion du sujet est **possible** mais non obligatoire dans :

– une phrase interrogative ;

> *Prenons-nous toutes nos affaires ?*

– une phrase commençant par un complément circonstanciel **mis en relief** en tête de phrase.

> *Au fond de la forêt était cachée la princesse.*
> *La princesse* est le sujet du verbe *était cachée.*

GRAMMAIRE

● Dans un dialogue, il est fréquent de rencontrer plusieurs cas d'inversion du sujet.

> — *Voulez-**vous** me faire le plaisir de ne pas parler la bouche pleine ? a dit **le directeur**.*
> — *Ben, a dit **Alceste**, j'étais en train de manger un croissant quand il m'a appelé.*
>
> ▶ Jean-Jacques Sempé et René Goscinny, *Le Petit Nicolas et les copains*.

La première inversion, dans la phrase interrogative, n'est pas obligatoire. La deuxième, située à la fin d'une réplique, et la troisième, dans une proposition incise, sont obligatoires.

62 L'ellipse du sujet

● On parle d'**ellipse du sujet** lorsque le sujet n'est pas exprimé.

● On distingue deux cas :

– le sujet n'est exprimé qu'une fois et n'est pas répété lorsqu'il commande plusieurs verbes successifs ;

> ***Elle** entrait et disait : « Bonjour, mon petit père » ;*
> *Prenait ma plume, ouvrait mes livres, s'asseyait*
> *Sur mon lit, dérangeait mes papiers, et riait.*
>
> ▶ Victor Hugo, *Les Contemplations*.

– le sujet est absent dans certains documents administratifs où le contexte permet facilement de comprendre qui est le sujet (notices, bulletins...). On lit parfois sur un bulletin scolaire : *Peut mieux faire !*

Résumé

● Le sujet indique ce dont on parle. Il est un constituant obligatoire de la phrase.

● Le sujet répond à la question « qui est-ce qui ? » ou « qu'est-ce qui ? ».

● Le sujet commande l'accord du verbe et se place généralement avant lui.

La fonction attribut

> *Vous voyez que Compère Gredin était **un vieux bonhomme***
> ***sale et malodorant**. Mais ce que vous allez découvrir bientôt,*
> *c'est qu'il était aussi **affreusement méchant**.*
>
> ▶ Roald Dahl, *Les Deux Gredins*.

Les groupes de mots *Un vieux bonhomme sale et malodorant*
et *affreusement méchant* attribuent à Compère Gredin des
caractéristiques : ils remplissent la fonction attribut.

63 Le rôle de l'attribut du sujet

▶ L'attribut du sujet exprime une **qualité** ou une **caractéristique
du sujet** par l'intermédiaire d'un verbe.

> *Fantine était **belle** et resta **pure** le plus longtemps*
> *qu'elle put.*
>
> ▶ Victor Hugo, *Les Misérables*.

Belle et *pure* sont des attributs du sujet.

▶ L'attribut du sujet fait partie du **groupe verbal**. Avec le verbe
il remplit la fonction de **prédicat** (il apporte une information sur
le sujet). Il ne peut donc pas être supprimé. Cette caractéristique
permet de le différencier de l'épithète.

> *Ils sont **fous**, ces Romains !*
>
> ▶ René Goscinny et Albert Uderzo, *Astérix chez les Bretons*.

Supprimer *fous* rendrait la phrase incorrecte.

▶ L'attribut est toujours relié au sujet par un **verbe attributif**
qui peut être :

– un verbe d'état : *être, paraître, sembler, devenir, rester,
demeurer...*

> *Pascal <u>semble</u> **nerveux**.*

– certaines locutions verbales : *avoir l'air, passer pour, apparaître
comme...*

> *Elle <u>passe pour</u> **folle** !*

– certains verbes au passif : *être considéré comme, être tenu pour...*

> *Tu es <u>considéré comme</u> **le meilleur joueur de l'équipe**.*

– certains verbes intransitifs : *revenir, naître, tomber...*
    Nous revenons épuisés.

Comment différencier un attribut du sujet d'un COD ?

■ On peut remplacer l'attribut du sujet par un adjectif qualificatif.
    Elle est la reine de la mousse au chocolat.
    On peut dire : *Elle est gentille. La reine de la mousse au chocolat* est un attribut du sujet.

    Il a vu la reine d'Angleterre.
    On ne peut pas dire : ⊖ *Il a vu gentille.* Le COD *la reine d'Angleterre* ne peut pas être remplacé par un adjectif.

■ On peut remplacer le verbe par le signe égal.
    Elle = reine de la mousse au chocolat.
    Il s'agit donc bien d'un attribut du sujet.

    Il ≠ la reine d'Angleterre !
    Il ne s'agit donc pas d'un attribut du sujet.

64 La nature de l'attribut du sujet

▶ La fonction attribut du sujet peut être remplie par :

– un adjectif qualificatif (ou un groupe adjectival) ou un participe passé employé comme adjectif ;
    *Je suis **contente**,*
    *Anaëlle semble **endormie**.*

– un nom ou un groupe nominal ;
    *Pascal est **chercheur**.*
    *Il reste **un grand enfant**.*

– un pronom possessif ;
    *Ce livre est **le mien**.*

– un groupe prépositionnel ;
    *Auriane est **en colère** !*

– un infinitif (le plus souvent introduit par **de**) ;
    *Son rêve serait **de devenir astronaute**.*

– une proposition.
    *L'idéal serait **qu'elle trouve aussi un logement**.*

65 La place de l'attribut du sujet

▶ L'attribut du sujet se place généralement **après** le verbe conjugué qui le relie au sujet.

> *Ils devinrent **nerveux**, **agacés**, et avaient l'air **prêts***
> *à hurler **comme des chiens**.* ▶ GUY DE MAUPASSANT, *Boule-de-Suif.*
> Ils est le sujet des verbes attributifs *devinrent* et *avaient l'air*;
> les adjectifs *nerveux*, *agacés* et le groupe adjectival *prêts à hurler*
> *comme des chiens* sont des attributs du sujet.

▶ L'attribut du sujet peut parfois se trouver **avant** le verbe si on veut le **mettre en relief**.

> ***Maigre** devait être la cuisine qui se préparait à ce foyer.*
> ▶ THÉOPHILE GAUTIER, *Le Capitaine Fracasse.*
> Maigre est l'attribut du sujet *la cuisine*.

Dans le cas d'une mise en relief, l'attribut est parfois repris par un pronom.

> ***Élégantes**, certes elles l'étaient toujours.*
> ▶ ALPHONSE DAUDET, *Sapho.*
> Élégantes est l'adjectif attribut du sujet *elles*; il est repris par le pronom *l'*.

▶ Il peut aussi se trouver **avant** le verbe s'il s'agit d'une phrase **interrogative**.

> ***Quel homme** deviendras-tu?*
> Quel homme est l'attribut du sujet *tu*.

66 Le rôle et la place de l'attribut de l'objet

▶ L'attribut de l'objet exprime une **qualité** ou une **caractéristique du COD** par l'intermédiaire d'un verbe.
On le trouve:
– après des verbes d'opinion tels que: *trouver, juger, considérer comme, estimer, croire...*
– après des verbes tels que: *nommer, avoir, imaginer, élire, rendre, appeler.*

> *Le plus souvent on imagine **dérisoire***
> *le rôle de la femme africaine.*
> ▶ CAMARA LAYE, *L'Enfant noir.*
> L'adjectif *dérisoire* est attribut du COD *le rôle*
> *de la femme africaine.*

Comment différencier un attribut du COD d'un adjectif qualificatif épithète?

Il faut remplacer le COD par un pronom.

Si l'adjectif reste exprimé, il est attribut de l'objet.

Si l'adjectif n'est plus exprimé, il est épithète et fait donc partie du COD.

J'ai trouvé ces nouvelles fantastiques!

• Si cette phrase signifie *j'ai trouvé que ces nouvelles étaient géniales*, le remplacement du COD par un pronom donnera: *Je les ai trouvées géniales!*
Fantastiques est ici attribut de *ces nouvelles*.

• Si cette phrase signifie *j'ai cherché puis trouvé un recueil de nouvelles du genre fantastique*, le remplacement du COD par un pronom donnera: *Je les ai trouvées!*
Fantastiques est épithète de ces *nouvelles*.

● L'attribut de l'objet se place à côté du COD qu'il caractérise, sauf si ce dernier est un pronom.

> *Il a les oreilles **si roses** que tu les croirais **transparentes**.*

> ▶ CAMARA LAYE, *L'Enfant noir*.

Si roses est attribut du COD *les oreilles* et *transparentes* est attribut du COD *les*, pronom qui remplace *les oreilles*.

Résumé

● L'attribut du sujet caractérise le sujet par l'intermédiaire d'un verbe attributif.

● L'attribut du sujet fait partie du groupe verbal; avec le verbe il remplit la fonction de prédicat et ne peut pas être supprimé.

● L'attribut de l'objet caractérise le COD par l'intermédiaire d'un verbe.

Les compléments de verbe

« *Moi, j'ai apporté un cadeau, j'ai droit au goûter.* »
> JEAN-JACQUES SEMPÉ et RENÉ GOSCINNY, *La Rentrée du Petit Nicolas.*

Alceste ne le sait peut-être pas, mais *un cadeau* et *au goûter* sont des compléments de verbe.

67 Qu'est-ce qu'un complément de verbe ?

> Un **complément de verbe** est un complément **essentiel** de la phrase, car il complète le verbe et forme avec lui le **prédicat** de la phrase. On ne peut ni le déplacer ni le supprimer.

> Parmi les compléments de verbe, on trouve les **compléments d'objet** (direct, indirect et second) et **certains compléments circonstanciels**.

68 Le complément d'objet

> Le complément d'objet est l'élément sur lequel porte l'action exprimée par le verbe. Il peut désigner :
– un objet : *Marie croque une pomme.*
– une personne : *Tu te souviens de ton professeur de chant.*
– un lieu : *Christophe Colomb a découvert l'Amérique.*
– une idée : *Les philosophes se soucient du bonheur.*
– un sentiment : *La tragédie provoque de la compassion.*

> Les verbes qui se construisent avec un complément d'objet sont appelés des **verbes transitifs**.

⚠ Attention

Le complément d'objet, généralement placé après le verbe, peut en être séparé par d'autres mots.

> *Je vis, au fond de la cour, accoudé – la tête dans ses mains, – sur une large table de pierre, un grand vieux tout blanc.*
> > ALPHONSE DAUDET, « L'Arlésienne », *Lettres de mon moulin.*
> Le complément d'objet du verbe *vis* est *un grand vieux tout blanc.*
> Il est placé après le verbe mais il est séparé de lui par d'autres mots.

69 Le complément d'objet direct (COD)

▶ Le complément d'objet se construit **directement avec le verbe**, sans l'intermédiaire d'une préposition.

*Il faut venger **un père** et perdre **une maîtresse** :*
*L'un m'anime **le cœur**, l'autre retient **mon bras**.*

▶ Pierre Corneille, *Le Cid.*

Un père est COD du verbe *venger* ; *une maîtresse* est COD du verbe *perdre* ; *le cœur* est COD du verbe *anime* ; *mon bras* est COD du verbe *retient.*

▶ Il a pour particularité de devenir le sujet du verbe, lors de la **transformation passive**.

*César désire **le pouvoir**.*
***Le pouvoir** est désiré par César.*

Le pouvoir, COD de la première phrase, devient le sujet de la seconde phrase.

▶ Les verbes qui se construisent avec un COD sont appelés des **verbes transitifs directs**.

Comment reconnaître un COD ?

▪ Un COD peut être encadré par **c'est... que**.

*Maxime regarde **la télévision**.*
***C'est** la télévision **que** Maxime regarde.*

▪ On peut utiliser la question **quoi ?**, mais cette question doit porter sur **le verbe**.

*Maxime regarde **quoi ? la télévision**.* (COD)

70 Le complément d'objet indirect (COI)

▶ Le complément d'objet indirect se construit avec le verbe de façon **indirecte** : il est précédé d'une **préposition imposée** par la construction du verbe. Les prépositions les plus fréquentes sont **à** et **de** : *profiter de quelque chose, ressembler à quelqu'un...*

*Alors, il pensa **à sa maison**, puis **à sa mère**, et,*
*pris d'une grande tristesse, il recommença **à pleurer**.*

▶ Guy de Maupassant, « Le Papa de Simon », *La Maison Tellier.*
À sa maison, à sa mère, sont des COI du verbe *pensa, à pleurer* est COI du verbe *recommença.*

*Elles se moquaient **de leur cadette**.*
De leur cadette est COI du verbe se moquaient.

◗ Mais d'autres prépositions sont aussi utilisées.

Je compte <u>sur</u> votre discrétion.

◗ Le complément d'objet indirect ne peut pas devenir le sujet de la transformation passive. On peut dire : *Il profite **de ses vacances**.* Mais on ne peut pas dire : ◖ *Ses vacances sont profitées par lui.*

◗ Les verbes qui se construisent avec un COI sont appelés des verbes **transitifs indirects**.

ASTUCE

💡 **Comment reconnaître un COI ?**

Pour reconnaître un COI, on pose une question qui comprend toujours une **préposition** : *de qui ?, de quoi ?, à qui ?, à quoi ?, sur qui ?, sur quoi ?* Cette question porte sur **le verbe**.

*Le client bénéficie **d'une réduction**.*
***De quoi** le client bénéficie-t-il ? D'une réduction.* (COI)

71 Le complément d'objet second (COS)

◗ Un complément d'objet **second** (autrefois appelé **complément d'attribution**) est un complément d'objet indirect qui suit un premier complément d'objet : *donner quelque chose* (COD) *à quelqu'un* (COS) ; *parler de quelque chose* (COI) *à quelqu'un* (COS).

*Le roi Nabussan confia sa peine **au sage Zadig**.*

◗ Voltaire, *Zadig.*

Sa peine est COD du verbe confia ; au sage Zadig est COS du verbe confia.

*En arrivant sur la porte de notre maison, ma tante me recommanda – à voix basse – de ne jamais parler **à personne** de cette rencontre.*

◗ Marcel Pagnol,
La Gloire de mon père.

À personne est COS du verbe parler ; de cette rencontre est COI du verbe parler.

Qu'est-ce qu'un complément d'objet interne ?

Un complément d'objet interne est un complément d'objet qui est très proche du sens du verbe, comme dans les expressions *vivre sa vie, chanter une chanson*.

*Deux Pigeons s'aimaient **d'amour tendre**.*

▶ Jean de La Fontaine, *Les Deux Pigeons.*

D'amour tendre est un complément d'objet interne ; *aimer* et *amour* sont des mots de la même famille.

72 Les compléments circonstanciels essentiels

▶ Certains compléments exprimant une **circonstance** de l'action, notamment le lieu ou la mesure, appartiennent au groupe verbal. Ils apportent une **information essentielle** à l'action et dépendent du verbe.

▶ On ne peut ni les supprimer, ni les déplacer. Ces compléments de verbe ne doivent pas être confondus avec les compléments de phrase.

*Je vais **à Paris**.* (lieu)

*La représentation dure **trois heures**.* (mesure)

*Cette maison coûte **des millions d'euros**.* (mesure)

Résumé

▶ Les compléments de verbe font partie du groupe verbal. Ce sont des compléments essentiels.

▶ On distingue :
– le complément d'objet direct, qui se construit directement avec le verbe ;
– le complément d'objet indirect et le complément d'objet second, qui sont introduits par des prépositions ;
– certains compléments circonstanciels essentiels qu'on ne peut ni déplacer ni supprimer.

Les compléments de phrase

Demain, dès l'aube, à l'heure où blanchit la campagne,
Je partirai.

▶ Victor Hugo, *Les Contemplations.*

Un même moment, trois compléments de phrase pour le décrire.

73 Qu'est-ce qu'un complément de phrase ?

▶ Un **complément de phrase** est un complément **facultatif** (ou **non essentiel**) de la phrase. On peut généralement le déplacer et le supprimer. Il indique une circonstance de l'action ; c'est pourquoi on l'appelle également **complément circonstanciel**.

74 Le rôle du complément de phrase

▶ Le complément de phrase apporte une information sur les **circonstances** de l'action exprimée par le verbe :
– le lieu : *Émile loue un appartement **à Marseille**.*
– le temps : *Je pars **demain**.*
– la manière : *Vincent récite un poème **avec énergie**.*
– le moyen : *Le maçon monte le mur **avec sa truelle**.*
– la cause : *Je pars **à cause du froid**.*
– le but : *Cyprien révise ses leçons **pour réussir son examen**.*
– la conséquence : *Il est rapide **si bien qu'il a déjà tout fini**.*
– l'opposition : ***Malgré sa timidité**, Luc est allé voir la maîtresse.*
– la comparaison : ***Comme Balzac**, Zola est un romancier.*
– la condition : ***Si tu viens**, tu auras une surprise.*

75 Comment reconnaître un complément de phrase ?

▶ Le complément de phrase n'appartient pas au groupe verbal. Il s'agit d'un **complément facultatif** qui complète la phrase.

▶ On peut **supprimer** ou multiplier les compléments de phrase. On peut aussi souvent les **déplacer**.

*Elle attend le chevalier **devant sa grande maison
tout le temps qu'il faut.***

> ❱ « La vieille qui graissa la patte au chevalier », *Fabliaux du Moyen Âge.*

On pourrait dire : *Tout le temps qu'il faut, elle attend le chevalier devant
sa grande maison. Ou bien : Devant sa grande maison, tout le temps
qu'il faut, elle attend le chevalier. Ou encore : Elle attend le chevalier.*

⚠ Attention

**Poser une question du type « où ? », « quand ? », « combien ? »
ne suffit pas pour identifier un complément de phrase.**

Il ne faut pas le confondre avec un complément circonstanciel essentiel qui est un complément de verbe. Un complément de phrase doit
pouvoir être supprimé, et souvent déplacé.

*J'habite **à Lyon.*** → ⊘ *À Lyon j'habite.* / ⊘ *J'habite.*
À Lyon est un complément de verbe.

*J'ai acheté des quenelles **à Lyon.*** → *À Lyon, j'ai acheté
des quenelles. / J'ai acheté des quenelles.*
À Lyon est un complément de phrase.

76 La nature du complément de phrase

❱ Un complément de phrase peut être :

– un groupe nominal : ***Ce soir**, j'irai au cinéma.*

– un groupe prépositionnel : *Il mangea **avant de partir**.*

– un adverbe : *Marius s'endort **calmement**.*

– un gérondif : ***En forgeant**, on devient forgeron.*

– une proposition subordonnée conjonctive :

> ***Quand la cloche sonnera**, on partira.*

– une proposition participiale :

> ***Une fois ton travail terminé**, tu pourras jouer.*

Résumé

❱ Les compléments de phrase ne font pas partie du groupe
verbal. Ils sont facultatifs. On peut les supprimer, les multiplier et, la plupart du temps, les déplacer.

❱ Ce sont des compléments circonstanciels qui apportent une
information sur les circonstances de l'action.

Les expansions du nom

*C'était une **jeune** fille **d'une très rare beauté**,*
*et **qui n'était pas moins aimable que pleine de gaieté**.*
❱ Edgar Allan Poe, « Le Portrait ovale », *Nouvelles Histoires extraordinaires.*

À l'intérieur du groupe nominal, divers éléments précisent le nom : ce sont des expansions du nom.

77 Le groupe nominal minimal et les expansions du nom

● Un nom propre ou un nom commun accompagné de son déterminant constitue le **groupe nominal minimal**.

> *Vincent s'étendit dans **son hamac** pour faire **la sieste**.*

● On appelle **expansions du nom** les mots ou groupes de mots qui apportent des précisions sur le nom noyau du groupe nominal.

> *la **vieille** maison ; la maison **de Paul** ; la maison **que j'aime***

● Les expansions élargissent le groupe nominal et constituent ainsi, avec le nom noyau, un **groupe nominal étendu**.

> *L'humidité **nocturne de la forêt** la fit frissonner.*
> Le nom noyau *humidité* est précisé par deux expansions : l'adjectif qualificatif *nocturne* et le complément du nom *de la forêt*.

78 La nature et la fonction des expansions du nom

● Les expansions du nom peuvent être :
– un adjectif (ou participe) épithète ;

> *Le ciel **bleu** resplendit.*

– une proposition subordonnée relative épithète ;

> *Il trouva la solution **qui lui convenait**.*

– un groupe prépositionnel complément du nom.

> *Elle restaura la maison **de ses parents**.*

⚠ Attention

Apposition et expansion du nom

Lorsqu'une apposition vient enrichir un groupe nominal, on ne la considère pas comme une expansion du nom noyau, mais comme une expansion du groupe nominal.

*Sa fille aînée, **Miranda**, devait avoir sept ans quand elle s'aventura un matin dans la chambre de ses parents.*

▶ Michel Tournier, *Les Rois mages*.

L'apposition *Miranda* est une expansion du groupe nominal *sa fille aînée* et non pas du nom *fille*.

79 La valeur des expansions du nom

▶ Les expansions du nom ont une valeur **déterminative** lorsqu'elles sont nécessaires pour identifier l'être ou la chose dont on parle.

*L'homme **qui a risqué sa vie pour sauver son semblable** peut être fier de lui-même.*

▶ Eugène Labiche, *Le Voyage de Monsieur Perrichon*.

La proposition subordonnée relative épithète est indispensable pour savoir quel homme est concerné.

▶ Elles ont une valeur **explicative** (ou **descriptive**) lorsqu'elles servent simplement à apporter une précision sur l'être ou la chose dont on parle. On peut alors les supprimer.

*C'était une **belle** mule **noire**, **mouchetée de rouge**.*

▶ Alphonse Daudet, « La Mule du pape », *Lettres de mon moulin*.

Résumé

▶ Les expansions du nom précisent le nom.

▶ On distingue l'adjectif épithète, la proposition subordonnée relative épithète et le complément du nom.

▶ Les expansions du nom ont une valeur déterminative ou explicative.

La fonction complément du nom

Il y avait aussi dix mille
Boîtes de petits pois *et* **de haricots verts,**
De céleris, de macédoine, de carottes *et* **d'artichauts.**

▶ PIERRE GAMARRA, « Un enfant dans une grande surface »,
L'Almanach de la poésie.

Grâce aux compléments du nom,
on arrive à se retrouver parmi toutes
ces boîtes.

80 Le rôle du complément du nom

▶ Le complément du nom (CDN), aussi appelé **complément de détermination**, sert à **préciser un nom**.

*Le Pot **de fer** proposa*
*Au Pot **de terre** un voyage.*

▶ JEAN DE LA FONTAINE, *Le Pot de terre et le Pot de fer.*
De fer et *de terre* sont les compléments du nom *Pot*.

▶ Il constitue une **expansion du nom** et appartient donc au groupe nominal. Il peut parfois être remplacé par les autres expansions du nom : l'adjectif épithète ou la proposition subordonnée relative épithète.

*le discours **du président*** → *le discours **présidentiel,***
*le discours **que prononça le président***

Du président est un GN complément du nom *discours* ; *présidentiel* est un adjectif épithète ; *que prononça le président* est une proposition subordonnée relative épithète.

▶ Le complément du nom peut lui-même être complété par d'autres expansions et recevoir son propre complément du nom.

> *Ils trouvent dans un val, en un lieu découvert, la maison
> de Circé **aux murs de pierres lisses** et, tout autour, changés
> en lions et en loups de montagne, les hommes qu'en leur
> donnant sa drogue, avait ensorcelés la perfide déesse.*
>
> ❱ Homère, *Odyssée*.

Aux murs est complément du nom *maison* ; *de pierres lisses* est
complément du nom *murs*.

81 La nature du complément du nom

❱ Le complément du nom est le plus souvent un **groupe nominal
prépositionnel** (c'est-à-dire introduit par une préposition).

> *À ce discours **du magicien de la Perse**, le sultan sentit
> en lui monter la colère et, plein de courroux, donna l'ordre
> de trancher la tête **du charlatan**.*
>
> ❱ « Qui guérira la princesse Clair-de-Lune ? », *Les Mille et Une Nuits*.

De la Perse est complément du nom *magicien* ; *du magicien de la Perse* est
complément du nom *discours* ; *du charlatan* est complément du nom *tête*.

❱ Mais il peut être aussi :

– un infinitif ;

> *Désormais Marc prenait le temps **de vivre**.*

– un pronom ;

> *Il a toujours agi par amour **des siens**.*

– un adverbe.

> *Les gens **d'ici** se sont montrés très accueillants.*

Pour aller plus loin

**Le complément du nom peut être une proposition
subordonnée conjonctive introduite par *que*.**

On rencontre ce cas avec certains noms abstraits :
- *l'idée que*,
- *l'espoir que*,
- *la pensée que*,
- *le fait que*...

> *Nous gardons l'espoir **qu'il revienne**.*

Qu'il revienne est une proposition subordonnée
conjonctive complément du nom *espoir*.

82 La construction du complément du nom

▶ Le complément du nom, placé généralement après le nom, est introduit par une préposition. Les plus fréquemment employées sont **de**, **à** et **en**.

> *Un homme __de__ trente à trente-cinq ans, __en__ deuil,*
> *__au__ visage mortellement pâle, descendit.*

> ▶ Villiers de L'Isle-Adam, *Véra.*

Cette phrase comporte trois compléments du nom *homme*, introduits par les prépositions *de, en, au (à le).*

▶ Mais d'autres prépositions peuvent introduire le complément du nom.

> *une vie __sans__ soucis*
> *un sirop __contre__ la toux*
> *la maison __au fond des__ bois*

▶ Certains compléments du nom sont construits sans préposition.

> *un café **crème** – le style **Louis XV** – la rue **Victor-Hugo***

On parle aussi, dans ce cas, d'**épithète nominale**.

⚠ Attention

Il ne faut pas confondre le complément du nom avec d'autres compléments prépositionnels.

▪ **Le complément d'objet second (COS)**

> *Je reçois une augmentation **du directeur**.*

Du directeur est complément d'objet second du verbe *reçois*. On peut dire : *Je la reçois de lui.*

> *Je reçois les amis **du directeur**.*

Du directeur est complément du nom *amis*. On peut dire : *Je les reçois.*

Le complément du nom appartient au groupe nominal, alors que le COS appartient au groupe verbal.

▪ **Le complément circonstanciel**

Parfois, la construction ne permet pas de savoir s'il s'agit d'un complément du nom ou d'un complément circonstanciel.

> *Il a rapporté un vase **de Chine**.*

De Chine peut être complément du nom *vase* ou complément circonstanciel de lieu.

83 Les différents sens du complément du nom

● Le complément du nom apporte au nom des précisions de sens très variées. Il peut exprimer :
- la possession : *la maison **de mes parents*** ;
- la matière : *un vase **en cristal*** ;
- la cause : *un arrêt **de maladie*** ;
- la qualité : *un homme **d'une grande générosité**...*

● Il faut parfois s'aider du contexte pour trouver le sens du complément du nom, par exemple lorsque le nom complété exprime ou sous-entend une action.

> *l'amour **des parents***

Cette expression peut signifier :

> ***Les parents** aiment (l'enfant).*
> Le complément du nom représente le sujet de l'action.

> *(L'enfant) aime **les parents**.*
> Le complément du nom représente l'objet de l'action.

Résumé

● Le complément du nom est une expansion du nom ; il appartient au groupe nominal.

● Il a la forme d'un groupe prépositionnel.

La fonction épithète

Épithète vient d'un mot grec signifiant « ajouté ».
L'épithète s'ajoute au nom pour former avec lui un groupe soudé.

84 Le rôle de l'épithète

La fonction épithète (aussi appelée **épithète liée**) permet de **caractériser le nom**. Elle est remplie par un mot ou un groupe de mots qui se place directement à côté du nom, sans l'intermédiaire d'une préposition.

> *Maintenant, c'était la Thénardier qui lui apparaissait;*
> *la Thénardier **hideuse** avec sa bouche d'hyène et la colère*
> ***flamboyante** dans les yeux.*

> ▶ VICTOR HUGO, *Les Misérables.*

Hideuse est un adjectif qualificatif épithète du GN *la Thénardier* et *flamboyante* est un adjectif qualificatif épithète du GN *la colère*.

L'épithète est une **expansion du nom** qui appartient au groupe nominal. Mais elle en est un élément **facultatif** : sa suppression ne rend pas la phrase grammaticalement incorrecte.

> *Elle lui offrit un **somptueux** collier.*

L'épithète *somptueux* appartient au groupe nominal *un somptueux collier*. On peut dire : *Elle lui offrit un collier.*

85 La nature de l'épithète

L'épithète est le plus souvent un **adjectif qualificatif** ou un **participe** (employé comme adjectif) qui précède ou suit le nom. Plusieurs adjectifs peuvent être épithètes d'un même nom.

> *Sur la branche d'un arbre était en sentinelle*
> *Un **vieux** Coq **adroit** et **matois**.*

> ▶ JEAN DE LA FONTAINE, *Le Coq et le Renard.*

On rencontre aussi en fonction d'épithète un **adverbe** employé comme adjectif qualificatif.

> *Paul est un homme **bien**.*

⚠ Attention

Il ne faut pas confondre l'épithète avec les autres fonctions de l'adjectif qualificatif.

■ L'adjectif apposé, également appelé épithète détachée, est séparé du groupe nominal par une virgule.

Superbe, la bête s'avança. (adjectif apposé)
Une bête superbe s'avança. (adjectif épithète)

■ L'adjectif attribut est construit avec un verbe et appartient au groupe verbal.

L'attente parut interminable. (adjectif attribut)
Une interminable attente commença. (adjectif épithète)

▶ L'épithète peut être également une **proposition subordonnée relative**. Elle n'est pas séparée de l'antécédent par une virgule, à la différence de la subordonnée relative apposée.

À quoi peut bien servir un livre où il n'y a ni images ni conversations ?

▶ LEWIS CARROLL, *Alice au pays des merveilles.*

Où il n'y a ni images ni conversations est une proposition subordonnée relative épithète du GN *un livre.*

▶ Enfin l'épithète peut être un **nom propre**. Cette **épithète nominale** informe sur l'identité.

la planète Mars – le président Mitterrand

▶ Il peut également s'agir d'un **nom commun** employé sans déterminant et formant avec le nom qu'il accompagne un groupe soudé à la manière d'un nom composé.

une femme enfant – une pause café

Résumé

▶ La fonction épithète est le plus souvent remplie par un adjectif qualificatif ou par une proposition subordonnée relative.

▶ L'épithète est une expansion du nom et appartient au groupe nominal.

La fonction apposition

*La tante de Bobby Watson, **la vieille Bobby Watson**,*
pourrait très bien, à son tour, se charger de l'éducation
*de Bobby Watson, **la fille de Bobby Watson**.*

▶ Eugène Ionesco, *La Cantatrice chauve.*

L'apposition est comme une parenthèse qui vient apporter
une information supplémentaire sur le groupe nominal.
Le problème, dans cette histoire, est que tout le monde
s'appelle Bobby Watson.

86 La construction de l'apposition

◗ L'apposition se rapporte à un groupe nominal ou à un pronom,
mais en est **détachée** par une pause à l'oral et par une virgule,
deux points ou un tiret à l'écrit.

*Le héros d'endurance, **Ulysse le divin**, restait à méditer.*

▶ Homère, *Odyssée.*

***Plein d'orgueil**, il essaya pendant quelques secondes*
de lutter contre les larmes qui l'étranglaient.

▶ Guy de Maupassant, « Le Papa de Simon », *La Maison Tellier.*

◗ L'apposition peut se placer **avant** ou **après** le mot auquel elle
se rapporte ; elle peut en être séparée par plusieurs autres mots.

*Un grand rire le secoua, **nerveux, fou, inextinguible**.*

▶ Michel Tournier, *Vendredi ou la Vie sauvage.*

Les trois adjectifs qualificatifs sont des appositions au GN *un grand rire.*

87 Le rôle de l'apposition

◗ L'apposition apporte une information sur le groupe nominal,
comme le ferait une subordonnée relative introduite par *qui est*.

*Un Persan, **magicien et astrologue de son état**, vint depuis*
son pays se présenter au sultan.

▶ « Histoire d'Aladin ou la Lampe merveilleuse », *Les Mille et Une Nuits.*

L'apposition *magicien et astrologue de son état* peut être remplacée par
qui était magicien et astrologue de son état.

◗ L'apposition n'est pas incluse dans le groupe nominal, mais elle le complète, tout comme un complément circonstanciel complète un groupe verbal. Elle est souvent **facultative** et on peut généralement la déplacer.

> *M. le sous-préfet était couché sur le ventre, dans l'herbe,* ***débraillé comme un bohème.***
>
> ◗ Alphonse Daudet, « Le Sous-préfet aux champs », *Lettres de mon moulin.*
> *Débraillé comme un bohème* est une apposition au GN *M. le sous-préfet.*
> Cette apposition pourrait être placée devant le GN ou immédiatement après lui. Sa suppression ne rendrait pas la phrase incorrecte.

88 La nature de l'apposition

◗ L'apposition est le plus souvent :

– un nom ou un groupe nominal (parfois sans déterminant) ;

> *La voiture,* ***une grosse cylindrée,*** *démarra.*

– un adjectif ou un participe (également appelé épithète détachée) ;

> ***Étonné,*** *Vincent éclata de rire.*

– une proposition subordonnée relative.

> *Le film,* ***qui était fort long,*** *l'ennuya beaucoup.*

◗ Mais elle peut être aussi :

– un pronom : *Sophie avait retenu un seul nom,* ***le sien.***

– un infinitif : *Ses amis n'eurent qu'une hâte,* ***le retrouver.***

– une proposition subordonnée conjonctive.

> *Nous avions tous un espoir :* ***qu'il remporte la victoire.***

Résumé

◗ L'apposition est une construction détachée qui complète un groupe nominal ou un pronom.

◗ Elle est le plus souvent :
 – un nom ou un groupe nominal ;
 – un adjectif, aussi appelé épithète détachée ;
 – une proposition subordonnée relative.

Les fonctions de l'adjectif qualificatif

*Les **premiers** jours, elle n'osait lever la tête, **gênée** de le sentir autour d'elle, avec sa crinière de **vieux** lion, son nez **crochu** et ses yeux **perçants**, sous les touffes **raides** de ses sourcils.*

▶ Émile Zola, *Au Bonheur des Dames.*

L'adjectif qualificatif peut occuper différentes fonctions.

89 L'adjectif qualificatif épithète

▶ L'adjectif est **épithète** lorsqu'il est placé **directement à côté du nom** ou du groupe nominal qu'il qualifie : aucun verbe ni aucune préposition n'est alors nécessaire entre le nom et l'adjectif. On parle aussi d'épithète liée.

▶ L'adjectif épithète fait partie du **groupe nominal** mais, si on le supprime, la phrase reste correcte.

*Je me rappellerai toujours ces bois **sombres**, la rivière **frissonnante**, l'air **tiède** et le **grand** aigle…*

▶ Jules Vallès, *L'Enfant.*

Sombres est épithète du nom *bois*, *frissonnante* est épithète du nom *rivière*, *tiède* est épithète du nom *air*, *grand* est épithète du nom *aigle*. Sans ces adjectifs, la phrase reste correcte.

90 L'adjectif qualificatif attribut

▶ L'adjectif est **attribut** lorsqu'il est **relié au nom** ou **au groupe nominal** qu'il qualifie par un **verbe attributif**, qui est souvent un verbe d'état ou de changement d'état : *être, paraître, sembler, rester, devenir, avoir l'air…*

▶ L'adjectif attribut fait alors partie du **groupe verbal** et on ne peut pas le supprimer : on peut ainsi le différencier facilement de l'adjectif épithète.

*Mme Loisel semblait **vieille**, maintenant.*

▶ Guy de Maupassant, *La Parure.*

La suppression de l'adjectif attribut *vieille* rendrait la phrase incorrecte.

L'adjectif qualificatif peut être attribut de l'objet.

Certains verbes permettent d'attribuer une qualité non pas au sujet de la phrase mais au **complément d'objet**. Il s'agit le plus souvent de verbes d'opinion, de sentiment : *croire, estimer, juger, trouver*... Dans ce cas, l'adjectif qualificatif qui est relié au COD par l'un de ces verbes est attribut de l'objet.

*Ils trouvent leurs enfants **turbulents**.*

L'adjectif *turbulents* qualifie *leurs enfants*, COD du verbe *trouvent* : il est donc attribut de l'objet *leurs enfants*.

91 L'adjectif qualificatif apposé

▶ L'adjectif est **apposé** lorsqu'il est **séparé** du nom ou du groupe nominal qu'il qualifie par une pause à l'oral et **par une virgule** à l'écrit, comme s'il s'agissait d'une parenthèse. On parle aussi d'épithète détachée.

▶ L'adjectif apposé est extérieur au groupe nominal et, si on le supprime, la phrase reste correcte.

> ***Grasse** et **onctueuse** comme une méduse, tante Éponge*
> *accourut en se dandinant pour voir ce qui se passait.*
> ▶ ROALD DAHL, *James et la grosse pêche.*

Grasse et *onctueuse* sont deux adjectifs apposés au GN *tante Éponge,* qu'ils qualifient. Ils en sont séparés par une virgule.
On peut les supprimer sans rendre la phrase incorrecte.

Résumé

▶ Les trois fonctions possibles de l'adjectif qualificatif sont :

– épithète : l'adjectif fait partie du groupe nominal mais peut être supprimé ;

– attribut : l'adjectif fait partie du groupe verbal et ne peut pas être supprimé ;

– apposé : l'adjectif ne fait pas partie du groupe nominal et peut être supprimé.

La fonction apostrophe

Apostrophê, en grec ancien, signifie « action de se détourner », généralement pour fuir. Par une étonnante évolution du sens du mot, l'apostrophe, en grammaire, sert à « détourner » quelqu'un pour qu'il vous écoute et non pour qu'il vous fuie !

92 Le rôle de l'apostrophe

◗ L'apostrophe est la fonction qui sert à **interpeller** un interlocuteur à qui on veut s'adresser.

> *— Oh, oh, **l'ami**, lui répondit le moins âgé des voyageurs, tu ne risques que ta carcasse !*
>
> ◗ Honoré de Balzac, *Les Chouans.*

Le GN *l'ami* est une apostrophe qui sert à interpeller le personnage auquel s'adresse le voyageur.

◗ Le locuteur sollicite ainsi **l'attention de l'interlocuteur**. Il veut que celui-ci l'écoute et éventuellement engage le dialogue.

> Don Rodrigue. *— À moi, **Comte**, deux mots.*
>
> Le Comte. —   *Parle !*
>
> ◗ Pierre Corneille, *Le Cid.*

Rodrigue engage fermement le dialogue avec don Gomès, le Comte, en utilisant l'apostrophe *Comte*.

◗ On peut apostropher quelque chose (une idée, un lieu) que l'on personnifie.

> ***Rome**, l'unique objet de mon ressentiment !*
>
> ◗ Pierre Corneille, *Horace.*

⚠ Attention

Il ne faut pas confondre l'apostrophe et l'interjection.

■ L'apostrophe s'adresse à quelqu'un :
Dieu, aidez-moi !

■ L'interjection ne s'adresse à personne :
Dieu ! quel désastre !

GRAMMAIRE

93 La place de l'apostrophe

▶ L'apostrophe est **détachée** du reste de la phrase par une pause à l'oral et par une virgule ou un point d'exclamation à l'écrit. Sa place dans la phrase est **libre**.

Belle marquise, vos beaux yeux me font mourir d'amour.

▶ MOLIÈRE, *Le Bourgeois gentilhomme.*

On pourrait dire : *Vos beaux yeux, belle marquise, me font mourir d'amour* ; ou encore : *Vos beaux yeux me font mourir d'amour, belle marquise.*

94 La nature de l'apostrophe

▶ L'apostrophe peut être :

– un groupe nominal ;

Anne, ma sœur Anne, ne vois-tu rien venir ?

▶ CHARLES PERRAULT, *La Barbe bleue.*

On distingue deux apostrophes successives dans cette phrase : la première est un nom propre sans déterminant, la seconde un GN.

– un pronom.

— Toi, va d'abord mettre tes pantoufles, sinon tu vas nous faire encore une angine. Allez, file !

▶ MARCEL PAGNOL, *La Gloire de mon père.*

▶ Certains termes de politesse *(Monsieur, Madame)*, ou certains titres professionnels ou sociaux *(Sire, Maître, Docteur, Chauffeur)* sont souvent employés dans une fonction d'apostrophe.

Et sur quoi jugez-vous que j'en perds la mémoire,
Prince ? Aurais-je perdu tout le soin de ma gloire ?

▶ JEAN RACINE, *Phèdre.*

Résumé

▶ L'apostrophe permet d'interpeller un interlocuteur.

▶ Les termes employés servent à identifier et (ou) à appeler l'interlocuteur.

La phrase simple et ses constituants

L'homme, la fille et l'enfant eurent froid et faim.
L'homme vola. ▶ VICTOR HUGO, *Claude Gueux.*

Victor Hugo utilise deux phrases simples pour dire le drame d'une vie.

95 Qu'est-ce qu'une phrase ?

◗ On définit la **phrase** comme une suite de mots grammaticalement organisée, ayant un sens, commençant par une majuscule et se terminant par une ponctuation forte (point, point d'exclamation…).

◗ On dit qu'une phrase est **grammaticale** si elle respecte les règles de la grammaire. On dit qu'une phrase est **intelligible** si son sens est clair et facile à comprendre, même si les règles de la grammaire ne sont pas respectées.

Moi vouloir appareil photo.
Cette phrase n'est grammaticalement pas correcte, mais elle est intelligible.

◗ On dit qu'une phrase est **acceptable** si elle est grammaticale et intelligible.

L'oiseau dont le nid, qui est à côté de la ferme, a été détruit par les enfants, s'est envolé.
Cette phrase est grammaticalement correcte, mais inacceptable en raison de la construction complexe de ses propositions.

Le dentifrice exécute les billets.
Cette phrase est grammaticalement correcte, mais inacceptable, parce qu'elle n'a pas de sens dans la réalité dans laquelle nous vivons.

Surgit je le clairement ciel.
Cette phrase est inacceptable : elle n'est ni grammaticale ni intelligible.
Ce n'est pas une phrase.

🔴 Les écrivains et les poètes jouent avec les mots ou avec les règles de la grammaire et donnent ainsi à leurs phrases une forme ou un sens parfois inattendus.

Sur tous mes chiffons d'azur
Sur l'étang soleil moisi
Sur le lac lune vivante
J'écris ton nom

> PAUL ELUARD, « Liberté », *Au rendez-vous allemand.*

Dans cette strophe de son poème « Liberté », Paul Eluard supprime la ponctuation et propose des images surprenantes. Dans le langage courant, sa phrase ne paraîtrait pas acceptable.

96 La phrase verbale et la phrase non verbale

🔴 On parle de **phrase verbale** lorsque la phrase est construite autour d'un verbe conjugué.

🔴 On parle de **phrase non verbale** lorsque la phrase ne comprend pas de verbe conjugué et qu'elle est construite autour d'un nom (on parle dans ce cas de **phrase nominale**), d'un adjectif, d'un adverbe...

DORIMÈNE. — [Comment, Dorante ?] [Voilà un repas tout à fait magnifique !]

> MOLIÈRE, *Le Bourgeois gentilhomme.*

La première phrase est construite autour de l'adverbe *comment*, la seconde autour du nom *repas*.

97 La phrase simple

🔴 On appelle **phrase simple** une phrase qui ne comporte qu'un seul verbe conjugué. On parle aussi de **proposition indépendante**.

*À cet instant, le large sourire du mille-pattes **apparut** dans un trou du plafond.*

> ROALD DAHL, *James et la grosse pêche.*

Apparut est le seul verbe conjugué : il s'agit donc d'une phrase simple.

◗ Une phrase simple est constituée d'un **sujet** (ce dont on parle) et d'un **prédicat** (ce qu'on dit du sujet), auxquels peuvent s'ajouter des **compléments de phrase**.

◗ Le sujet et le prédicat sont des **constituants obligatoires** de la phrase simple, c'est-à-dire des éléments qui ne peuvent être supprimés. Les compléments de phrase sont des **constituants facultatifs**, c'est-à-dire **non obligatoires**. Il est donc possible de les supprimer.

> *Après le départ de Tistet, la mule du Pape retrouva son train de vie tranquille et ses allures d'autrefois.*
>
> ◗ ALPHONSE DAUDET, « La Mule du pape », *Lettres de mon moulin.*
>
> *La mule du Pape* est le sujet ; *retrouva son train de vie tranquille et ses allures d'autrefois* est le prédicat ; *après le départ de Tistet* est un complément de phrase.

98 Les constituants obligatoires de la phrase simple : le sujet et le prédicat

◗ La phrase simple comporte obligatoirement un **sujet** qui indique ce dont on parle. La fonction de sujet peut être remplie par un **nom**, un **pronom**, un **groupe nominal** (GN) ou un verbe à l'**infinitif**.

> *L'enfant avait reçu deux balles dans la tête.*
>
> ◗ VICTOR HUGO, « Souvenir de la nuit du 4 », *Les Châtiments.*
>
> *L'enfant* est le sujet de la phrase. Ce groupe nominal désigne ce dont on parle. Il ne peut être supprimé sans rendre la phrase incorrecte et incompréhensible.

◗ Le **prédicat** est ce qui apporte des informations sur le sujet ; sans le prédicat, la phrase n'a pas de sens. C'est un constituant obligatoire de la phrase.

> *Seigneur, votre père **est au désespoir**.*
>
> ◗ ALFRED DE MUSSET, *On ne badine pas avec l'amour.*
>
> *Est au désespoir* est le prédicat de la phrase ; il informe sur le sujet *votre père* et ne peut être supprimé sans rendre la phrase incorrecte et incompréhensible.

◗ La fonction de prédicat est remplie par le **groupe verbal** de la phrase. Le groupe verbal (GV) est constitué du verbe qui peut être suivi de ses compléments de verbe (COD, COI, COS, certains compléments circonstanciels) ou d'un attribut.

*Il **connut la faim, la soif, les fièvres et la vermine.***
*Il **s'accoutuma au fracas des mêlées, à l'aspect***
des moribonds.

▶ Gustave Flaubert, *La Légende de saint Julien l'Hospitalier.*

Dans la première phrase, le prédicat est constitué par le verbe suivi de ses COD ; dans la seconde, par le verbe suivi de ses COI.

99 Les constituants facultatifs de la phrase simple : les compléments de phrase

▶ En plus de ses constituants obligatoires, une phrase simple peut comporter des compléments facultatifs, donc non obligatoires, appelés **compléments de phrase** (CP). Ce sont, généralement, des **compléments circonstanciels** qui apportent des informations sur le lieu, le temps, la manière...

▶ Les compléments de phrase ne font pas partie du groupe verbal ; ils peuvent être supprimés ou déplacés.

*On enterra les morts **avec magnificence, dans l'église***
d'un monastère à trois journées du château.

▶ Gustave Flaubert, *La Légende de saint Julien l'Hospitalier.*

Avec magnificence et *dans l'église d'un monastère à trois journées du château* sont des compléments circonstanciels de manière et de lieu qui peuvent être supprimés sans rendre la phrase incorrecte.

Résumé

▶ La phrase est le plus souvent construite autour d'un verbe conjugué ; il s'agit alors d'une phrase verbale.

▶ La phrase simple ne comporte qu'un seul verbe conjugué.

▶ La phrase simple est constituée d'un sujet (le plus souvent un GN) et d'un prédicat (GV) qui sont ses constituants obligatoires. Peuvent s'y ajouter des constituants facultatifs, les compléments de phrase (CP).

Les quatre types de phrase

> LÉANDRE. — *Me promets-tu de travailler pour moi ?*
> SCAPIN. — *On y songera.*
> LÉANDRE. — *Mais tu sais que le temps presse !*
> SCAPIN. — *Ne vous mettez pas en peine.*
>
> ▶ MOLIÈRE, *Les Fourberies de Scapin.*

Ce petit dialogue comporte les quatre types de phrase qui existent en français.

100 Quels sont les quatre types de phrase ?

▶ Toute phrase appartient à l'un des quatre types suivants :

– la phrase **déclarative** (ou **assertive**) : *Il fait beau aujourd'hui.*

– la phrase **interrogative** : *Viens-tu au cinéma ?*

– la phrase **impérative** (ou **injonctive**) : *Range ta chambre.*

– la phrase **exclamative** : *Quelle chaleur !*

Ces types de phrase, dits **obligatoires**, se caractérisent par une construction grammaticale et une **intonation** particulières.

101 La phrase déclarative

▶ La phrase déclarative **apporte une information, fait une constatation**. Elle est terminée par un point et son intonation est d'abord montante, puis descendante.

> *Pendant plusieurs jours de suite des lambeaux d'armée en déroute avaient traversé la ville.*
>
> ▶ GUY DE MAUPASSANT, *Boule-de-Suif.*

▶ Elle peut aussi exprimer, de manière indirecte :

– une interrogation : *Je me demande quelle heure il est.*

– un ordre : *Vous débarrasserez la table.*

– tout autre acte de parole : promesse, menace, souhait...

> *Je reprendrais volontiers un peu de thé.* (souhait)

102 La phrase interrogative

▶ La phrase interrogative **demande une information, pose une question**. Elle est terminée par un point d'interrogation et son intonation est montante.

> *Est-ce que ça vous chatouille, ou est-ce que ça vous grattouille ?* ▶ Jules Romains, *Knock ou le Triomphe de la médecine.*

▶ Lorsque la question porte sur la totalité de la phrase et qu'on peut y répondre par *oui* ou par *non*, on parle d'**interrogation totale**. Elle s'exprime différemment selon le niveau de langue :

– avec la locution **est-ce que** dans le langage courant ;

> *Est-ce que tu sors ce soir ?*

– avec l'inversion du sujet dans le langage soutenu ;

> *Sors-tu ce soir ?*

– avec uniquement l'intonation montante et le point d'interrogation dans le langage familier.

> *Tu sors ce soir ?*

▶ Lorsque la question porte sur une partie de la phrase et qu'on ne peut pas y répondre par *oui* ou par *non*, on parle d'**interrogation partielle**. Elle est introduite par un mot interrogatif : un pronom *(qui...)*, un adverbe *(comment...)*, un déterminant *(quel...)*.

Le mot interrogatif est accompagné de l'inversion du sujet dans le langage courant.

> *Comment a-t-il fait ?*

Dans le langage familier, on peut trouver le mot interrogatif rejeté en fin de phrase ou renforcé par la locution **est-ce que**.

> *Il a fait comment ? Comment est-ce qu'il a fait ?*

▶ La phrase interrogative peut également exprimer, de manière indirecte :

– une affirmation : *N'est-il pas mignon ?*

  On parle alors de *question rhétorique* : cette fausse question n'appelle pas de réponse de l'interlocuteur, mais vise à l'impliquer.

– un ordre : *Peux-tu m'apporter un verre d'eau ?*

– une hypothèse : *Souhaitez-vous changer d'air ? allez à la mer.*

103 La phrase impérative (ou injonctive)

▶ La phrase impérative exprime un **ordre**, mais aussi une **défense**, une **prière**, un **conseil**, une **demande**, un **souhait**. Elle est terminée par un point ou un point d'exclamation et son intonation est descendante.

> GÉRONTE. — *Va-t'en, Scapin, va-t'en dire à ce Turc*
> *que je vais envoyer la justice après lui.*
>
> ▶ MOLIÈRE, *Les Fourberies de Scapin.*

▶ Elle est généralement au mode **impératif** et comporte souvent une apostrophe qui désigne la personne à laquelle s'adresse l'ordre. À la troisième personne, l'ordre est exprimé au **subjonctif**.

> — ***Taisez-vous!*** *ordonna la Reine, pourpre de fureur.*
>
> — *Je ne me tairai pas! répliqua Alice.*
>
> — *Qu'on lui* ***coupe*** *la tête! hurla la Reine de toutes ses forces.*
>
> ▶ LEWIS CARROLL, *Alice au pays des merveilles.*

L'ordre est exprimé par l'impératif *taisez-vous* et le subjonctif *coupe*.

⚠ Attention

Il existe d'autres moyens d'exprimer l'ordre.

Les actes de parole indirects sont très fréquents pour exprimer une injonction.

On peut utiliser:
- une phrase interrogative;
  Pourriez-vous m'indiquer l'heure?
- une phrase déclarative au présent de l'indicatif;
  Tu vides le lave-vaisselle.
- une phrase déclarative au futur de l'indicatif;
  Tu videras le lave-vaisselle.
- un verbe à l'infinitif, pour un ordre à valeur générale et impersonnelle;
  Ne pas fumer.
- une phrase nominale.
  Silence! Interdiction de fumer.

104 La phrase exclamative

● La phrase exclamative exprime une **émotion** ou un **sentiment** (joie, colère, surprise, admiration...). Elle est terminée par un point d'exclamation et son intonation est montante. Elle comporte souvent une interjection.

> *Ah! Gringoire, qu'elle était jolie la petite chèvre*
> *de M. Seguin!*
>
> ◗ ALPHONSE DAUDET, « La Chèvre de M. Seguin », *Lettres de mon moulin.*

● Elle peut être introduite par le déterminant exclamatif **quel** ou par un adverbe exclamatif : **comme**, **que**, **combien** (souvent remplacés par **ce que** dans le langage familier).

> *Comme tu es belle!*
> *Ce que tu es belle!*

● Elle peut entraîner une inversion du sujet *(Suis-je bête!)*. Cependant, elle ne comporte pas toujours de verbe *(Que de monde!)*.

● La phrase exclamative peut aussi exprimer indirectement une demande.

> *Quelle chaleur!*
> Cette phrase peut signifier : *Ouvrez la fenêtre!*

Résumé

● Il existe quatre types de phrase :
- la phrase déclarative, qui donne une information ;
- la phrase interrogative, qui pose une question ;
- la phrase impérative, qui donne un ordre ;
- la phrase exclamative, qui exprime un sentiment.

Les formes de phrase (1) : affirmative, négative

TOINETTE. — *Oui, vous n'aurez pas ce cœur-là.*
ARGAN. — *Je l'aurai.*
TOINETTE. — *Vous vous moquez.*
ARGAN. — *Je ne me moque point.*
TOINETTE. — *La tendresse paternelle vous prendra.*
ARGAN. — *Elle ne me prendra point.*

▶ MOLIÈRE, *Le Malade imaginaire.*

C'est l'alternance de phrases affirmatives et de phrases négatives qui fait le comique de ce dialogue.

105 Quelles sont les formes de phrase ?

▶ Chacun des quatre types de phrase peut apparaître sous différentes formes : la **forme affirmative**, la **forme négative**, d'une part ; la forme passive ▶ 108, la forme emphatique ▶ 111 et la forme impersonnelle ▶ 112, d'autre part.

▶ Toute phrase, qu'elle soit déclarative, interrogative, impérative ou exclamative, prend une forme affirmative ou une forme négative. Ces deux formes ne sont pas caractérisées par une intonation particulière.

POIL DE CAROTTE. — *Non, maman, je n'irai pas au moulin.*
MADAME LEPIC. — *Comment ! tu n'iras pas au moulin ?*

▶ JULES RENARD, *Poil de Carotte.*

La première phrase est déclarative ; la phrase *tu n'iras pas au moulin ?* est interrogative ; mais toutes deux sont aussi des phrases négatives.

106 La phrase affirmative

▶ La phrase affirmative est le contraire de la phrase négative. Elle se caractérise par l'**absence de négation**.

> *Le soleil brille.* ≠ *Le soleil **ne** brille **pas**.*
> *Il a de nombreux amis.* ≠ *Il **n'**a **aucun** ami.*

107 La phrase négative

▶ La **phrase négative** se caractérise par la **présence d'une néga-tion**. Tout type de phrase peut subir une transformation néga-tive. Pour une phrase interrogative à la forme négative, on parle de **phrase interro-négative**.

> *N'est-il **pas** déjà parti ?*

▶ Il existe différents moyens d'exprimer la négation :

– une **locution négative** : *ne... pas, ne... plus, ne... jamais, ne... guère, aucun... ne, personne ne, rien ne...* La locution *ne... que* est une négation restrictive qui équivaut à *seulement*.

> *Mary a bien cuit les pommes de terre, cette fois-ci.*
> *La dernière fois elle **ne** les avait **pas** bien fait cuire.*
> *Je **ne** les aime **que** lorsqu'elles sont bien cuites.*
>
> ▶ Eugène Ionesco, *La Cantatrice chauve.*

La locution *ne... point* est d'emploi vieilli et littéraire.

> *Et ils cherchèrent dans les plis de la robe, dans les plis du manteau, dans les poches, partout. Ils **ne** la trouvèrent **point**.* ▶ Guy de Maupassant, *La Parure.*

– la conjonction de coordination **ni** pour coordonner deux pro-positions négatives ou deux termes à l'intérieur d'une phrase négative.

> *Il **n'**avait **ni** famille **ni** amis.*

– les adverbes **non** et **pas**.

> *Il part en juillet et **non** en août.*
> *Il y a du sel, mais **pas** de poivre.*

Non peut aussi être l'équivalent d'une phrase négative.

> « *Viendras-tu avec nous ?*
>
> *— **Non**.* »
>
> *Non* équivaut à : *Je ne viendrai pas.*

🔹 La place de la locution négative est variable :

– elle encadre le verbe lorsqu'il présente une forme simple ;

> LOUISON. *— Là, là, mon papa, **ne** pleurez **point** tant ;
> je **ne** suis **pas** morte tout à fait.*
>
> ▶ MOLIÈRE, *Le Malade imaginaire.*

– elle encadre l'auxiliaire lorsque le verbe présente une forme composée ;

> *Bien sûr, on **n'**a **pas** pu beaucoup dormir ; il y en avait un
> qui pleurait tout le temps et qui disait qu'il voulait rentrer
> chez son papa et sa maman.*
>
> ▶ JEAN-JACQUES SEMPÉ et RENÉ GOSCINNY, *Les Vacances du Petit Nicolas.*

– elle se place devant le verbe à l'infinitif.

> *Cette rusée petite fille s'obstine à **ne pas** dire :*
> « *Mère-grand, que vous avez de grandes dents !* »
>
> ▶ PIERRE-HENRI CAMI, *Le Petit Chaperon vert.*

🔹 Dans la langue soutenue, avec certains verbes comme *pouvoir, oser, savoir, cesser...*, la négation est exprimée seulement par *ne*.

> *Je **n'**ose vous demander ce service.*

À l'inverse, l'omission de *ne* devant le verbe est incorrecte ; elle est caractéristique de la langue familière et orale.

> ⊖ *J'ai pas soif.*

⚠ Attention

■ **Lorsqu'une phrase comporte deux négations, celles-ci s'annulent et la phrase équivaut à une affirmation.**

Il s'agit d'un procédé de style qui consiste à atténuer l'affirmation.

> *Je **ne** dis **pas** non.*
> Cette phrase signifie : *J'accepte.*
>
> *Je **ne** prétends **pas** qu'elle **ne** soit **pas** belle.*
> Cette phrase signifie : *Certes, elle est belle.*

■ **Il existe un emploi de *ne* sans valeur négative.**

On l'appelle dans ce cas « *ne* explétif ».

On le rencontre dans le langage soutenu :

– après un verbe de crainte ou d'empêchement :

> *Je crains qu'il **ne** vienne.*
> La phrase signifie : *Je crains sa venue.*
> La forme négative sera : *Je crains qu'il ne vienne pas.*

– après *avant que, de peur que, à moins que, plus que, moins que...*

> *Il faut agir avant qu'il **ne** soit trop tard.*
> *Il est plus fort qu'on **ne** le croit.*
> Dans la langue courante, on pourra dire :
> *Il faut agir avant qu'il soit trop tard.*
> *Il est plus fort qu'on le croit.*

Résumé

● Les quatre types de phrase (déclaratif, interrogatif, impératif, exclamatif) peuvent se mettre à la forme affirmative ou à la forme négative.

● La phrase négative est la négation de la phrase affirmative.

Les formes de phrase (2) : passive, emphatique, impersonnelle

*Il se peut aussi que l'enfant **ait été mordu** par un spécimen échappé du jardin zoologique. Dans ce cas **il s'agirait** d'une chauve-souris vampire. **Ce sont des choses** qui arrivent.*

> Bram Stocker, *Dracula.*

Ces trois phrases utilisent la forme impersonnelle, la forme passive, et la forme emphatique. Ces formes permettent de mettre l'accent sur un élément de la phrase en particulier.

108 La forme passive

▶ La phrase à la **forme passive** est une phrase dans laquelle le verbe est à la voix passive. La forme passive ne concerne que les verbes qui peuvent se mettre au passif, c'est-à-dire les **verbes transitifs directs** (les verbes qui se construisent avec un COD).

*Octave. — Je **suis assassiné** par ce maudit retour.*

> Molière, *Les Fourberies de Scapin.*

▶ La forme passive est une **transformation de la forme active**. Elle présente le sujet comme subissant l'action et permet de mettre en valeur l'action et l'auteur de l'action.

*Je n'ai pas la joie pure d'**embrasser** mon père, d'**être embrassé** par lui le jour de sa fête.*

> Jules Vallès, *L'Enfant.*

Ici, le verbe *embrasser* est d'abord employé à la voix active, puis à la voix passive : dans le premier cas, le narrateur fait l'action ; dans le second, il subit. La forme passive permet de mettre en évidence le manque d'affection du père à l'égard de son fils.

109 Le complément d'agent

▶ La phrase à la forme passive peut comporter un **complément d'agent** qui désigne l'agent de l'action, c'est-à-dire celui qui accomplit l'action. Le complément d'agent correspond au sujet de la phrase active.

> *Je n'entends point que vous ayez d'autres noms que ceux qui vous ont été donnés **par vos parrains et marraines**.*
>
> ▶ Molière, *Les Précieuses ridicules.*

Le groupe nominal *par vos parrains et marraines* est complément d'agent du verbe *ont été donnés*. À la forme active, *vos parrains et marraines* serait sujet : *d'autres noms que ceux que vos parrains et marraines vous ont donnés.*

▶ Il est toutefois fréquent que le complément d'agent ne soit **pas exprimé** si le locuteur ne veut pas ou ne peut pas mentionner l'agent de l'action, ou encore, si celui-ci est évident.

> *Quand Iseut la Blonde apprit qu'elle **serait livrée** à ce couard, elle fit d'abord une longue risée, puis se lamenta.*
>
> ▶ *Le Roman de Tristan et Iseut.*

L'agent qui accomplit l'action de livrer Iseut n'est pas indiqué. Quand on connaît l'histoire, on peut sous-entendre *par son père le roi*.

▶ La forme passive sans complément d'agent exprimé est l'équivalent d'une forme active avec le pronom indéfini **on** pour sujet.

> *Il **fut installé** dans une vieille caisse à savon et **on** lui offrit d'abord de l'eau à boire.*
>
> ▶ Guy de Maupassant, « Pierrot », *Contes de la Bécasse.*

On pourrait dire : *on l'installa...* et *on lui offrit...* Maupassant ne précise pas qui installe le chien Pierrot dans la maison.

▶ Le complément d'agent est le plus souvent introduit par la préposition **par**, mais on peut également rencontrer la préposition **de**.

> *L'acteur a été accueilli à sa descente d'avion **par ses nombreux admirateurs**.*
>
> *Tom a toujours été apprécié **de ses camarades**.*

Attention

Il ne faut pas confondre le complément d'agent avec d'autres compléments introduits par la préposition *par*.

*Nous nous sommes pris **par la main**.*

On ne peut pas dire *la main nous a pris*. Ici, la main n'est pas l'agent de l'action ; *par la main* est un complément circonstanciel de manière.

*Les colis ont été renvoyés **par erreur**.*

On ne peut pas dire *l'erreur a renvoyé les colis*. C'est une personne qui est l'agent de l'action ; *par erreur* est un complément circonstanciel de cause.

*Les joueurs ont été assaillis **par les photographes**.*

On peut dire *les photographes ont assailli les joueurs* ;
par les photographes est un complément d'agent.

110 La transformation passive

▶ Quand une phrase à la forme active est transformée en phrase à la forme passive, il se produit les changements suivants :

– le complément d'objet direct de la phrase active devient le sujet de la phrase passive ;

– le verbe actif se met à la voix passive en gardant le même mode et le même temps ;

– le sujet de la phrase active devient le complément d'agent de la phrase passive.

> **Les Indiens** *ont attaqué* le fort. (forme active)
>   sujet   verbe actif   COD

> Le fort *a été attaqué* **par les Indiens**. (forme passive)
>   sujet   verbe passif   complément d'agent

111 La forme emphatique (mise en relief)

▶ La **forme emphatique** consiste à **mettre en relief** un élément de la phrase. Elle permet d'attirer l'attention du destinataire sur cet élément.

> *À la porte **piaffaient** d'impatience deux chevaux noirs comme la nuit, et soufflant sur leur poitrail deux longs flots de fumée.* ▶ Théophile Gautier, *La Morte amoureuse*.

Dans cette phrase emphatique, le verbe *piaffaient* est mis en relief par la place qu'il occupe avant le sujet *deux chevaux noirs*.

● Les procédés de mise en relief qui permettent de transformer une forme neutre en forme emphatique sont les suivants :

– le **déplacement**, qui met le mot que l'on veut mettre en relief à une place inhabituelle, que ce soit en tête ou en fin de phrase ;

> *Ses amis étaient nombreux.* (forme neutre) → ***Nombreux étaient ses amis.*** (forme emphatique)

– le **détachement** et la **reprise** ou l'**annonce par un pronom** : le terme que l'on veut mettre en relief est déplacé et séparé par une virgule ; puis il est repris ou annoncé par un pronom personnel ou un pronom démonstratif. La phrase est alors segmentée ;

> *Il faudrait changer ton téléphone.* → ***Ton téléphone,*** *il faudrait **le** changer.*
>
> *Ce problème est difficile à résoudre.* → ***Il*** *est difficile à résoudre, **ce problème**.*
>
> Dans la première transformation, le pronom *le* reprend *ton téléphone* ; dans la seconde, le pronom *il* annonce *ce problème*.

– l'emploi d'un **présentatif** : le terme que l'on veut mettre en relief est précédé d'un présentatif *(c'est, ce sont, il y a, voici, voilà)* et suivi d'un pronom relatif. Il est ainsi encadré par une tournure présentative : *c'est... qui, c'est... que ; il y a... qui, il y a... que ; voilà... qui, voilà... que.*

> « ***C'est*** *votre fille le Petit Chaperon vert **qui** vous apporte une galette et un petit pot de beurre.* »
>
> ▶ PIERRE-HENRI CAMI, *Le Petit Chaperon vert.*
>
> La forme neutre de cette phrase serait : *Votre fille le Petit Chaperon vert vous apporte une galette et un petit pot de beurre.* La forme emphatique permet d'insister sur l'identité du locuteur.

112 La forme impersonnelle

● Une phrase à la **forme impersonnelle** est une phrase dont le sujet est le **pronom invariable** *il*, qui ne représente rien, ni personne.

● Le verbe d'une phrase à la forme impersonnelle peut être :

– un verbe qui ne s'emploie qu'à la troisième personne du singulier : *il pleut, il neige, il faut...*

– un verbe qui se construit également à la forme personnelle : *il arrive, il semble, il convient, il manque...*

> *Car chez nous, quand le peuple est content, **il faut** qu'il danse, **il faut** qu'il danse.*
>
> ▶ Alphonse Daudet, « La Mule du pape », *Lettres de mon moulin.*

▶ Le sujet du verbe à la forme impersonnelle est appelé **sujet apparent** ou **sujet grammatical**. Le verbe peut être suivi d'un **sujet réel** ou **logique**.

> *Dantès soupira ; **il était évident** que son voisin se défiait de lui. Cependant il ne se découragea point et continua de travailler toute la nuit.*
>
> ▶ Alexandre Dumas, *Le Comte de Monte-Cristo.*

Il était évident que son voisin se défiait de lui est à la forme impersonnelle ; *il* est le sujet apparent. Ce sujet ne représente rien, à la différence du pronom *il* dans *il ne se découragea point*, qui reprend *Dantès*.

La proposition subordonnée conjonctive *que son voisin se défiait de lui* est le sujet réel.

▶ Lorsque le verbe de la phrase peut s'employer aussi bien à la forme personnelle qu'à la forme impersonnelle, c'est souvent la forme impersonnelle qui est choisie.

> *Des élèves manquent.* (forme personnelle)
> → ***Il manque** des élèves.* (forme impersonnelle)
> *Un tremblement de terre s'est produit.* (forme personnelle)
> → ***Il s'est produit** un tremblement de terre.* (forme impersonnelle)

● La forme impersonnelle peut également s'employer avec la forme passive. Cette **forme passive impersonnelle** se rencontre fréquemment dans le langage du droit ou de l'administration *(il a été établi, il a été précisé…)*. Elle permet de ne pas mentionner l'agent de l'action.

> *Il fut* immédiatement *décidé* qu'on se débarrasserait de Pierrot. Personne n'en voulut.
>
> ● GUY DE MAUPASSANT, « Pierrot », *Contes de la Bécasse.*

● Les formes passive, emphatique ou impersonnelle permettent de mettre l'accent sur un élément de la phrase en particulier.

● La forme passive s'oppose à la forme active.

● La forme emphatique s'oppose à la forme neutre.

● La forme impersonnelle s'oppose à la forme personnelle.

La phrase complexe

Le nain, qui jugeait quelquefois un peu trop vite, décida d'abord qu'il n'y avait personne sur la terre.

▶ Voltaire, *Micromégas*.

Cet énoncé est constitué d'une seule phrase et de trois propositions. Il s'agit d'une phrase complexe.

113 La phrase complexe

▶ On appelle **phrase complexe** une phrase qui comporte **plusieurs verbes conjugués**.

*Ses longues jambes maigres **trépignent** de colère, tandis que, de ses mains osseuses, elle **égratigne** son chapelet.*

▶ Alfred de Musset, *On ne badine pas avec l'amour*.

▶ Dans une phrase complexe chaque ensemble composé d'un verbe conjugué s'appelle une **proposition**.

*[**Remarquez** bien] [que les nez **ont été faits** pour porter des lunettes,] [aussi **avons**-nous des lunettes.]*

▶ Voltaire, *Candide*.

Cette phrase comprend trois propositions.

▶ Les différentes propositions qui composent une phrase complexe peuvent être **juxtaposées**, **coordonnées** ou **subordonnées**.

114 Les propositions juxtaposées, les propositions coordonnées

▶ Les propositions sont **juxtaposées** lorsqu'elles sont séparées par une virgule, un point-virgule ou deux points et qu'elles ne sont pas reliées par un mot de liaison.

[Rien ne sert de courir]; [il faut partir à point.]

▶ Jean de La Fontaine, *Le Lièvre et la Tortue*.

▶ Les propositions sont **coordonnées** lorsqu'elles sont reliées par une **conjonction de coordination** *(mais, car, or, et...)* ou par un **adverbe de liaison** *(cependant, alors, puis...)*.

[Un seul être vous manque] **et** *[tout est dépeuplé.]*

ALPHONSE DE LAMARTINE, *Méditations poétiques.*

◗ Les propositions juxtaposées ou coordonnées sont **indépendantes**. Si on supprime une des propositions, la phrase reste correcte.

115 Proposition principale et proposition subordonnée

◗ Une proposition est **subordonnée** lorsqu'elle dépend d'une autre proposition, appelée alors **proposition principale**. La subordonnée est généralement reliée à la principale par un **mot subordonnant**. On ne peut pas supprimer l'une des propositions sans rendre la phrase incorrecte.

*[Je ne supporterai pas] [**que** tu sois insupportable !]*

◗ JEAN-JACQUES SEMPÉ et RENÉ GOSCINNY, *Histoires inédites du Petit Nicolas.*
Je ne supporterai pas est la proposition principale, *que tu sois insupportable* est la proposition subordonnée, *que* est le mot subordonnant.

◗ Il existe six types de propositions subordonnées : la **relative**, la **conjonctive complétive**, l'**interrogative indirecte**, la **conjonctive circonstancielle**, l'**infinitive**, la **participiale**.

Pour aller plus loin

Une proposition subordonnée peut parfois jouer le rôle d'une proposition principale par rapport à une autre subordonnée.

Léa a attaché une casserole à la queue de Médor [qui s'est mis à aboyer] [parce qu'il entendait du bruit.]
La subordonnée *qui s'est mis à aboyer* est la principale de la subordonnée *parce qu'il entendait du bruit.*

Résumé

◗ Une phrase complexe est composée de plusieurs propositions qui peuvent être juxtaposées, coordonnées ou subordonnées.

◗ Une proposition subordonnée dépend d'une proposition principale.

La proposition subordonnée relative

Il y a une armoire à peine luisante
qui a entendu les voix de mes grand-tantes,
qui a entendu la voix de mon grand-père,
qui a entendu la voix de mon père.

▶ Francis Jammes, « La salle à manger »,
De l'angélus de l'aube à l'angélus du soir.

Les trois propositions relatives
se rapportent au nom *armoire*.

116 Qu'est-ce qu'une proposition relative ?

▶ La proposition relative est une **proposition subordonnée** introduite par un **pronom relatif**. Elle complète un groupe nominal ou un pronom appartenant à une autre proposition et appelé **antécédent**.

> *Les rares habitants [**qui** se trouvaient en ce moment*
> *à leurs fenêtres ou sur le seuil de leurs maisons] regardaient*
> *ce voyageur avec une sorte d'inquiétude.*
>
> ▶ Victor Hugo, *Les Misérables.*

*Qui se trouvaient en ce moment à leurs fenêtres ou sur le seuil
de leurs maisons* est une proposition subordonnée relative qui
a pour antécédent le groupe nominal *les rares habitants*.

▶ La proposition relative permet de réunir en une seule phrase deux phrases comportant le même groupe nominal, évitant ainsi une répétition. Elle suit généralement son antécédent et peut être **enchâssée** (c'est-à-dire insérée) dans la proposition dont elle dépend.

> *Tu as acheté une voiture. Cette voiture est en panne.*
> *[La voiture] [**que** tu as achetée] [est en panne.]*

La proposition relative *que tu as achetée* est enchâssée dans
la proposition principale *La voiture est en panne*.

117 La fonction de la proposition relative

◗ La proposition relative, qui est une **expansion du nom ou du groupe nominal**, peut être **épithète** (on dit aussi **épithète liée**) de l'antécédent.

> *Et le petit Prince eut un très joli éclat de rire*
> *[**qui** m'irrita beaucoup.]*
>
> ◗ ANTOINE DE SAINT-EXUPÉRY, *Le Petit Prince.*
>
> La proposition relative *qui m'irrita beaucoup* est épithète
> de l'antécédent *un très joli éclat de rire.*

◗ Elle peut être **apposée** (on dit aussi **épithète détachée**); elle est alors séparée de l'antécédent par une virgule.

> *La princesse, [**qui** ne pouvait croire cette nouvelle,]*
> *vient vite se présenter à la fenêtre et aperçoit Aladin.*
>
> ◗ « Histoire d'Aladin ou la Lampe merveilleuse », *Les Mille et Une Nuits.*
>
> La proposition relative *qui ne pouvait croire cette nouvelle* est apposée
> à l'antécédent *la princesse.*

Les fonctions épithète et apposée étaient autrefois réunies sous le nom de **complément de l'antécédent**.

◗ Il ne faut pas confondre la fonction de la proposition relative avec la **fonction du pronom relatif**. Celui-ci peut remplir, à l'intérieur de la proposition relative, toutes les fonctions d'un groupe nominal.

> *Un Loup survient à jeun [**qui** cherchait aventure,]*
> *Et [**que** la faim en ces lieux attirait.]*
>
> ◗ JEAN DE LA FONTAINE, *Le Loup et l'Agneau.*
>
> Les deux propositions relatives sont épithètes de l'antécédent *un Loup.*
> Le pronom relatif *qui* est le sujet de *cherchait*
> et le pronom relatif *que* est le COD de *attirait.*

Comment distinguer les fonctions du pronom relatif *dont* ?

■ Le pronom relatif **dont** remplace un groupe nominal précédé de la préposition **de**. On peut identifier ses fonctions en le remplaçant par son antécédent.

■ Le pronom relatif **dont** peut être :
– complément d'objet indirect ;

> *C'est une ville [**dont** il m'a souvent parlé.]*
> Il m'a souvent parlé *d'une ville*. Dont est le COI de *a parlé*.

– complément du nom ;

> *L'enfant [**dont** le ballon tomba à l'eau] se mit à pleurer.*
> Le ballon *de l'enfant* tomba à l'eau. Dont est le complément du nom *ballon*.

– complément de l'adjectif ;

> *C'est une information [**dont** je suis certain.]*
> Je suis certain *de cette information*. Dont est le complément de l'adjectif *certain*.

– complément circonstanciel ;

> *La manière [**dont** il t'a parlé] m'a déplu.*
> Il t'a parlé *d'une manière qui m'a déplu*. Dont est le complément circonstanciel de manière de *a parlé*.

– complément d'agent.

> *Ses amis, [**dont** il fut toujours aimé,] l'aidèrent beaucoup.*
> Il fut aimé *de ses amis*. Dont est le complément d'agent de *fut aimé*.

118 La proposition relative déterminative et la proposition relative explicative

▶ Une proposition relative est dite **déterminative** lorsqu'elle est indispensable au sens de la phrase. Sans elle, la phrase perd son sens ou prend un autre sens. La relative déterminative est épithète et n'est jamais séparée de l'antécédent par une virgule.

> *David partit avec son ami en vacances dans les jours [qui suivirent leur rencontre.]*
> Privée de la proposition relative, la phrase serait incorrecte :
> ⊘ *David partit dans les jours.*

> *Les animaux [qui ont été contaminés par cette maladie très contagieuse] seront abattus.*
> Sans la proposition relative, la phrase signifierait que tous les animaux sont concernés.

Une proposition relative est dite **explicative** lorsqu'elle apporte une information qui rend la phrase plus précise, mais qui peut être supprimée. Il s'agit le plus souvent d'une relative apposée, séparée de l'antécédent par une virgule.

Ses longs cheveux dénoués, [où se trouvaient encore mêlées quelques petites fleurs bleues,] faisaient un oreiller à sa tête et protégeaient de leurs boucles la nudité de ses épaules.

THÉOPHILE GAUTIER, *La Morte amoureuse.*

119 La proposition relative sans antécédent

Il arrive qu'une proposition relative n'ait pas d'antécédent ; elle est introduite par les pronoms relatifs **qui**, **quoi**, **où**, par les locutions relatives **ce qui**, **ce que**, **celui qui**, **celui que** ou par le pronom relatif indéfini **quiconque**. On la rencontre fréquemment dans les proverbes ou pour désigner quelqu'un ou quelque chose d'indéfini.

[Qui aime bien] châtie bien.

La proposition relative sans antécédent peut être remplacée par un groupe nominal et en a toutes les fonctions.

La vie n'est pas [ce qu'on croit.]
On pourrait dire : *La vie n'est pas un long fleuve tranquille.*
La proposition relative est attribut du sujet *la vie.*

Va [où tu veux.]
On pourrait dire : *Va à Paris.* La proposition relative est complément circonstanciel de lieu de *va.*

Résumé

La proposition subordonnée relative est introduite par un pronom relatif. Elle complète un groupe nominal appartenant à la proposition dont elle dépend et appelé antécédent.

Elle fait partie des expansions du nom ou du groupe nominal. Elle peut être épithète ou apposée.

Certaines propositions relatives n'ont pas d'antécédent ; elles ont les mêmes fonctions qu'un groupe nominal.

La proposition subordonnée conjonctive complétive

C'est, mon père, [que je connais] [que vous avez parlé d'une personne], et [que j'ai entendu une autre.]

▶ Molière, *Le Malade imaginaire.*

Cette phrase comporte trois propositions subordonnées conjonctives complétives.

120 Qu'est-ce qu'une proposition conjonctive complétive ?

▶ La proposition conjonctive complétive est une **proposition subordonnée**. Elle est **conjonctive** parce qu'elle est introduite par la **conjonction** *que* ; elle est **complétive** parce qu'elle est le plus souvent **complément d'objet**. Mais elle peut aussi remplir d'autres fonctions dans la phrase.

La réalité est [que l'empereur, entré dans Grenoble, avait refusé de s'installer à l'hôtel de la préfecture.]

▶ Victor Hugo, *Les Misérables.*

Que l'empereur, entré dans Grenoble, avait refusé de s'installer à l'hôtel de la préfecture est une proposition subordonnée conjonctive complétive introduite par la conjonction *que*. Elle occupe ici une fonction d'attribut.

121 La proposition conjonctive complétive complément d'objet

▶ La proposition conjonctive complétive peut être complément d'objet :

– d'un verbe transitif direct ;

Maintenant, elle savait [qu'elle était orpheline.] (COD)

▶ Henri Troyat, *Viou.*

– d'un verbe transitif indirect ; la conjonction de subordination prend alors la forme **ce que**.

*Elle veille [à **ce qu'**il ait son compte de sommeil.]* (COI)

ASTUCE

Comment ne pas confondre la proposition relative introduite par *que* et la proposition conjonctive complétive introduite par *que* ?

■ On peut remplacer la proposition relative par un adjectif qualificatif.

L'homme [que je regarde] porte un chapeau.
On peut dire : L'homme *maigre* porte un chapeau.

■ On ne peut pas remplacer la proposition conjonctive complétive par un adjectif qualificatif.

Je dis [que l'homme porte un chapeau.]
On ne peut pas dire : ◒ Je dis *maigre*.

122 Le mode de la proposition conjonctive complétive complément d'objet

▶ Le mode de la proposition conjonctive complétive peut être imposé par le sens du verbe de la proposition principale.

Les verbes de **déclaration** *(dire, affirmer, espérer)*, d'**opinion** *(penser, croire, considérer)*, de **perception** *(sentir)*, à la **forme affirmative**, se construisent avec l'**indicatif**.

*Jusque-là, je n'avais pas ouvert les yeux, je **sentais** [que j'**étais couché** sur le dos et sans liens.]*

▶ EDGAR POE, « Le Puits et le Pendule », *Nouvelles Histoires extraordinaires*.
Sentais est un verbe de perception, employé à la forme affirmative.
Le verbe de la proposition complétive, *étais couché*, est donc à l'indicatif.

*Je **crois** que deux et deux **sont** quatre, Sganarelle, et que quatre et quatre **sont** huit.* ▶ MOLIÈRE, *Dom Juan.*
Crois est un verbe d'opinion, employé à la forme affirmative. Le verbe des deux propositions complétives, *sont*, est donc à l'indicatif.

Les verbes de **souhait** *(vouloir, souhaiter, désirer)*, de **doute** *(douter)*, d'**ordre** *(ordonner, interdire)*, de **demande** *(demander)*, de **crainte** *(craindre, avoir peur)*, de **sentiment** *(regretter, s'étonner)* se construisent avec le **subjonctif**.

> *Je **voudrais** [qu'avec son bien il **eût** encore quelque bon goût des choses.]*
>
> ▶ Molière, *Le Bourgeois gentilhomme.*
>
> *Voudrais* est un verbe de souhait. Le verbe de la proposition complétive, *eût*, est donc au subjonctif.

> *En vérité, fait-elle, chevalier, je **crains** que vous **soyez** bien mal venu.*
>
> ▶ Chrétien de Troyes, *Yvain ou le Chevalier au lion.*
>
> Après le verbe de crainte, le verbe de la proposition complétive, *soyez*, est au subjonctif.

◗ Pour d'autres verbes, le mode est laissé au choix du locuteur : les verbes **déclaratifs** ou d'**opinion**, à la **forme négative** ou **interrogative**, peuvent se construire avec l'**indicatif** ou le **subjonctif**.

On peut choisir le futur de l'indicatif ou le présent du subjonctif. En employant le subjonctif, le locuteur est moins sûr de son affirmation.

> *Je ne pense pas qu'il **viendra**.*
>
> *Viendra* est au futur de l'indicatif.

> *Je ne pense pas qu'il **vienne**.*
>
> *Vienne* est au présent du subjonctif.

On peut aussi choisir le passé composé de l'indicatif ou le passé du subjonctif. En employant le subjonctif, le locuteur est moins sûr de son affirmation.

> *Sa mère ne croit pas qu'il **a volé**.*
>
> *A volé* est au passé composé de l'indicatif.

> *Sa mère ne croit pas qu'il **ait volé**.*
>
> *Ait volé* est au passé du subjonctif.

123 Les autres fonctions de la proposition conjonctive complétive

▶ Une proposition conjonctive complétive peut occuper d'autres fonctions que celle de complément d'objet. Elle peut être :

– sujet ;

> *[Qu'il arrive demain] m'ennuie beaucoup.*

– attribut du sujet ;

> *Le problème est [que je n'ai plus d'essence dans ma voiture.]*

– complément du nom ;

> *L'idée [que vous arriviez en retard] est insupportable.*

– sujet réel de verbe ou tournure impersonnels.

> *Il est évident [qu'il n'est pas fort en mathématiques.]*

ASTUCE

Comment reconnaître la fonction d'une proposition conjonctive complétive ?

Il suffit de la remplacer par un groupe nominal et d'identifier la fonction de ce groupe nominal.

> *Je vois [qu'il marche.]*
> *Je vois [cet arbre].*

Cet arbre est un groupe nominal COD du verbe *vois*, *qu'il marche* est donc une complétive COD.

> *La nouvelle [que vous avez gagné la coupe] me réjouit.*
> *La nouvelle [de votre victoire] me réjouit.*

De votre victoire est un groupe nominal complément du nom *nouvelle* ; *que vous avez gagné la coupe* est donc une complétive complément du nom.

Résumé

▶ La proposition conjonctive complétive est introduite par la conjonction *que*.

▶ Elle occupe le plus souvent la fonction de complément d'objet du verbe.

La proposition subordonnée interrogative indirecte

Estragon (la bouche pleine, distraitement). — ***On n'est pas liés ?***
Vladimir. — *Je n'entends rien.*
Estragon (mâche, avale). — *Je demande **si on est liés.***

▸ Samuel Beckett, *En attendant Godot.*

Estragon utilise d'abord une phrase interrogative directe, puis une proposition interrogative indirecte.

124 Qu'est-ce qu'une proposition interrogative indirecte ?

▸ La proposition interrogative indirecte est une **proposition subordonnée** qui pose une question par l'intermédiaire d'un verbe introducteur *(demander, chercher, dire, raconter...)*. Il ne faut pas la confondre avec la **phrase interrogative directe**.

> *On n'est pas liés ?*
> Il s'agit d'une phrase interrogative directe.

> *Je demande [si on est liés.]*
> *Si on est liés* est une proposition interrogative indirecte subordonnée à la proposition principale *je demande*.

▸ Contrairement à la phrase interrogative directe, la proposition interrogative indirecte :
– n'a pas d'intonation montante ;
– n'a pas de point d'interrogation ;
– n'a pas d'inversion sujet-verbe.

> *As-tu mal ?*   *Je te demande [si tu as mal.]*
> (interrogation directe)   (interrogation indirecte)

ASTUCE

Comment reconnaître une proposition interrogative indirecte ?

On peut toujours la transformer en une phrase interrogative directe.
> *Dites-moi s'il est là.* On peut dire : *Est-ce qu'il est là ?*

▶ La proposition interrogative indirecte est une proposition subordonnée **complétive**. Elle est le plus souvent **COD**.

> *Léa demande [comment on le nomme.]*
>
> On peut remplacer la proposition complétive par un GN : *Léa demande son nom. Comment on le nomme* est une complétive COD du verbe *demande*.

125 La proposition interrogative indirecte introduite par *si*

▶ Quand l'interrogation directe est **totale** (on peut répondre par *oui* ou par *non*), l'interrogative indirecte est introduite par **si**.

> *Elle demanda [si les livres lui seraient utiles.]*
>
> L'interrogation directe correspondante est : *Les livres lui seraient-ils utiles ?* La question appelle une réponse par *oui* ou par *non* : l'interrogation indirecte est donc introduite par *si*.

126 La proposition interrogative indirecte introduite par *quel, pourquoi, comment...*

▶ Quand l'interrogation directe est **partielle** (on ne peut pas répondre par *oui* ou par *non*), la proposition interrogative indirecte est introduite par le **même mot interrogatif** que dans l'interrogation directe : *quel, pourquoi, comment...*

> *Jamais il ne lui révéla [**où** il s'était caché] et
> [**qui** l'avait aidé cette troisième et dernière fois.]*
>
> ▶ LES FRÈRES GRIMM, « Le Ouistiti », *Contes.*
>
> Les deux interrogations directes correspondantes sont : *Où était-il caché ? et Qui l'avait aidé ?* Les questions appellent une réponse partielle. *Où* et *qui* introduisent les interrogations directes et indirectes.

Résumé

▶ La proposition interrogative indirecte est une proposition subordonnée complétive.

▶ Elle est introduite par *si* quand l'interrogation est totale, par des mots interrogatifs *(quel, pourquoi, comment...)* quand l'interrogation est partielle.

Les propositions subordonnées conjonctives circonstancielles

Pour répondre aux questions où ? quand ? comment ?...
se produit l'action, on peut employer des propositions
subordonnées conjonctives circonstancielles.

127 Qu'est-ce qu'une proposition subordonnée conjonctive circonstancielle ?

● La proposition conjonctive circonstancielle est une **proposition
subordonnée**. Elle est **conjonctive** parce qu'elle est introduite
par une **conjonction de subordination** *(lorsque, comme,
quand...)* ou par une **locution conjonctive** *(parce que, après
que...)*. Elle est **circonstancielle** parce qu'elle est **complément
circonstanciel**.

> *Le long d'un clair ruisseau buvait une Colombe,*
> *[**Quand** sur l'eau se penchant une Fourmi y tombe.]*
>
> ❱ Jean de La Fontaine, *La Colombe et la Fourmi.*
>
> *Quand sur l'eau se penchant une Fourmi y tombe* est une subordonnée
> conjonctive circonstancielle introduite par la conjonction
> de subordination *quand*.

128 Les différentes subordonnées conjonctives circonstancielles

● On distingue les subordonnées conjonctives circonstancielles :

– de **temps** ou « temporelles », introduites par : *lorsque, quand,
après que, avant que, pendant que...*

– de **cause** ou « causales », introduites par : *parce que, puisque,
comme, dès lors que, sous prétexte que...*

– de **conséquence** ou « consécutives », introduites par : *si bien
que, de telle sorte que, au point que, si* (+ adjectif) *que, tellement
que, tant que, trop* (+ adjectif) *pour que...*

– de **but** ou « finales », introduites par : *afin que, pour que, de
peur que, de crainte que...*

– d'**opposition** et de **concession** ou « concessives », introduites par : *alors que, bien que, même si, quoique...*

– de **condition** ou « conditionnelles », introduites par : *si, pourvu que, à supposer que...*

– de **comparaison** ou « comparatives », introduites par : *comme, de même que, aussi que, tel* (+ adjectif) *que, aussi* (+ adjectif) *que...*

▶ On peut coordonner plusieurs subordonnées conjonctives circonstancielles par **que**.

> [**Lorsque** *je vais sur la jetée,*] [**et que** *je regarde le bout du ciel,*] *je suis déjà de l'autre côté.* ▶ MARCEL PAGNOL, *Marius.*
> On pourrait dire [*Lorsque je vais sur la jetée*][*et lorsque je regarde le bout du ciel...*]. La conjonction *que* évite de répéter *lorsque*.

▶ Dans une même phrase, on peut trouver plusieurs subordonnées conjonctives circonstancielles exprimant des circonstances variées.

> [*S'il tourne bien*], [**comme** *tout porte à le croire,*] *il sera notre héritier.* ▶ GUY DE MAUPASSANT, « Aux champs », *Contes de la Bécasse.*
> Dans cette phrase, on trouve une subordonnée circonstancielle de condition, *S'il tourne bien*, puis une subordonnée circonstancielle de comparaison, *comme tout porte à le croire.*

▶ Une subordonnée conjonctive circonstancielle peut dépendre d'une autre subordonnée conjonctive circonstancielle.

> *Il reconnut que c'était les frères de sa femme, l'un Dragon et l'autre Mousquetaire, de sorte qu'il s'enfuit aussitôt pour se sauver ; mais les deux frères le poursuivirent de si près* [**qu'**ils l'attrapèrent] [**avant qu'**il pût gagner le perron.]
> ▶ CHARLES PERRAULT, *La Barbe bleue.*
> *Avant qu'il pût gagner le perron* est une subordonnée circonstancielle de temps ; elle complète *qu'ils l'attrapèrent*, qui est une subordonnée circonstancielle de conséquence complétant elle-même la proposition principale *mais les deux frères le poursuivirent de si près.*

129 La subordonnée circonstancielle et les autres moyens d'exprimer une circonstance

◗ La subordonnée conjonctive circonstancielle peut remplacer un complément circonstanciel d'une autre nature, qui peut être :

– un **groupe nominal** ;

> ***Sans le vacarme de la ville**, on pourrait entendre la plainte qui coule de sa gorge.*
>
> ◗ PIERRE PÉJU, *La Petite Chartreuse*.

Le GN *Sans le vacarme de la ville* pourrait être remplacé par une subordonnée circonstancielle de condition :
[S'il n'y avait pas le vacarme de la ville,] on pourrait entendre la plainte qui coule de sa gorge.

– un **infinitif prépositionnel** : il s'emploie lorsque le sujet de l'infinitif et celui du verbe conjugué de la phrase sont identiques ;

> ***Pour avoir levé** une seule fois le regard sur une femme, pour une faute en apparence si légère, j'ai éprouvé pendant plusieurs années les plus misérables agitations.*
>
> ◗ THÉOPHILE GAUTIER, *La Morte amoureuse*.

L'infinitif prépositionnel *Pour avoir levé (une seule fois le regard sur une femme)* pourrait être remplacé par une subordonnée circonstancielle de cause : *Parce que j'avais levé une seule fois le regard sur une femme*.

– un **gérondif** : il s'emploie lorsque le sujet du gérondif et celui du verbe conjugué de la phrase sont identiques ;

> *Sa voix résonne comme si elle sortait du puits.*
> ***En l'entendant**, il redresse la tête et appelle de nouveau.*
>
> ◗ *Le Roman de Renart*.

Le gérondif *En l'entendant* pourrait être remplacé par une subordonnée circonstancielle de temps : *Quand il l'entend*.

– une **proposition subordonnée participiale**.

> *La nuit tombait et, **mon travail fini**, j'allais gagner mon hamac, lorsque je m'avisai de manger une pomme.*
>
> ◗ ROBERT LOUIS STEVENSON, *L'Île au trésor*.

La proposition participiale *mon travail fini* pourrait être remplacée par une subordonnée circonstancielle de temps : *quand mon travail fut fini*.

◗ La proposition conjonctive circonstancielle, qui est une proposition subordonnée, peut aussi remplacer une **proposition coordonnée**.

Toute la journée la banquise gronde
***mais** j'arrive quand même à dormir.*

> JEAN-LOUIS ÉTIENNE, *Le Marcheur du pôle.*

Au lieu d'une proposition coordonnée par *mais*, on pourrait avoir
une subordonnée circonstancielle d'opposition :
[*Bien que toute la journée la banquise gronde,*] *j'arrive quand même
à dormir.*

● La proposition conjonctive circonstancielle peut enfin remplacer une **proposition** ou une **phrase juxtaposée**.

Mon père avait envie d'un petit jardin. Son désir
flambait au milieu de nous comme un feu.

> JEAN GIONO, *Jean le Bleu.*

Au lieu de la phrase juxtaposée *Son désir flambait au milieu de*
nous comme un feu, on pourrait avoir une proposition subordonnée
circonstancielle de conséquence :
Mon père avait tellement envie d'un petit jardin [*que son désir flambait*
au milieu de nous comme un feu.]

Résumé

● Les propositions subordonnées conjonctives circonstancielles
apportent des précisions sur les circonstances de l'action : le
temps, la cause, la conséquence, le but, l'opposition, la condition, la comparaison.

● Elles peuvent remplacer d'autres tournures exprimant la
circonstance :
– un groupe nominal ;
– un infinitif prépositionnel ;
– un gérondif ;
– une proposition subordonnée participiale ;
– une proposition coordonnée ou juxtaposée.

La subordonnée circonstancielle de temps

*Le matin, **quand il fut réveillé**, il courut aussitôt par monts et par vaux à la recherche d'une fleur pareille. Huit jours durant, il la chercha, et à l'aube du neuvième jour, il trouva la fleur rouge de sang.* ▶ LES FRÈRES GRIMM, « Yorinde et Yoringue », *Contes.*

La proposition subordonnée circonstancielle est l'un des nombreux moyens d'exprimer le temps.

130 Qu'est-ce qu'une subordonnée circonstancielle de temps ?

▶ La proposition subordonnée circonstancielle de temps, aussi appelée **subordonnée temporelle**, permet de **situer** un fait ou une action **dans le temps**.

[Quand l'artiste a mis la dernière main à son œuvre,] il équilibre son poids sur ses deux ailes et il se suspend dans les airs qu'il agite. ▶ OVIDE, « Dédale et Icare », *Métamorphoses.*

La proposition subordonnée *Quand l'artiste a mis la dernière main à son œuvre* indique à quel moment se situe l'action de la principale, *il équilibre son poids sur ses deux ailes.*

▶ La subordonnée circonstancielle de temps est une subordonnée conjonctive : elle est introduite par une **conjonction de subordination** ou une **locution conjonctive**.

131 Qu'exprime la subordonnée circonstancielle de temps?

● La subordonnée circonstancielle de temps exprime :

– une **antériorité**, lorsque l'action de la subordonnée se déroule **avant** celle de la principale. La subordonnée est introduite par une conjonction de subordination ou une locution conjonctive suivie de l'**indicatif** : *quand, lorsque, après que, dès que, depuis que, aussitôt que, sitôt que...*

> *[Quand il eut achevé d'écrire,] [le mort immobile contempla son œuvre.]*　　　● GUY DE MAUPASSANT, *La Morte*.
> La proposition subordonnée *Quand il eut achevé d'écrire* exprime une action antérieure à l'action de la proposition principale *le mort immobile contempla son œuvre*.

– une **simultanéité**, lorsque l'action de la subordonnée se déroule **en même temps** que celle de la principale. La subordonnée est introduite par une conjonction ou une locution conjonctive suivie de l'**indicatif** : *comme, quand, lorsque, pendant que, tandis que, tant que, au moment où, alors que, à mesure que, chaque fois que...*

> *Après quoi, je m'étendis sous un arbre, et [j'allais m'endormir,] [lorsque mon chien vint me parler à l'oreille.]*　　　● MARCEL PAGNOL, *La Gloire de mon père*.
> La proposition subordonnée *lorsque mon chien vint me parler à l'oreille* exprime une action simultanée à l'action de la proposition principale *j'allais m'endormir*.

– une **postériorité**, lorsque l'action de la subordonnée se déroule **après** celle de la principale. La subordonnée est introduite par une locution conjonctive suivie du **subjonctif** : *avant que, en attendant que, jusqu'à ce que...*

> *[Et moi, qu'on me porte au bout de la table] [en attendant que je meure.]*　　　● MOLIÈRE, *Les Fourberies de Scapin*.
> La proposition subordonnée *en attendant que je meure* exprime une action postérieure à l'action de la proposition principale *Et moi, qu'on me porte au bout de la table*.

> *Rentrons [avant qu'il ne pleuve.]*
> Dans la langue soutenue, *avant que* est employé avec la négation explétive *ne* qui n'a pas de valeur négative.

Attention

■ **Dans une phrase, il faut bien distinguer
l'ordre grammatical et l'ordre chronologique.**

– On ne doit pas confondre l'ordre des propositions dans la phrase
(ordre grammatical) et l'ordre des actions dans le temps (ordre
chronologique). Une action qui s'est déroulée après une autre action
peut précéder cette dernière dans la phrase.

> *[En attendant que leur mère rentre du travail,]*
> *[ils regardaient la télévision.]*
>
> La proposition subordonnée *En attendant que leur mère rentre
> du travail* est placée avant la proposition principale *ils regardaient
> la télévision* (ordre grammatical). Mais l'action de la subordonnée
> est postérieure à l'action de la principale (ordre chronologique).

– La conjonction **après que** introduit une subordonnée exprimant une
antériorité et la conjonction **avant que** introduit une subordonnée
exprimant une postériorité, puisqu'on considère la relation temporelle
par rapport à l'action de la principale.

> *[Il referma la porte à clé,] [après que tous eurent quitté la pièce.]*
>
> L'action de la proposition subordonnée *après que tous eurent quitté
> la pièce* est antérieure à l'action de la proposition principale *Il referma
> la porte à clé.*

■ **L'emploi du subjonctif avec *après que* est fautif.**

Toutefois il tend à se généraliser. Ainsi, on trouve :

> ❍ *Après que nous soyons allés au cinéma, il nous a emmenés
> au restaurant.*

au lieu de :

> *Après que nous sommes allés au cinéma, il nous a emmenés
> au restaurant.*

▶ Lorsque plusieurs subordonnées conjonctives circonstancielles
de temps sont coordonnées entre elles, on évite la répétition de
la conjonction de subordination en la remplaçant par **que**.

> *[**Quand** il fut arrivé] et [**qu**'il eut examiné le palais de près
> et de tous les côtés,] il ne douta pas qu'Aladin ne se fût servi
> de la lampe pour le faire bâtir.*
>
> ▶ « Histoire d'Aladin ou la Lampe merveilleuse », *Les Mille et Une Nuits.*
>
> *Qu'il eut examiné le palais de près et de tous les côtés* est une proposition
> subordonnée circonstancielle de temps et signifie : *quand il eut examiné...*

Pour aller plus loin

Qu'est-ce qu'un infinitif prépositionnel ?

Lorsque la proposition subordonnée de temps a le même sujet que la proposition principale, certaines locutions conjonctives *(après que, avant que, en attendant que, au moment où...)* peuvent être remplacées par une préposition ou locution prépositionnelle *(après, avant de, en attendant de, au moment de...)* suivie de l'infinitif. On parle alors d'infinitif prépositionnel.

> *Il prend un café **avant de partir**.*
>
> Au lieu de : ● *Il prend un café avant qu'il parte.*
>
> *Avant de partir* est un infinitif prépositionnel, complément circonstanciel de temps du verbe *prend*.

Résumé

● La proposition subordonnée circonstancielle de temps situe une action dans le temps.

● Elle peut exprimer :
- l'antériorité : *quand, lorsque, après que...*
- la simultanéité : *comme, alors que, au moment où...*
- la postériorité : *avant que, jusqu'à ce que...*

Les subordonnées circonstancielles de cause et de conséquence

*Je ne comprends pas **parce que la cause m'échappe**.*

▶ GUY DE MAUPASSANT, *Le Horla.*

La cause est l'inverse de la conséquence ; le personnage de Maupassant aurait aussi bien pu dire : *La cause m'échappe **si bien que je ne comprends pas**.*

132 Qu'est-ce qu'une subordonnée circonstancielle de cause ?

◗ La proposition subordonnée circonstancielle de cause exprime la **raison** ou le **motif** d'un fait ou d'une action.

*Moi, j'aime bien quand papa m'accompagne, [**parce qu'il me donne souvent des sous pour acheter des choses.**]*

▶ JEAN-JACQUES SEMPÉ et RENÉ GOSCINNY, *Les Récrés du Petit Nicolas.*

La proposition subordonnée *parce qu'il me donne souvent des sous pour acheter des choses* exprime la raison de la satisfaction du Petit Nicolas.

◗ La subordonnée circonstancielle de cause est une subordonnée conjonctive. Elle est introduite par une **conjonction de subordination** ou une **locution conjonctive** : *parce que, puisque, comme, du moment que, dès lors que, étant donné que, attendu que, sous prétexte que, vu que, non que, soit que… soit que…*

◗ Ces conjonctions ou locutions conjonctives sont suivies de l'**indicatif**, sauf *non que* et *soit que… soit que…* qui sont suivies du **subjonctif**.

*Tu mangeras de l'oignon, [**parce qu'il te fait mal,**] tu ne mangeras pas de poireaux, [**parce que tu les adores.**]*

▶ JULES VALLÈS, *L'Enfant.*

Fait et *adores* sont au présent de l'indicatif.

*Il ne partira pas en vacances cette année, [**non qu'il n'en ait pas les moyens,**] mais parce qu'il a trop de travail.*

Ait est au présent du subjonctif.

◗ Lorsque plusieurs subordonnées conjonctives circonstancielles de cause se suivent, on évite la répétition de la conjonction de subordination en la remplaçant par **que**.

> [**Étant donné que** le vent avait cessé de souffler]
> et [**que** la mer s'était calmée,] on put sortir l'embarcation.

⚠ Attention

▪ **Il ne faut pas confondre les conjonctions**
parce que **et** *puisque*.

– **Parce que** s'emploie pour informer l'interlocuteur d'une cause.

> « Le match n'aura pas lieu, [**parce que** le terrain est
> impraticable] », a annoncé l'entraîneur aux parents.
> La proposition subordonnée introduite par *parce que* présente
> à l'interlocuteur (les parents) la cause de l'annulation du match.

– **Puisque** s'emploie pour une cause déjà connue de l'interlocuteur et présentée comme une justification par le locuteur.

> « Eh bien, tu ne viendras pas, [**puisque** tu n'en as pas envie!] »,
> s'est exclamé mon père.
> La proposition subordonnée introduite par *puisque* présente
> à l'interlocuteur (l'enfant) la justification de la décision du père.

▪ **Il ne faut pas confondre les différents sens de** *comme*.

La conjonction **comme** peut exprimer :
– la **cause** : le plus souvent, la subordonnée est en tête de phrase.

> [**Comme** il faisait chaud,] ils allèrent se rafraîchir à la fontaine.

– le **temps** : *Il entra, [**comme** elle sortait.]*
– la **comparaison** : *Il dormait, [**comme** dort un enfant.]*

133 Qu'est-ce qu'une subordonnée circonstancielle de conséquence ?

◗ La proposition subordonnée circonstancielle de conséquence indique l'**effet** ou le **résultat** d'une action ou d'un fait.

> J'ai tant rêvé de toi [**que tu perds ta réalité.**]
>
> ◗ ROBERT DESNOS, *Corps et Biens*.
>
> La proposition subordonnée *que tu perds ta réalité* exprime
> la conséquence du rêve.

◗ La proposition subordonnée circonstancielle de conséquence est une subordonnée conjonctive. Elle est toujours placée **après** la proposition principale et elle est introduite par :

– une **locution conjonctive** : *si bien que, de façon que, de manière que, de sorte que, en sorte que, au point que, trop... pour que, assez... pour que...*

> *Toutes ces paroles étaient entrecoupées de caresses délirantes qui étourdirent mes sens et ma raison [**au point que** je ne craignis point pour la consoler de proférer un effroyable blasphème, et de lui dire que je l'aimais autant que Dieu.]*
>
> ▶ Théophile Gautier, *La Morte amoureuse.*

– la conjonction **que** précédée, dans la proposition principale, par un terme appelé **corrélatif** (qui met en relation deux termes) : l'adjectif **tel** ou les adverbes d'intensité **si**, **tant**, **tellement**.

> *Alice avait **tellement** pris l'habitude de s'attendre à des choses extravagantes, [**qu'**il lui paraissait ennuyeux et stupide de voir la vie continuer de façon normale.]*
>
> ▶ Lewis Carroll, *Alice au pays des merveilles.*

◗ Les propositions subordonnées de conséquence sont à l'**indicatif**, sauf celles introduites par *trop... pour que, assez... pour que* qui sont au **subjonctif**.

> *La porte de la roulotte était **trop** étroite [**pour qu'une vache y pût passer.**]* ▶ Marcel Aymé, *Les Contes du chat perché.*

⚠ Attention

Il ne faut pas confondre la cause et la conséquence.

Alors que la **cause** exprime ce qui **provoque un fait ou une action**, la **conséquence** exprime **ce qui en découle**. Une phrase qui exprime un rapport de conséquence peut être transformée de manière à exprimer un rapport de cause, et inversement.

> *Les voitures ne cessaient d'affluer, [si bien qu'un gigantesque*
> *embouteillage se forma.]*
> *Si bien qu'un gigantesque embouteillage se forma* est une proposition
> subordonnée circonstancielle de conséquence.

> *Un gigantesque embouteillage se forma, [étant donné que*
> *les voitures ne cessaient d'affluer.]*
> *Étant donné que les voitures ne cessaient d'affluer* est une proposition
> subordonnée circonstancielle de cause.

GRAMMAIRE

Résumé

🔹 La proposition subordonnée circonstancielle de cause exprime la raison d'une action.
Elle peut être introduite par : *parce que, puisque, comme...*

🔹 La proposition subordonnée circonstancielle de conséquence exprime l'effet d'une action.
Elle peut être introduite par : *si bien que, de sorte que...*

La subordonnée circonstancielle de but

> [...] *j'écrirai ce poème*
> ***pour qu'il t'offre une aurore***
> ***quand il fait nuit*** [...] ▸ ALAIN BOSQUET, « J'écrirai », *Poèmes, un.*
>
> C'est un bien noble but que celui du poète.

134 Qu'est-ce qu'une subordonnée circonstancielle de but ?

▸ La proposition subordonnée circonstancielle de but indique l'**objectif visé** par l'action.

> *j'écrirai ce poème*
> *[**pour qu'il me donne***
> ***un fleuve doux***
> ***comme les ailes du toucan]*** [...]

▸ ALAIN BOSQUET, « J'écrirai », *Poèmes, un.*

La proposition subordonnée *pour qu'il me donne un fleuve doux comme les ailes du toucan* exprime l'objectif que se donne le poète en écrivant.

▸ La subordonnée circonstancielle de but est une subordonnée conjonctive. Elle est introduite par une locution conjonctive qui est toujours suivie du **subjonctif** : *pour que, afin que...*

> *Le petit Prince s'assit sur une pierre et leva les yeux vers le ciel :*
> *— Je me demande, dit-il, si les étoiles sont éclairées [**afin que chacun puisse un jour retrouver la sienne.**]*

▸ ANTOINE DE SAINT-EXUPÉRY, *Le Petit Prince.*

▸ Cette locution exprime parfois un but négatif, c'est-à-dire une action qu'on cherche à éviter : *de peur que, de crainte que...* Dans la langue soutenue, ces locutions s'emploient avec un *ne* **explétif**, particule sans valeur négative.

> *Denise, [**de peur que les larmes ne lui jaillissent des yeux,**] se hâta de retourner au tas de vêtements qu'elle transportait et qu'elle classait sur un comptoir.*

▸ ÉMILE ZOLA, *Au Bonheur des Dames.*

● Après un verbe à l'impératif, le but s'exprime par la conjonction de subordination **que**, équivalant à **pour que**.

> *Appelez-moi Nicole, [que je lui donne quelques ordres.]*
>
> ▶ Molière, *Le Bourgeois gentilhomme.*

⚠ Attention

■ **Il ne faut pas confondre le but avec la conséquence.**

La **conséquence** est le **résultat obtenu**, alors que le **but** est le **résultat que l'on cherche à obtenir**. Les propositions subordonnées de but sont au subjonctif, mode de la volonté, alors que les propositions subordonnées de conséquence sont à l'indicatif, mode du réel.

> *Les parents s'étaient sacrifiés [pour que leur enfant réussisse.]*
> *Pour que leur enfant réussisse* est une proposition subordonnée circonstancielle de but. Le verbe *réussir* est au subjonctif.

> *Il avait toujours eu de la chance, [si bien qu'il avait réussi.]*
> *Si bien qu'il avait réussi* est une proposition subordonnée circonstancielle de conséquence. Le verbe *réussir* est à l'indicatif.

■ **Il ne faut pas confondre** *pour que, trop... pour que*
et *assez... pour que.*

– **Pour que** exprime le but.

> *Je lui téléphonerai [pour que nous convenions d'un rendez-vous.]*
> (but)

– **Trop... pour que** et **assez... pour que** expriment la conséquence.

> *Il a **trop** d'ennuis [pour que nous le laissions tomber*
> *en ce moment.]* (conséquence)

Résumé

● La proposition subordonnée circonstancielle de but exprime l'objectif visé.

● Elle peut être introduite par : *pour que, afin que, de peur que...*

La subordonnée circonstancielle d'opposition ou de concession

Bien que Poil de Carotte n'aime pas le rhum, il dit :
— Je ne donne ma part à personne.

> JULES RENARD, *Poil de Carotte.*

Voilà une contradiction bien singulière : pourquoi Poil de Carotte tient-il tant à ce qu'il n'aime pas ?

135 Qu'est-ce qu'une subordonnée circonstancielle d'opposition ou de concession ?

◗ La proposition subordonnée circonstancielle d'**opposition** met en relation deux faits ou deux actions qui font **contraste** entre eux.

> *[Alors que ma voisine est une femme charmante,]*
> *son mari est un homme détestable.*

Dans la proposition subordonnée *Alors que ma voisine est une femme charmante*, l'adjectif *charmante* s'oppose à l'adjectif *détestable* de la proposition principale.

◗ On parle de proposition subordonnée de **concession** lorsque les faits mis en relation sont **contradictoires**, c'est-à-dire logiquement incompatibles. La concession est une cause qui ne produit pas l'effet attendu.

> *Il parlait si bas que, [quoique la porte-fenêtre fût ouverte,]*
> *Vanina ne put entendre ses paroles.*

> STENDHAL, *Vanina Vanini.*

L'ouverture de la porte-fenêtre devrait permettre à Vanina d'entendre les paroles prononcées ; or c'est l'inverse qui se produit.

◗ La subordonnée circonstancielle d'opposition ou de concession est une subordonnée conjonctive. Elle est introduite par une **conjonction de subordination** ou une **locution conjonctive**.

136 La subordonnée d'opposition ou de concession : quel mode utiliser ?

🔹 Selon la conjonction de subordination ou la locution conjonctive utilisée, le mode varie :

– *quoique, bien que, encore que, sans que...* sont suivies du **subjonctif** ;

[**Bien qu'il fasse chaud,**] *il porte un épais manteau de laine.*

– *alors que, tandis que, quand...* sont suivies de l'**indicatif** ;

— *Madame, dit-il, pourquoi donc, s'il vous plaît, n'avez-vous point vos ferrets de diamants, [**quand vous savez**] qu'il m'eût été agréable de les voir ?*

🔹 ALEXANDRE DUMAS, *Les Trois Mousquetaires.*

– *quand bien même, alors même que...* sont suivies du **conditionnel**.

[**Quand bien même je serais malade,**] *j'irais à cette réunion.*

Pour aller plus loin

Quelles sont les autres formes de la subordonnée d'opposition ?

■ La subordonnée d'opposition peut prendre la forme d'une subordonnée **relative indéfinie** introduite par une locution relative suivie du **subjonctif** : *qui que, quoi que, quel que, où que, pour... que...* Dans ces locutions, **que** est un pronom relatif.

*La pensée de Clarimonde recommença à m'obséder, et, [**quelques efforts que je fisse pour la chasser,**] je n'y parvenais pas toujours.*

🔹 THÉOPHILE GAUTIER, *La Morte amoureuse.*

■ La subordonnée d'opposition introduite par **quoique** ou **bien que** est souvent **elliptique** du verbe : son verbe n'est pas exprimé.

[**Bien qu'affaibli,**] *le cerveau du jeune homme fut frappé par cette idée banale constamment présente à l'esprit des prisonniers :*
la liberté. 🔹 ALEXANDRE DUMAS, *Le Comte de Monte-Cristo.*

Résumé

🔹 La proposition subordonnée circonstancielle d'opposition ou de concession exprime un contraste ou une contradiction.

🔹 Elle peut être introduite par : *alors que, quoique, bien que...*

La subordonnée circonstancielle de condition

« *Si tu avais seulement deux mille ans*, reprit le vieux roi, je t'accorderais bien volontiers la princesse, mais la disproportion est trop forte, et puis il faut à nos filles des maris qui durent.

▶ THÉOPHILE GAUTIER, *Le Pied de momie*.

Voilà une condition bien difficile à remplir pour un jeune Français qui veut épouser une momie.

137 Qu'est-ce qu'une subordonnée circonstancielle de condition ?

▶ La proposition subordonnée circonstancielle de condition exprime le **fait** ou l'**action nécessaire** à la réalisation d'un autre fait ou d'une autre action.

*Il fait bon écouter les fabliaux, Messires. [**Si le conte est joliment fait**,] [on oublie tout ce qui est désagréable.]*

▶ COURTEBARBE, « Les trois aveugles de Compiègne »,
Fabliaux du Moyen Âge.

Si le conte est joliment fait est la condition de *on oublie tout ce qui est désagréable.*

▶ On appelle **système hypothétique** l'ensemble formé par la principale et la subordonnée de condition. L'hypothèse consiste à supposer que la condition est remplie.

[S'il fait beau dimanche,] nous irons nous baigner.

Le beau temps est la condition de la baignade, c'est-à-dire ce qui la rend possible, et cette condition est exprimée par une hypothèse : *S'il fait beau dimanche.*

138 Quel mode employer dans la subordonnée de condition ?

▶ La subordonnée circonstancielle de condition, aussi appelée **subordonnée hypothétique**, est une subordonnée conjonctive.

▶ Elle est le plus souvent introduite par la conjonction de subordination **si**. Dans ce cas, elle est toujours à l'**indicatif**.

*[Si tu connaissais le Temps aussi bien que moi,] dit le Chapelier, tu ne **parlerais** pas de le perdre. Le Temps est un être vivant.*   ▶ LEWIS CARROLL, *Alice au pays des merveilles.*

ASTUCE

💡 **Quelle forme verbale utiliser lorsque** *si* **exprime la condition ?**

■ Lorsque **si** exprime la condition, il n'est jamais suivi du conditionnel.

S'il venait, je serais contente.

On ne dit jamais : ⊘ *S'il viendrait, je serais contente.*

■ Un procédé mnémotechnique permet d'éviter la faute.

Les poissons-scies (si) n'aiment pas les raies (-rais/-rait).

139

◗ Lorsque deux subordonnées introduites par **si** se suivent, on évite généralement la répétition en remplaçant **si** par **que**; dans ce cas, le mode est le **subjonctif**.

> *[S'il aime ces fruits] et [qu'il en veuille d'autres], il peut venir en ramasser.*

◗ La subordonnée circonstancielle de condition peut aussi être introduite par une locution conjonctive:

– *selon que, suivant que,* suivies de l'**indicatif**;

– *au cas où, dans l'hypothèse où,* suivies du **conditionnel**;

– *pourvu que, à moins que, à condition que, à supposer que, en admettant que, pour peu que, soit que… soit que, que… que,* suivies du **subjonctif**.

> *Peu m'importait la direction que je prenais, [pourvu qu'elle m'éloignât des assassins.]*

> ◗ Robert Louis Stevenson, *L'Île au trésor.*

139 Les valeurs de la subordonnée de condition introduite par *si*

◗ On distingue quatre valeurs de la subordonnée circonstancielle de condition introduite par **si**, selon la manière dont l'hypothèse est envisagée.

– L'**éventuel** présente l'hypothèse comme un fait réel dans le passé, le présent ou l'avenir; la subordonnée est au présent ou à l'imparfait de l'indicatif; la principale est à l'indicatif ou à l'impératif.

> *S'il **fait** beau, nous **allons** à la piscine.*
> *S'il **fait** beau, nous **irons** à la piscine.*
> *S'il **faisait** beau, nous **allions** à la piscine.*
> *S'il **fait** beau, **allons** à la piscine.*

– Le **potentiel** présente l'hypothèse comme un fait imaginaire possible dans l'avenir; la subordonnée est à l'imparfait de l'indicatif et la principale est au présent du conditionnel.

> *S'il **faisait** beau* (demain), *nous **irions** à la piscine.*

– L'**irréel du présent** présente l'hypothèse comme un fait imaginaire mais contraire à la réalité présente ; la subordonnée est à l'imparfait de l'indicatif et la principale est au présent du conditionnel.

> S'il **faisait** beau (aujourd'hui, mais ce n'est pas le cas),
> nous **irions** à la piscine.

Ainsi, le potentiel et l'irréel du présent s'expriment de la même façon ; seul le contexte permet de les distinguer.

– L'**irréel du passé** présente l'hypothèse comme un fait imaginaire et contraire à la réalité passée ; la subordonnée est au plus-que-parfait de l'indicatif et la principale est au passé du conditionnel.

> S'il **avait fait** beau (hier), nous **serions allés** à la piscine.

Résumé

- La proposition subordonnée circonstancielle de condition exprime le fait ou l'action nécessaire à la réalisation d'un autre fait ou d'une autre action.

- La subordonnée circonstancielle de condition introduite par *si* est toujours à l'indicatif.

La subordonnée circonstancielle de comparaison

> SGANARELLE. — *Monsieur, c'est une grande et subtile question entre les docteurs, de savoir si les femmes sont* **plus** *faciles à guérir* **que les hommes**.
>
> ▶ MOLIÈRE, *Le Médecin malgré lui.*

La comparaison met en évidence les ressemblances ou les différences.

140 Qu'est-ce qu'une subordonnée circonstancielle de comparaison?

▶ La proposition subordonnée circonstancielle de comparaison, aussi appelée subordonnée comparative, exprime une **ressemblance**, une **différence**, une **égalité**, une **inégalité** ou une **proportion**.

> *La mer est toute ronde*
> *[Comme une belle montre]*
> *Que le soleil remonte*
>
> ▶ MAURICE CARÊME, « La mer », *L'Arlequin.*
>
> La comparaison met en rapport la *mer* et la *montre* pour souligner la ressemblance de forme.

▶ La subordonnée circonstancielle de comparaison est une subordonnée conjonctive qui peut être à l'**indicatif** ou au **conditionnel**. Elle est introduite par:

– une conjonction de subordination ou une locution conjonctive: *comme, de même que, ainsi que, autrement que, autant que, moins que, plus que, plutôt que...*

> *Denise, qui écoutait [comme on écoute un conte de fées,] eut un léger frisson.* ▶ ÉMILE ZOLA, *Au Bonheur des Dames.*

– la conjonction **que** précédée d'un adjectif ou d'un adverbe appelé **corrélatif** (qui met en relation deux termes): *tel... que, aussi... que, le même... que, autant... que, plus... que, moins... que, autre... que, d'autant plus... que, d'autant moins... que...*

> *Il était aussi aimable [que nous l'avions connu autrefois.]*

141 La subordonnée de comparaison elliptique

● La subordonnée circonstancielle de comparaison est souvent **elliptique** du verbe, c'est-à-dire que son verbe n'est pas exprimé.

> *Quelle sensation bizarre! dit Alice. Je dois être en train de rentrer en moi-même, [**comme une longue-vue !**]*
>
> ● LEWIS CARROLL, *Alice au pays des merveilles.*

Comme une longue-vue est une subordonnée de comparaison dont le verbe est sous-entendu : il faut comprendre *comme une longue-vue rentre en elle-même.*

● Le **complément du comparatif** est un cas de subordonnée circonstancielle de comparaison elliptique.

> *L'huile de l'épicier du coin est de bien **meilleure** qualité [**que l'huile de l'épicier d'en face,**] elle est même **meilleure** [**que l'huile de l'épicier du bas de la côte.**]*
>
> ● EUGÈNE IONESCO, *La Cantatrice chauve.*

Que l'huile de l'épicier du bas de la côte est une subordonnée de comparaison dont le verbe est sous-entendu ; il faut comprendre : *que ne l'est l'huile de l'épicier du bas de la côte.*

⚠ Attention

■ Il ne faut pas confondre les différents sens de *tel que*.
La conjonction **tel que** peut exprimer :
– la comparaison : *La voiture était [**telle que nous l'avions laissée.**]*
– la conséquence : *La voiture était dans un **tel** état [**qu'ils l'avaient laissée sur place.**]*

■ Il ne faut pas confondre les différents sens de *comme*.
La conjonction **comme** peut exprimer :
– la comparaison : *Il nage [**comme un poisson.**]*
– la cause : *[**Comme il pleuvait,**] ils restèrent à la maison.*
– le temps : *Ils arrivèrent en vue des côtes, [**comme le jour se levait.**]*

Résumé

● La proposition subordonnée circonstancielle de comparaison indique une ressemblance ou une différence.

● Elle peut être introduite par : *comme, de même que, plus que, moins que...*

La proposition infinitive

> *Les vaches regardent **passer les trains**.*
> *Le poète voit **les feuilles tomber**.*
> *Les oiseaux sentent **le printemps arriver**.*

Ces phrases sont construites avec des propositions infinitives.

142 Qu'est-ce qu'une proposition infinitive ?

▶ La proposition infinitive est une **proposition subordonnée complétive**. Elle est **infinitive** parce que son verbe est à l'**infinitif**. Elle est **complétive** parce qu'elle est **complément d'objet**. Elle est construite **directement** après le verbe de la principale dont elle dépend, sans mot subordonnant pour l'introduire.

> *Il voyait [le Bonheur des dames envahir tout le pâté entouré par ces rues.]*
>
> ▶ ÉMILE ZOLA, *Au Bonheur des Dames.*
>
> Le Bonheur des Dames *envahir tout le pâté entouré par ces rues* est une proposition infinitive. Elle commence directement après le verbe principal *voyait*. Elle est COD du verbe *voyait*.

▶ La proposition infinitive a un **sujet distinct** de celui de la proposition principale. Ce sujet peut être placé avant ou après le verbe à l'infinitif.

> *J'ai senti [**mes tempes** se gonfler.]*
>
> ▶ VICTOR HUGO, *Le Dernier Jour d'un condamné.*
>
> Le pronom *j'* est le sujet du verbe *ai senti* dans la proposition principale. *Mes tempes* est le sujet du verbe *se gonfler* dans la proposition infinitive.

▶ Il ne faut pas confondre la proposition infinitive et l'**infinitif complément d'objet**. Quand on sépare la proposition principale et la proposition infinitive en deux propositions indépendantes, elles ont un sujet différent.

> *Julie entend [chanter le merle.]*
>
> Julie entend. Le merle chante.

En revanche, quand l'infinitif est complément d'objet, le sujet du verbe principal et le sujet de l'infinitif sont identiques.

Le merle sait chanter.

Savoir et *chanter* ont le même sujet, *le merle*.

143 Quand emploie-t-on la proposition infinitive ?

◗ La proposition infinitive s'emploie après :

– les verbes de perception *(regarder, voir, écouter, entendre, sentir)* ;

Il regarde [les oiseaux voler.]

Les oiseaux voler est une proposition infinitive dont le sujet est *les oiseaux* et dont le verbe est *voler*.

– les verbes **laisser** et **faire**.

Je fais [pousser des fleurs.]

Pousser des fleurs est une proposition infinitive dont le sujet est *des fleurs* et dont le verbe est *pousser*.

J'ai laissé [les enfants regarder la télévision.]

Les enfants regarder la télévision est une proposition infinitive dont le sujet est *les enfants* et dont le verbe est *regarder*.

Résumé

◗ Une proposition infinitive est une proposition subordonnée complétive.

◗ Son verbe est à l'infinitif et son sujet est différent de celui de la proposition principale.

La proposition participiale

> *Toutes proportions gardées... Cela dit... La nuit tombant.*
> Le langage courant abonde en propositions participiales.

144 Qu'est-ce qu'une proposition participiale ?

▶ La proposition participiale est une **proposition subordonnée**. Elle est **participiale** parce que son verbe est au **participe passé** ou **présent**. Elle est **subordonnée** parce qu'elle dépend de la proposition principale. Cependant, elle n'a pas de mot subordonnant pour l'introduire.

> *[Le tour du salon **terminé**,] M. Madinier voulut qu'on recommençât : ça en valait la peine.*
>
> ▶ Émile Zola, *L'Assommoir.*
>
> Le tour du salon terminé est une proposition participiale. Son verbe est le participe passé *terminé.*

▶ La proposition participiale a un **sujet distinct** de celui de la proposition principale.

> *Au retour, [**la grande porte du palais** étant embarrassée par les préparatifs d'une illumination,] **la voiture** rentra par les cours de derrière.*
>
> ▶ Stendhal, *Vanina Vanini.*
>
> Dans la proposition participiale, *la grande porte du palais* est le sujet de *étant embarrassée.* Dans la proposition principale, *la voiture* est le sujet du verbe *rentra.*

◗ Il ne faut pas confondre la proposition participiale avec le **participe apposé** ou avec le **gérondif**. Le participe apposé et le gérondif n'ont **pas de sujet propre**.

> *L'hôte, **entendant** la porte s'ouvrir et entrer un nouveau venu, dit sans lever les yeux de ses fourneaux : « Que veut monsieur ? »*
>
> ◗ VICTOR HUGO, *Les Misérables.*

Le participe *entendant* est apposé au sujet de la phrase, *l'hôte*. Il n'a pas de sujet propre. Cette phrase ne comporte pas de proposition participiale.

> ***En rentrant** à la maison, l'enfant fut stupéfaite d'avoir crié : « Au secours ! »*
>
> ◗ JULES SUPERVIELLE, *L'Enfant de la haute mer.*

Le gérondif *en rentrant* a pour sujet *l'enfant*, qui est aussi le sujet du verbe conjugué *fut stupéfaite*. Cette phrase ne comporte pas de proposition participiale.

145 La fonction de la proposition participiale

◗ La proposition participiale est une proposition subordonnée **complément circonstanciel**. Elle peut être :

– complément circonstanciel de **temps** ;

> *[La vaisselle terminée,] ils se mirent devant le poste de télévision.*

– complément circonstanciel de **cause** ;

> *[Les Gaulois ayant été vaincus,] César revint à Rome plein de puissance.*

– complément circonstanciel de **condition**.

> *[La pluie cessant,] nous pourrions sortir.*

Résumé

◗ Une proposition participiale est une proposition subordonnée circonstancielle.

◗ Son verbe est au participe et son sujet est différent de celui de la proposition principale.

La concordance des temps dans les propositions subordonnées

Si j'aurais su, j'aurais pas venu !

On ne peut pas, comme le petit Gibus de *La Guerre des boutons*, de Louis Pergaud, employer n'importe quel temps dans une subordonnée. Il faut respecter quelques règles.

146 Qu'est-ce que la concordance des temps ?

◗ La concordance des temps désigne un ensemble de règles à respecter concernant le **choix des temps dans une proposition subordonnée**. Ce choix n'est pas libre, il **dépend du temps du verbe dans la proposition principale**.

Ainsi on peut dire : *Je crois qu'il sera là.*

Mais on ne peut pas dire : ◒ *Je croyais qu'il sera là.*

Si on change le temps de la principale, il faut généralement changer aussi celui de la subordonnée : *Je croyais qu'il serait là.*

◗ Les règles de la concordance des temps concernent tous les types de propositions subordonnées comportant un verbe conjugué. Mais lorsqu'il s'agit d'une subordonnée de condition, des règles particulières de concordance s'appliquent.

◗ Le temps employé dans la subordonnée dépend de la relation chronologique existant entre la principale et la subordonnée : l'action (ou le fait) exprimée dans la subordonnée peut être **antérieure**, **simultanée** ou **postérieure** à celle de la principale.

Pour aller plus loin

Qu'est-ce que le présent de vérité générale ?

Lorsque le verbe de la subordonnée exprime une vérité générale, on utilise le présent, quels que soient le temps et le mode de la principale. On appelle cette valeur du présent le présent de vérité générale.

Il a compris que les hommes sont égoïstes.

147 Les temps dans les subordonnées à l'indicatif

Temps de la principale	Action de la subordonnée par rapport à la principale		
	antérieure	simultanée	postérieure
Présent ou futur	Passé composé, imparfait, ou plus-que-parfait	Présent	Futur
Il dit / Il dira	*qu'il le **savait**.*	*qu'il le **sait**.*	*qu'il le **saura**.*
Passé *Il a dit / Il disait / Il avait dit*	Plus-que-parfait	Imparfait	Conditionnel présent
	*qu'il l'**avait su**.*	*qu'il le **savait**.*	*qu'il le **saurait**.*

148 Les temps dans les subordonnées au subjonctif

Temps de la principale	Action de la subordonnée par rapport à la principale		
	antérieure	simultanée	postérieure
Présent ou futur	Passé	Présent	Présent
Il craint / Il craindra	*qu'il l'**ait su**.*	*qu'il le **sache**.*	*qu'il le **sache**.*
Passé	Plus-que-parfait	Imparfait	Imparfait
Il a craint / Il avait craint	*qu'il l'**eût su**.*	*qu'il le **sût**.*	*qu'il le **sût**.*

▶ Aujourd'hui, dans la langue courante, on emploie principalement le présent du subjonctif dans la subordonnée.

*Il craignait qu'elle le **sache**.*

Situation de communication et situation d'énonciation

> *Où courir ? Où ne pas courir ? N'est-il point là ?*
> *N'est-il point ici ? Qui est-ce ? Arrête.*
> *Rends-moi mon argent, coquin...*
> (Il se prend lui-même le bras.) *Ah ! c'est moi. Mon esprit*
> *est troublé, et j'ignore où je suis, qui je suis, et ce que je fais.*
>
> ❯ Molière, *L'Avare*.

Voilà un énoncé peu clair. Harpagon, qui s'adresse à lui-même, aurait-il des problèmes de communication ?

149 Qu'est-ce qu'une situation de communication ?

❯ Toute situation dans laquelle sont échangés des messages est une **situation de communication**.

> *Un Indien envoie des signaux de fumée au village voisin*
> *pour signaler la présence d'un troupeau de bisons.*
>
> *Un adolescent « tchate » sur Internet avec son copain*
> *à propos du film de la veille à la télévision.*
>
> *Une abeille vole en huit pour indiquer la présence*
> *d'un champ de pollen aux autres abeilles.*

● Une situation de communication est toujours composée :

– d'un **émetteur** : *un Indien, un adolescent, une abeille* ;

– d'un **récepteur** : *les Indiens du village voisin, le copain de l'adolescent, les abeilles de la ruche* ;

– d'un **message** : *la présence d'un troupeau de bisons, l'avis des adolescents sur le film de la veille à la télévision, la présence d'un champ de pollen* ;

– d'un **canal** par lequel passe le message : *les signaux de fumée, Internet et l'écran de l'ordinateur, le vol et le corps de l'abeille* ;

– d'un **code** qui traduit le message et le rend intelligible : *le langage humain transformé en signaux de fumée, le langage humain transformé en lettres, les figures formées par le vol de l'abeille.*

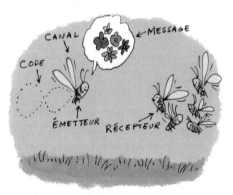

150 Qu'est-ce qu'une situation d'énonciation ?

● Tout acte de communication à l'aide du langage humain (oral ou écrit) est produit dans une situation particulière et unique, dite situation d'énonciation. Elle se définit par quatre questions : **qui parle ?** (ou qui écrit ?) **à qui ? où ? quand ?**

● Ces questions permettent d'identifier trois repères :
– celui qui parle ou qui écrit : le « **moi** » ;
– le lieu où se trouve celui qui parle ou qui écrit : le « **ici** » ;
– le moment où le « moi » parle ou écrit : le « **maintenant** ».

● Le message, produit par la situation d'énonciation, est appelé l'**énoncé**. Celui qui parle est appelé le **locuteur**. Celui à qui s'adresse le message est appelé le **destinataire** ou l'**interlocuteur**.

Hé! bonjour, Monsieur du Corbeau.
Que vous êtes joli! que vous me semblez beau!

▶ Jean de La Fontaine, *Le Corbeau et le Renard.*

Le locuteur est le renard, le destinataire est le corbeau. L'énoncé est produit près d'un arbre, à un moment indéterminé.

151 Comment analyser une situation d'énonciation?

▶ Analyser la situation d'énonciation d'un texte revient à **répondre aux quatre questions : qui parle ? à qui ? où ? quand ?** Cependant, la question « qui parle ? » est doublement importante ; il s'agit de trouver un nom, une identité, mais aussi de repérer une façon de penser, la **subjectivité**. Il faut donc se demander dans quel but et de quelle façon le locuteur formule ses propos.

Pour aller plus loin

Dans un texte littéraire, le locuteur n'est pas toujours l'auteur.

La réponse à la question « qui parle ? » a deux réponses possibles.

■ Dans un texte autobiographique ▶402, c'est l'auteur qui parle à travers les pronoms **je** ou **nous**.

Je suis né à Genève en 1712, d'Isaac Rousseau, Citoyen,
et de Suzanne Bernard, Citoyenne.

▶ Jean-Jacques Rousseau, *Les Confessions.*

Le pronom personnel *je* désigne Jean-Jacques Rousseau, auteur des *Confessions.*

■ Dans un texte de fiction (roman, théâtre...), c'est un personnage qui parle à travers les pronoms **je** et **nous**.

Je descendais le dernier coteau du Canigou, et, bien que le soleil
fût déjà couché, je distinguais dans la plaine les maisons
de la petite ville d'Ille, vers laquelle je me dirigeais.

▶ Prosper Mérimée, *La Vénus d'Ille.*

Les pronoms personnels *je* et *me* ne désignent pas Mérimée auteur de *La Vénus d'Ille*, mais le personnage qui raconte son histoire.

◗ Pour analyser la situation d'énonciation, il faut repérer dans le texte :

– les **indices** (ou **marques**) **de l'énonciation** ▸ 160-161 ;

– les **indices** (ou **marques**) **de la subjectivité du locuteur** ▸ 162-164 : ces indices révèlent, derrière chaque énoncé, l'influence du locuteur sur le contenu de ses propos.

> *Qui te rend si hardi de troubler mon breuvage ?*
>
> ◗ JEAN DE LA FONTAINE, *Le Loup et l'Agneau.*

Dans cette situation d'énonciation, le locuteur est le loup, l'interlocuteur est l'agneau.

Mais il faut aussi se demander dans quel but et de quelle façon le loup s'adresse à l'agneau. Est-il amical ? hostile ? Les indices de la subjectivité du locuteur permettent de répondre à ces questions, par exemple :

– le vocabulaire péjoratif (l'agneau est considéré de façon péjorative comme étant *hardi* ; le simple fait de boire est devenu un acte négatif : *troubler*) ;

– le vocabulaire mélioratif (l'eau est nommée de façon méliorative : *breuvage*) ;

– les procédés d'amplification (le loup exagère le caractère de l'agneau en employant l'adverbe d'intensité *si*).

Résumé

◗ La situation de communication désigne toute situation dans laquelle sont échangés des messages.

◗ La situation d'énonciation apporte une réponse aux quatre questions : qui parle ? à qui ? où ? quand ? et se définit par rapport au « moi – ici – maintenant » de celui qui parle.

La communication orale

Doukipudonktan, se demanda Gabriel excédé.
▶ RAYMOND QUENEAU, *Zazie dans le métro.*

Raymond Queneau utilise, de façon
humoristique, une formule orale
familière pour traduire à l'écrit
la prononciation du personnage.
Mais l'oral n'obéit pas
aux mêmes règles que l'écrit
et Queneau est ici plus proche
de ce que l'on dit que de ce que
l'on écrit !

152 Ce que l'on dit, ce que l'on écrit

▶ La forme parlée et la forme écrite d'une langue présentent de nombreuses différences :

– **à l'écrit**, le locuteur étant absent, l'expression doit être claire, précise, autonome, car rien ne peut corriger ni compléter les mots écrits ;

– **à l'oral**, le locuteur peut utiliser d'autres signes que les mots pour communiquer, il peut revenir sur ce qu'il a dit, il peut se répéter.

153 Les principales caractéristiques de l'oral

▶ De nombreuses marques grammaticales ne s'entendent pas. Mais la présence du locuteur et la connaissance du **contexte de communication** permettent d'éviter les confusions et les ambiguïtés.

Il récite des poèmes.
Ils récitent des poèmes.
Ces deux phrases ne se distinguent pas à l'oral.

● Certains sons ne sont pas toujours prononcés, notamment le **e**.

> *Et toi, face **d'ha**ricot, tu crois **p't'**être que ça **n'te** change*
> *pas la trompette et les manières la guerre ? Ben, **r'gar**de-toi,*
> *bec de singe !*   ❱ Henri Barbusse, *Le Feu.*

● L'adverbe de négation **ne** est souvent oublié.

> *Il est pas content.* Cette tournure est incorrecte à l'écrit.

● L'interrogation passe souvent uniquement par l'intonation.

> *Tu veux du sucre ?*

● Le sujet est souvent répété par un pronom.

> <u>*Maman*</u>*, **elle** a toujours raison.*
> Cette tournure est incorrecte à l'écrit et pour un oral soutenu.

● On utilise des mots pour maintenir le contact avec l'interlocuteur : *eh bien, bon, donc…*

154 L'accentuation et l'intonation

● Les mots du français, contrairement à d'autres langues de même origine comme l'italien, ne comportent pas d'**accent tonique** qui rend certaines syllabes plus fortes à l'oreille. En français, l'accent tonique porte sur des groupes de mots liés par le sens ; il est toujours placé sur la dernière syllabe du mot (ou sur l'avant-dernière syllabe si la dernière comprend un **e** muet).

> *Les prochaines élections législa**tives** auront **lieu** dans*
> *deux **mois**.*

● Cette accentuation est naturelle. Mais le locuteur peut modifier cette accentuation pour donner des effets à son propos.

> *Les prochaines élections législa**tives** auront **lieu** dans*
> ***deux** mois.*
> Pour insister sur la brièveté du délai, on accentue le mot *deux*.
> *Y a **pas** de « ça dépend » ! Tu **dois** m'obéir, c'est **tout** !*
>   ❱ Pierre Gripari, *Le Bourricot.*
> Pour insister sur l'obéissance qu'il réclame, le locuteur accentue *pas*,
> *dois* et *tout*.

● À l'oral, l'**intonation**, c'est-à-dire le fait de faire varier la voix, joue un rôle essentiel pour marquer l'interrogation, l'exclamation, le doute. À l'écrit, l'intonation est transcrite par des signes de ponctuation.

> BOBECHOTTE, haussant les épaules. — *En voilà des histoires !*
> *Qu'est-ce que je dois dire, avec tout ça ?*
>
> ▌ GEORGES COURTELINE, *Le Gora.*

155 ▌ La diction

▶ La diction est la manière, bonne ou mauvaise, de dire les mots. Elle est bonne si le locuteur respecte les **règles** de la langue dans laquelle il s'exprime et s'il **articule** les mots de façon claire.

▶ Lorsque l'on récite un poème, on doit accorder une attention particulière à la diction : respect du **nombre de syllabes**, des **liaisons entre les mots** et de la règle du **e muet** ▶433. L'intonation doit être expressive, c'est-à-dire qu'elle doit reproduire les émotions, les sentiments exprimés par l'auteur du poème, mais sans excès.

> *Il ne débita point les vers d'une manière soumise et*
> *monotone, ainsi que faisaient la plupart des bons élèves.*
> *Il ne les déclama pas non plus avec emphase ; sa diction*
> *restait naturelle.*   ▌ JACQUES DE LACRETELLE, *Silbermann.*
>
> Le héros, Silbermann, sait réciter son texte sans exagération
> (= emphase).

▶ Un défaut de **prononciation** (le zozotement par exemple) n'empêche pas d'être compris de son interlocuteur. En revanche, le fait de **mal articuler** ou de **bafouiller**, c'est-à-dire de parler de manière entrecoupée et désordonnée, perturbe la bonne communication.

▶ D'autres défauts comme les **liaisons phoniques inappropriées** (on parle de « liaison maltapropos ») sont des signes d'une langue peu soutenue ▶366-369.

156 ▌ La communication non verbale

▶ La communication orale passe principalement par la voix. Cependant d'autres éléments contribuent à la transmission d'un message. Font ainsi partie de la **communication non verbale** :

– les **gestes** et les **attitudes**, qui permettent d'accompagner la parole pour insister sur un fait et qui mettent en évidence les intentions du locuteur ;

– le **regard**, qui établit un lien direct entre les interlocuteurs ;

– les **expressions du visage**, qui traduisent une émotion ou un sentiment.

> Scapin. — *Répétons un peu votre rôle, et voyons si vous ferez bien. Allons. La mine résolue, la tête haute, les regards assurés.* ▶ Molière, *Les Fourberies de Scapin.*
>
> Pour préparer Octave à parler à son père avec fermeté, Scapin lui donne des conseils sur l'attitude à adopter. Il sait bien qu'Octave doit tenir compte de sa communication non verbale s'il veut réussir à tenir tête à son père.

157 Le fonctionnement de la conversation

▶ Dialoguer, c'est parler, mais aussi écouter et répondre. Pour qu'une conversation fonctionne bien, elle doit obéir à un certain nombre de règles :

– la **règle de coopération** : les deux locuteurs doivent être prêts à parler et à s'écouter mutuellement ;

– la **règle de quantité** : les deux locuteurs doivent donner ni trop, ni trop peu d'informations ;

– la **règle de qualité et de pertinence** : les deux locuteurs s'engagent dans un échange cohérent sur un même sujet ;

– la **règle de clarté** : les propos doivent être les plus clairs possible.

VLADIMIR. — *Qu'est-ce que je disais… Comment va ton pied ?*
ESTRAGON. — *Il enfle.*
VLADIMIR. — *Ah oui, j'y suis, cette histoire de larrons.*
Tu t'en souviens ?
ESTRAGON. — *Non.*
VLADIMIR. — *Tu veux que je te la raconte ?*
ESTRAGON. — *Non.*
VLADIMIR. — *Ça passera le temps.*

▶ SAMUEL BECKETT, *En attendant Godot.*

Vladimir, en mêlant deux sujets de conversation qui n'ont rien à voir l'un avec l'autre, ne respecte pas la règle de pertinence. Estragon, en refusant d'écouter, ne respecte pas la règle de coopération. Vladimir non plus puisqu'il ne tient pas compte du refus d'Estragon.

158 L'exposé oral

▶ Dans un exposé oral, le **locuteur** s'adresse directement à un **auditoire**, c'est-à-dire un public, auquel il doit transmettre des informations de façon claire et compréhensible et dont il doit retenir l'attention. Pour y parvenir, il lui faut :
– se tenir droit et regarder son auditoire ;
– parler suffisamment fort, en articulant bien ;
– adapter son vocabulaire à son public ;
– soigner sa diction ;
– privilégier un niveau de langue courant, voire soutenu.

▶ Le locuteur dispose également de la **communication non verbale** pour mieux faire passer son message ▶ 156 .

▶ L'exposé oral peut également utiliser les caractéristiques de l'oral pour rendre le discours plus dynamique et plus efficace ▶ 153 : **interjections**, **interpellation** du public, **répétitions**.

Eh bien, messieurs, je dis que ce sont là des choses qui ne doivent pas être ; je dis que la société doit dépenser toute sa force, toute sa sollicitude, toute son intelligence, toute sa volonté, pour que de telles choses ne soient pas !

▶ VICTOR HUGO, *Discours sur la misère.*

Victor Hugo a recours aux interjections (*Eh bien*), interpellations (*messieurs*) et répétitions (*je dis que, toute*) pour convaincre les députés qui l'écoutent à l'Assemblée.

159 Le débat

▶ Le débat est une situation de communication orale particulière car **plusieurs personnes** parlent sur un même sujet et échangent leurs idées. Chaque participant défend un **point de vue**, mais il est important que les intervenants s'écoutent mutuellement sans s'interrompre.

▶ Le débat nécessite donc à la fois la capacité de chaque intervenant à **défendre clairement une opinion** en s'appuyant sur des **arguments** et des **exemples**, mais aussi une **qualité d'écoute** : il ne suffit pas d'affirmer sa position, il faut aussi savoir écouter les autres, être attentif à leurs idées afin d'être capable de leur répondre.

▶ Lors d'un débat, une personne peut être désignée pour **distribuer la parole** à chacun, chaque participant ayant le droit de s'exprimer.

Résumé

▶ La communication orale a ses propres caractéristiques. Pour être compris, le locuteur doit adopter une diction claire ainsi qu'un niveau de langue adapté à la situation.

▶ La communication orale a des outils que l'écrit n'a pas : gestes, expressions, possibilité de reprendre l'énoncé et d'agir directement sur l'interlocuteur.

▶ Selon qu'on communique dans une conversation quotidienne et familière ou devant un auditoire, l'énoncé oral ne demandera pas les mêmes exigences.

Les indices de l'énonciation

Allons, qu'on détale de chez moi, maître juré filou,
vrai gibier de potence !

▶ MOLIÈRE, *L'Avare*.

À qui s'adresse Harpagon aussi violemment ?
Pour le savoir, il faut analyser les indices de l'énonciation.

160 Quels sont les indices de l'énonciation ?

▶ Les indices de l'énonciation permettent de répondre aux questions : **qui parle ? à qui ? où ? quand ?** On distingue :

– les **indices de la personne** (locuteur et interlocuteur) ; les pronoms personnels *(je, tu, nous, vous...)* ; les pronoms possessifs *(le mien, les nôtres...)* et les déterminants possessifs *(mon, ton, nos, vos...)* ;

– les **pronoms** *(celui-ci...)* et les **déterminants** *(ce, cet...)* **démonstratifs** ;

– les **indices de lieu** *(ici, là...)* ;

– les **indices de temps** *(maintenant, hier, demain, l'autre jour...)* ;

– les **temps verbaux** : présent, futur, passé composé, qui font référence au moment de l'énonciation.

À Madame de Grignan

À Vichy, mardi 19 mai 1676.

Je commence aujourd'hui à vous écrire ; ma lettre partira quand elle pourra ; je veux causer avec vous. J'arrivai ici hier au soir.

▶ Madame de Sévigné, *Lettres.*

• *Je* désigne la locutrice, l'auteur de la lettre, Mme de Sévigné ; *ma* renvoie aussi à cette locutrice.

• *Vous* désigne la destinataire, Mme de Grignan.

• *Aujourd'hui* se rapporte au moment où est écrite la lettre ; *hier* est la veille de ce moment. Par la date, on sait qu'on est le *mardi 19 mai 1676.*

• *Ici* désigne le lieu où est écrite la lettre. On sait par l'en-tête que ce lieu est *Vichy.*

• Les temps des verbes, présent *(commence, veux)*, passé *(arrivai)* et futur *(partira, pourra)* se comprennent par rapport au moment présent de l'énonciation.

161 Les embrayeurs

▶ Parmi les indices de l'énonciation, certains n'ont de sens que dans le cadre de la situation d'énonciation : on les appelle les **embrayeurs**. À chaque nouvelle situation d'énonciation, ils prennent un **sens nouveau** qui varie **en fonction du « moi – ici – maintenant »** de chaque situation.

Mercredi 8 juillet 1942

Chère Kitty,

*Depuis **dimanche matin**, on dirait que des années se sont écoulées, il s'est passé tant de choses qu'il **me** semble que le monde entier s'est mis tout à coup sens dessus dessous, mais **tu** vois, Kitty, **je** vis encore et c'est le principal, dit Papa.*

▶ *Journal d'Anne Franck.*

• *Je, me* et *tu* sont des embrayeurs de personne. *Je* et *me* désignent la narratrice du journal d'Anne Franck, *tu* désigne Kitty, l'interlocutrice imaginaire à laquelle la jeune fille adresse son journal.

• *Dimanche matin* sont des embrayeurs de temps, ils ne se comprennent que par rapport à la date *Mercredi 8 juillet 1942.* Cette date n'est pas un embrayeur car elle permet de définir la situation d'énonciation.

◗ Les embrayeurs sont **engagés** dans la situation d'énonciation, car leur sens ne dépend que d'elle.

> *C'est assez, dit le Rustique ;*
> **Demain vous** *viendrez chez* **moi.**
> *Ce n'est pas que* **je me** *pique*
> *De tous* **vos** *festins de roi*
>
> ◗ JEAN DE LA FONTAINE, *Le Rat de ville et le Rat des champs.*
>
> *Demain, vous, moi, je, me, vos* ne se comprennent que dans la situation d'énonciation. Le Rat des champs parle (*le Rustique*), il dit *je, moi, me* en parlant de lui-même ; il s'adresse au Rat de ville à qui il dit *vous, vos.* Ces pronoms personnels sont engagés dans la situation d'énonciation.

> **Les beautés blondes et réservées de la noble Angleterre** *avaient brigué l'honneur d'assister à ce bal ; elles arrivaient en foule.* **Les plus belles femmes de Rome** *leur disputaient le prix de la beauté.*
>
> ◗ STENDHAL, *Vanina Vanini.*
>
> Ces phrases se comprennent sans qu'on sache qui les a écrites, ni où, ni quand. Elles ne comportent pas d'embrayeurs engagés dans la situation d'énonciation.

Pour aller plus loin

▪ **Le mot *embrayeur* vient de l'anglais.**

Ce mot est une traduction du mot anglais *shifters*, qui signifie « mots changeants ».

▪ **Les embrayeurs ont un sens relatif.**

Ils ne désignent pas une réalité stable, identifiable en dehors de la situation d'énonciation immédiate.

> *Je suis arrivé* **ici hier.**
>
> Si on ne connaît pas la situation d'énonciation, on ne sait pas ce que désignent *je, ici, hier.*

▪ **Ils s'opposent aux indices spatio-temporels ou personnels qui ont un sens absolu.**

On peut comprendre ces indices en tous temps et en tous lieux. Il s'agit par exemple des dates historiques, des lieux géographiques, des noms de personnes, ou de groupes de personnes.

> **Napoléon** *est arrivé à* **Sainte-Hélène en 1815.**
>
> *Napoléon, Sainte-Hélène* et *1815* ont un sens absolu qui ne dépend pas de la situation d'énonciation.

● Dans un dialogue, les embrayeurs de personne changent de sens à chaque prise de parole.

> Poil de Carotte. — *Oh! **moi**...*
>
> Grand frère Félix. — ***Toi** ou **moi**, c'est la même chose.*
> *Je l'ai tué aujourd'hui, **tu** le tueras demain.*
>
> Poil de Carotte. — *Ah! demain.*
>
> Grand frère Félix. — ***Je te** le promets.*
>
> Poil de Carotte. — ***Je** sais! **tu me** le promets, la veille.*
>
> ▮ Jules Renard, *Poil de Carotte.*

• Dans la réplique 1, *moi* désigne Poil de Carotte ; dans la réplique 2, *moi* désigne Grand frère Félix.

• Dans les répliques 2 et 4, *je* désigne Grand frère Félix ; dans la réplique 5, *je* désigne Poil de Carotte.

• Dans la réplique 2, *tu* désigne Poil de Carotte ; dans la réplique 5, *tu* désigne Grand frère Félix.

Résumé

● Les indices de l'énonciation permettent d'analyser la situation d'énonciation.

● Les indices de l'énonciation sont les pronoms personnels, les déterminants possessifs et démonstratifs, les indices de temps et de lieu.

● Certains de ces indices sont des embrayeurs qui changent de sens à chaque situation d'énonciation.

Les indices de la subjectivité du locuteur

C'est bien à toi, pendard, à me demander des raisons; sors vite, que je ne t'assomme.

▶ Molière, *L'Avare.*

Harpagon s'adresse à son valet d'une façon bien particulière. Pour comprendre ses sentiments, il faut étudier les indices de la subjectivité.

162 Quels sont les indices de la subjectivité du locuteur?

▶ Les indices qui dévoilent la subjectivité du locuteur, c'est-à-dire son **jugement** et ses **sentiments**, sont:

– le **vocabulaire mélioratif et péjoratif**: noms *(grandeur, laideur...)*, adjectifs qualificatifs *(stupide, merveilleux, superflu...)*;

> *Ah! nous y voilà! cria M. Hennebeau. Je l'attendais, cette accusation d'**affamer** le peuple et de vivre de sa sueur! Comment pouvez-vous dire des **bêtises** pareilles?*
>
> ▶ Émile Zola, *Germinal.*

Le terme *bêtises* révèle le jugement défavorable porté par M. Hennebeau sur les propos tenus par les mineurs auxquels il s'adresse. Le terme *affamer* révèle le jugement négatif des mineurs sur leurs patrons.

– les **types de phrase**: déclaratif, impératif/injonctif, interrogatif, exclamatif;

> *Ah! se disait-elle, si j'avais connu Julien il y a dix ans quand je pouvais encore passer pour jolie!*
>
> ▶ Stendhal, *Le Rouge et le Noir.*

À travers cette phrase exclamative, on perçoit du regret dans la voix de la locutrice, Mme de Rênal, si désireuse de plaire au jeune Julien.

– les **modalisateurs**.

163 Qu'est-ce qu'un modalisateur ?

▶ Un modalisateur est un mot, une expression ou un procédé qui indique si le locuteur prend ses distances par rapport à son énoncé ou s'il est sûr de ce qu'il affirme. Il sert à **modaliser**, c'est-à-dire à **nuancer une affirmation**.

▶ Les modalisateurs peuvent être :

– des adverbes ou des locutions adverbiales : *certainement, sans doute, peut-être…* ;

> MAGDELON. — *C'est **sans doute** un bel esprit qui aura ouï parler de nous.*
> CATHOS. — **Assurément**, *ma chère.*
>
> > ▶ MOLIÈRE, *Les Précieuses ridicules.*
>
> Avec l'expression *sans doute*, Magdelon formule une hypothèse.
> Avec l'adverbe *assurément*, Cathos confirme avec conviction la validité du propos de sa cousine Magdelon.

– des verbes de jugement ou d'opinion : *prétendre, supposer, croire, penser…* ;

> *Tout bien considéré, **je te soutiens** en somme*
> > *Que scélérat pour scélérat,*
> > *Il vaut mieux être un Loup qu'un Homme.*
>
> > ▶ JEAN DE LA FONTAINE, *Les Compagnons d'Ulysse.*
>
> Avec le verbe *je te soutiens*, le locuteur affirme la certitude de son point de vue.

– des verbes à valeur modale (verbes qui nuancent une affirmation, par exemple en la renforçant ou en l'affaiblissant) : *devoir, pouvoir, sembler, paraître…* ;

> *Tout à coup, **il me sembla** que j'étais suivi, qu'on marchait sur mes talons, tout près, à me toucher.*
>
> > ▶ GUY DE MAUPASSANT, *Le Horla.*
>
> Le verbe impersonnel *il me sembla* indique l'incertitude du locuteur.

– des verbes au conditionnel qui atténuent la certitude du propos;

> *Internet et la télévision **sont** responsables de la perte du goût de la lecture chez les jeunes.*

> *Internet et la télévision **seraient** responsables de la perte du goût de la lecture chez les jeunes.*

Dans la première phrase, le locuteur est sûr de son propos; dans la seconde phrase, le locuteur n'est pas sûr de la vérité de son propos.

– les procédés d'exagération et d'amplification du propos: superlatif *(le plus, très)*, intensif *(si, trop, tant)*, hyperbole (emploi de termes très forts). Ils visent à faire paraître un fait plus important qu'il n'est en réalité. Le grossissement peut être positif ou négatif;

> SCAPIN. — *C'est à vous, Monsieur, d'aviser promptement aux moyens de **sauver des fers** un fils que vous aimez avec **tant de tendresse.***

> ❱ MOLIÈRE, *Les Fourberies de Scapin.*

Scapin utilise des modalisateurs d'exagération afin de réveiller les sentiments paternels de Géronte: *sauver des fers* est une exagération car le fils ne risque pas du tout d'aller en prison; *tant de tendresse* est une exagération car le père s'est jusqu'à présent montré bien insensible au sort de son fils.

– des signes de ponctuation (guillemets, parenthèses) et l'écriture en italique qui indiquent que le locuteur prend une certaine distance par rapport à ses propos.

> *Nous étions à l'étude, quand le proviseur entra, suivi d'un **nouveau** habillé en bourgeois et d'un garçon de classe qui portait un grand pupitre.*

> ❱ GUSTAVE FLAUBERT, *Madame Bovary.*

L'adjectif *nouveau* a été mis en italique par Flaubert. Ce procédé indique que le locuteur emploie un terme que tout le monde utilise dans le collège pour distinguer le nouveau collégien des autres.

164 La visée du locuteur

● La visée correspond aux intentions du locuteur. Il s'agit des effets que le locuteur cherche à produire sur son interlocuteur: faire rire, faire pleurer, émouvoir, convaincre, persuader, choquer, flatter, critiquer... Les indices de la subjectivité du locuteur sont particulièrement révélateurs de cette visée.

Pour définir la visée d'un énoncé, il faut se demander quelles sont les **intentions réelles** d'un locuteur.

> *— Sire, dit le Renard, vous êtes **trop bon Roi** ;*
> *Vos **scrupules** font voir **trop de délicatesse**.*
>
> ▶ JEAN DE LA FONTAINE, *Les Animaux malades de la peste.*

La visée principale du renard est de gagner la confiance du roi, c'est pourquoi il cherche à le flatter. Il cherche aussi à persuader la cour que le roi est une personne vertueuse. Pour cela, il utilise des modalisateurs mélioratifs pour parler du roi : les hyperboles *trop bon Roi, trop de délicatesse,* des substantifs très positifs qui donnent des qualités morales au roi, *scrupules, délicatesse.*

Pour aller plus loin

Quelle est la différence entre convaincre et persuader ?

Dans les deux cas, la visée du locuteur est la même : il veut que son interlocuteur partage son opinion. Ce sont les moyens utilisés qui sont différents.

■ Pour convaincre, le locuteur n'utilise que des arguments qui relèvent de la raison.

■ Pour persuader, le locuteur utilise des procédés qui cherchent à émouvoir son interlocuteur.

> *Un médecin cherche à **convaincre** son patient qu'il doit prendre ses médicaments régulièrement.*
>
> *Un avocat cherche souvent à **persuader** un jury de l'innocence de son client.*

Résumé

● Les indices de la subjectivité du locuteur montrent le jugement et les sentiments du locuteur.

● Les indices de la subjectivité du locuteur sont : le vocabulaire mélioratif ou péjoratif, les types de phrase et les modalisateurs.

L'implicite

La Cigale, **ayant chanté**
    Tout l'été,
Se trouva fort dépourvue
Quand la bise fut venue.
▶ Jean de La Fontaine,
La Cigale et la Fourmi.

La Fontaine écrit explicitement
ayant chanté et suggère
implicitement *n'ayant pas travaillé*.

165 Qu'est-ce que l'implicite ?

▶ Lorsqu'un énoncé contient des idées ou des informations qui ne sont pas directement exprimées par les mots prononcés ou écrits, on dit que ces informations sont **implicites**. L'implicite désigne donc **ce qui n'est pas dit ouvertement**, mais seulement suggéré.

▶ On distingue deux catégories d'idées ou d'informations implicites : les présupposés et les sous-entendus.

166 Les présupposés et les sous-entendus

▶ Un **présupposé** est une information implicite nécessaire, posée au préalable, pour que l'énoncé explicite soit vrai. Un présupposé est compris de façon identique par tout le monde.

> *Le cinéma est devenu le septième art.*
> Cet énoncé explicite présuppose nécessairement qu'il n'existait, auparavant, que six autres types d'art.

> *Il faisait nuit, pas très froid : ce novembre-là ne fut pas très froid.*
> ▶ Vercors, *Le Silence de la mer.*
> Le déterminant démonstratif *ce… là* présuppose que le mois de novembre, habituellement, est froid.

◗ Un **sous-entendu** est une information implicite qui peut être déduite de ce qui est dit et qui dépend du contexte dans lequel est produit l'énoncé. Un sous-entendu peut être compris de différentes manières par les interlocuteurs.

> *Avec vous, lire n'est pas une punition !*
>
> La personne qui prononce cet énoncé explicite peut sous-entendre que, la plupart du temps, lire est une punition.

> *— Monsieur Malaussène est demandé au bureau des Réclamations.*
>
> *M. Malaussène a entendu, bordel !*
>
> ◗ DANIEL PENNAC, *Au bonheur des ogres.*
>
> La première phrase est prononcée au micro d'un grand magasin.
> La seconde est une réponse du personnage narrateur de ce roman,
> M. Malaussène, qui travaille dans ce grand magasin.
> • Explicitement, la première phrase est une affirmation.
> • Implicitement, il s'agit d'un ordre formulé par la direction du magasin,
> un ordre répété et impatient, comme le montre, dans la deuxième
> phrase, la réaction d'agacement de Malaussène. Cet ordre sous-entend
> que Malaussène a intérêt à se presser pour se rendre au bureau
> des réclamations. Seul Malaussène est sensible aux sous-entendus
> de cet énoncé. Pour les clients du magasin, cette phrase reste neutre.

167 Les indices de l'implicite

◗ La **ponctuation** peut indiquer un lien logique implicite.

> *Un loup parut : tout le troupeau s'enfuit.*
>
> ◗ JEAN DE LA FONTAINE, *Le Berger et son troupeau.*
>
> Les deux points indiquent une relation de cause à effet entre les deux
> propositions : *un loup parut, donc tout le troupeau s'enfuit.*

◗ Certaines constructions grammaticales comme la négation restrictive **ne... que**, qui équivaut à *seulement*, reposent sur une information implicite.

> *Un meunier **ne** laissa pour tous biens à trois enfants qu'il avait **que** son moulin, son âne et son chat.*
>
> ◗ CHARLES PERRAULT, *Le Maître Chat ou le Chat botté.*
>
> La négation restrictive *ne... que* présuppose que les biens laissés
> par le meunier sont peu nombreux. Charles Perrault sous-entend peut-être
> que ce petit nombre de biens est insuffisant aux yeux des fils héritiers,
> ce qui ne sera pas sans problèmes.

▶ Le **vocabulaire mélioratif et péjoratif** peut sous-entendre des jugements favorables ou défavorables sur l'énoncé.

> *Votre père, il est vrai, voudrait vous épouser ;*
> *Écouter sa **folle** demande*
> *Serait faute bien grande*

▶ CHARLES PERRAULT, *Peau d'Âne.*

La marraine de Peau d'Âne qualifie la demande en mariage de son père de *folle demande*. Elle sous-entend par l'adjectif péjoratif et hyperbolique *folle* que cette demande est complètement immorale et elle fait ainsi allusion au caractère incestueux de cette « union » sans le dire explicitement.

168 Le rôle de l'implicite

▶ L'implicite permet d'influencer indirectement l'interlocuteur ou le lecteur en imposant subtilement certains présupposés ou sous-entendus de l'énoncé ou en les masquant volontairement.

> DON DIÈGUE
>
> *Rodrigue as-tu du cœur ?*
>
> DON RODRIGUE
>
>> *Tout autre que mon père*
> *L'éprouverait sur l'heure.*

▶ CORNEILLE, *Le Cid.*

La question de Don Diègue à son fils paraît attendre une réponse par *oui* ou par *non*. Elle présuppose, en théorie, que Rodrigue a ou n'a pas de cœur. Il pourrait répondre, en théorie : *Non, je n'ai pas de cœur* (ici au sens du courage et de la vaillance). Même si Don Diègue connaît la réponse par avance, ce présupposé a un effet immédiat sur le jeune Rodrigue qui se sent presque offensé que son père puisse poser une telle question. Cette question a pour but, implicitement, d'activer le sens de l'honneur du jeune homme.

● L'implicite est très présent dans:

– les slogans publicitaires ou politiques;

Des pâtes oui, mais des pâtes X.

Ce slogan publicitaire sous-entend que seules les pâtes de la marque X sont de vraies et bonnes pâtes. Les autres marques de pâtes sont donc ainsi implicitement décriées.

Socialisme ou barbarie!

▶ ROSA LUXEMBURG, 1915.

Ce slogan révolutionnaire de 1915 sous-entend que toutes les formes d'organisations politiques autres que le socialisme sont des formes de barbarie et incite à œuvrer pour la mise en place du socialisme.

– les textes argumentatifs et polémiques.

Quand nous travaillons aux sucreries, et que la meule nous attrape le doigt, on nous coupe la main; quand nous voulons nous enfuir, on nous coupe la jambe: je me suis trouvé dans les deux cas. **C'est à ce prix** *que vous mangez du sucre en Europe.*

▶ VOLTAIRE, *Candide.*

Les étapes entre les malheurs de l'esclave et le *prix du sucre* pour les Européens sont passées sous silence (elles sont implicites). Ainsi, Voltaire rapproche les abominations de l'esclavage et la consommation du sucre pour mieux dénoncer le système esclavagiste.

Résumé

● L'implicite désigne des informations qui ne sont pas explicitement formulées par le locuteur (celui qui parle ou qui écrit) mais qui sont tout de même comprises par l'interlocuteur (celui qui écoute ou qui lit).

● Le présupposé contient une information nécessaire, posée au préalable.

● Le sous-entendu est une information qui peut être déduite selon le contexte, et que l'interlocuteur doit interpréter.

Les paroles rapportées

> « *Il a vraiment raison, papa, quand il dit que les mamans faut pas chercher à comprendre.* »
>
> ▶ JEAN-JACQUES SEMPÉ et RENÉ GOSCINNY, *Le Petit Nicolas*.

Il arrive, comme le fait ici le Petit Nicolas, que l'on rapporte les paroles d'autrui dans son propre discours.

169 Qu'appelle-t-on les paroles rapportées ?

▶ Pour inclure des paroles dans ses propos, celui qui parle utilise des **paroles rapportées** (ou **discours rapporté**).

▶ Il existe quatre façons différentes de rapporter des paroles : au **discours direct**, au **discours indirect**, au **discours indirect libre** ou dans un **récit de paroles**.

170 Le discours direct

▶ Lorsque les paroles sont rapportées telles qu'elles ont été prononcées (ou telles qu'un personnage imaginaire les aurait prononcées), on parle de **discours direct**. Le discours direct rend le récit plus vivant.

▶ Le discours direct se caractérise le plus souvent par la présence :

– de **guillemets** qui encadrent les paroles rapportées ;

> *Il dit à son maître : « Si vous voulez suivre mon conseil, votre fortune est faite. »*
>
> ▶ CHARLES PERRAULT, *Le Maître Chat ou le Chat botté*.

– de **tirets** avant chaque prise de parole ;

– d'un **verbe de parole** placé avant ou après les paroles prononcées, ou intégré aux paroles grâce à une **proposition incise** (placée à l'intérieur d'une autre proposition).

> — *Elle a, **dit-il**, tout avoué.*
> — *Enfin !*

Ces marques du discours direct ne sont pas nécessairement toutes présentes et les tirets ont actuellement tendance à remplacer les guillemets.

> — *Tu te ratatines, ma vieille!* **affirma** *Compère Gredin.*
> — *Impossible!*
> — *Oh si! tu te ratatines et joliment!* **continua** *Compère Gredin.* ▶ Roald Dahl, *Les Deux Gredins.*

171 Le discours indirect

▶ Lorsque les paroles rapportées ne sont pas citées directement mais sont transformées pour être intégrées dans le récit, on parle de **discours indirect**.

▶ Le discours indirect se caractérise par l'utilisation d'un **verbe introducteur de paroles**, qui peut être suivi :

– d'une proposition subordonnée conjonctive complétive ;

> Il **dit** *qu'Auriane l'attend.*

– d'une proposition subordonnée interrogative indirecte ;

> Il me **demande** *si je viens.*

– d'un infinitif : Il lui **ordonne** *de se taire.*

> *Mme Moreau, surprise de ses façons, lui demanda* **ce qu'il voulait devenir.**
> — *Ministre! répliqua Frédéric.*
> *Et il affirma* **qu'il ne plaisantait nullement, qu'il prétendait se lancer dans la diplomatie, que ses études et ses instincts l'y poussaient.**
> ▶ Gustave Flaubert, *L'Éducation sentimentale.*

Ministre est au discours direct mais tous les passages en gras sont au discours indirect.

172 La transposition du discours direct au discours indirect

▶ Transposer un discours direct en un discours indirect implique des transformations.

> *Jean promit à Marie : « Je viens demain chez toi,*
> *tu ne seras pas déçue ! »* (discours direct)
>
> *Jean promit à Marie **qu'il viendrait le lendemain***
> ***chez elle** et qu'**elle** ne **serait** pas déçue.* (discours indirect)
>
> On a effectué des transformations :
> • de personnes : *je* devient *il* ; *toi* et *tu* deviennent *elle* ;
> • de temps : on passe du présent ou du futur au conditionnel présent ;
> • d'indices spatio-temporels : *demain* devient *le lendemain* ;
> • de ponctuation : le point d'exclamation devient un point.

▶ La transposition peut s'effectuer en sens inverse.

> *Elle dit qu'elle ne partirait que le lendemain.* (discours indirect)
> *Elle dit : « Je ne partirai que demain. »* (discours direct)

173 Le discours indirect libre

▶ Lorsque les paroles sont intégrées dans le récit mais sans le recours à une proposition subordonnée, on parle de **discours indirect libre**. Celui-ci permet d'éviter toute rupture entre le récit et les paroles rapportées.

> *C'était Mme Forestier, toujours jeune, toujours belle, toujours séduisante.*
> *Mme Loisel se sentit émue. **Allait-elle lui parler ?***
>
> ▶ GUY DE MAUPASSANT, *La Parure.*

▶ Le discours indirect libre est difficile à identifier, car il ne comporte ni guillemets ni mot subordonnant. Cependant, il existe quelques critères permettant de le repérer :

– les pronoms personnels et les temps sont les mêmes que dans le discours indirect ;

> *Paul était en colère. Il affirma qu'il voulait se venger.*
> (discours indirect)
>
> *Paul était en colère. Il voulait se venger.* (discours indirect libre)

– il peut comporter les mêmes signes de ponctuation que le discours direct (point d'exclamation, point d'interrogation...) ;

– le discours indirect libre est souvent précédé d'un passage au discours indirect ou d'une expression mentionnant une prise de parole.

> *Mais Mme Goujet se récria.* **Cette chemise n'était pas à elle, elle n'en voulait pas. On lui changeait son linge, c'était le comble !**
>
> ▶ Émile Zola, *L'Assommoir.*

Le verbe *se récria*, qui signifie s'*exclama*, nous fait comprendre que ce qui suit contient les paroles rapportées de Mme Goujet.

174 Le récit de paroles

▶ Lorsque le narrateur évoque un discours, une conversation, mais sans en rapporter le contenu exact, on parle de **récit de paroles** ou de **discours narrativisé**.

▶ Le récit de paroles ne se distingue pas du reste du récit, il se signale uniquement par la présence de mots ou d'expressions liés au vocabulaire de la parole.

> *Après avoir* **dit quelques mots à la vieille dans un argot que je ne pus comprendre**, *il courut au hangar.*
>
> ▶ Prosper Mérimée, *Carmen.*

On sait que des paroles ont été prononcées, mais on ignore lesquelles.

Résumé

▶ Les paroles peuvent être rapportées :

– au discours direct : les paroles sont rapportées telles qu'elles ont été prononcées ;

– au discours indirect : les paroles sont rapportées dans une proposition subordonnée ;

– au discours indirect libre : les paroles sont présentées sans guillemets ni proposition subordonnée ;

– dans un récit de paroles : les paroles sont évoquées mais non reproduites.

La ponctuation

> — *Ce n'est pas pour me vanter,*
>   *Disait la virgule,*
> *Mais, sans mon jeu de pendule,*
> *Les mots, tels des somnambules,*
> *Ne feraient que se heurter.*
>> ▶ Maurice Carême, « Ponctuation »,
>>   *Au clair de la lune.*

Ainsi que l'affirme ici la virgule, elle est indispensable, comme les autres signes de ponctuation.

175 À quoi servent les signes de ponctuation ?

▶ Les signes de ponctuation jouent plusieurs rôles :
– ils participent à l'**organisation** des phrases et des textes ;
– ils aident à comprendre le **sens** des phrases et des textes ;
– ils permettent de traduire des **pauses** et des **intonations** perceptibles à l'oral.

> *Regardez bien, mon ami.*   *Regardez bien mon ami.*
> Dans la première phrase, *mon ami* est mis en apostrophe : c'est à *mon ami* que le propos s'adresse. Avec la suppression de la virgule, la deuxième phrase change de sens ; *mon ami* devient COD de *regardez* : c'est *mon ami* qu'il faut bien regarder.

176 Le point, le point d'exclamation, le point d'interrogation

▶ Le **point** se place à la fin d'une phrase déclarative. Il est suivi d'une majuscule. Il marque une pause forte. L'intonation est descendante à l'oral.

▶ Le **point d'exclamation** se place à la fin d'une phrase exclamative. L'intonation est liée à l'émotion ou au sentiment exprimé : colère, joie, admiration...

▶ Le **point d'interrogation** se place à la fin d'une phrase interrogative directe. L'intonation est montante.

— Encore des chaussures ? a crié papa. Mais ce n'est pas possible ! Il les mange !

▶ Jean-Jacques Sempé et René Goscinny,
Histoires inédites du Petit Nicolas.

Le point d'interrogation marque l'étonnement, les points d'exclamation expriment la colère.

177 La virgule, le point-virgule, les deux points

▶ La **virgule** permet de séparer les mots et les groupes de mots formant une énumération ou placés en apposition. Elle permet également de détacher un élément de la phrase pour le mettre en relief.

Lorsqu'elle sépare des propositions juxtaposées, la virgule indique souvent de manière sous-entendue qu'il existe une relation logique ou chronologique entre ces propositions ; elle remplace ainsi un mot de liaison (ou connecteur).

Je le vis, je rougis, je pâlis à sa vue.

▶ Jean Racine, *Phèdre.*

La virgule pourrait être remplacée par *puis* mais l'absence du connecteur donne l'impression que les réactions évoquées sont presque simultanées.

La virgule marque une faible pause, mais la voix ne descend pas.

▶ Le **point-virgule** sépare deux propositions juxtaposées mais dont l'enchaînement n'est que faiblement interrompu. Il est suivi d'une minuscule.

Il arriva un jour vers trois heures ; tout le monde était aux champs ; il entra dans la cuisine.

▶ Gustave Flaubert, *Madame Bovary.*

Le point-virgule marque une pause plus importante que la virgule, mais moins importante que le point ; la voix ne descend pas.

▶ Les **deux points** permettent d'introduire des paroles : dans ce cas seulement, ils sont suivis d'une majuscule. Ils permettent aussi d'introduire une explication ou une énumération.

Avec Geoffroy, il faut pas croire ce qu'il raconte : il est drôlement menteur et il dit n'importe quoi.

▶ Jean-Jacques Sempé et René Goscinny,
Les Récrés du Petit Nicolas.

La première proposition est expliquée après les deux points.

GRAMMAIRE

177

> *Les quatre singes prisonniers formaient une famille :*
> *Bob l'Acrobate, sa femme et ses deux enfants.*
>
> ❱ ROALD DAHL, *Les Deux Gredins*.

Les membres de la famille sont énumérés après les deux points.

Ils expriment souvent une relation logique qui est sous-entendue.

> *Il commença le récit d'une autre grève : il en avait tant vu !*
>
> ❱ ÉMILE ZOLA, *Germinal*.

Les deux points pourraient être remplacés par *car*.

Les deux points marquent une pause comparable à celle du point-virgule.

178 Les points de suspension

❱ Au nombre de trois, les **points de suspension** marquent une interruption de la phrase : lorsqu'une énumération n'est pas terminée (dans ce cas ils signifient *etc.*) ; lorsque celui qui parle hésite, trop ému, ou par manque d'assurance, par peur ; lorsque celui qui parle est interrompu.

> *Le Gau... les Gau... les Gaulois !*
>
> ❱ RENÉ GOSCINNY et ALBERT UDERZO, *Astérix et le chaudron*.

La vigie des pirates, paralysée par la peur, s'exprime difficilement !

179 Les parenthèses, le tiret, les guillemets

❱ Les **parenthèses** isolent un ou plusieurs mots, souvent jugés secondaires par rapport au reste de la phrase.
Elles peuvent également être employées pour insérer des commentaires de celui qui parle ou qui écrit.

> *Compère Gredin ne songeait pas un seul instant*
> *qu'on construit des fenêtres pour regarder à l'extérieur*
> *(et pas pour que les voisins viennent nous épier !).*
>
> ❱ ROALD DAHL, *Les Deux Gredins*.

 Attention

La parenthèse ne remplace pas le point.

Si la parenthèse est en fin de phrase, elle est obligatoirement suivie d'un point.

◗ Dans un dialogue, le **tiret** marque le changement d'interlocuteur.

Lorsque des tirets encadrent des mots, ils les isolent, soit comme le feraient les parenthèses, soit pour les mettre en relief.

> *En deux enjambées, Mlle Legourdin le rejoignit et, par un habile tour de gymnastique – judo ou karaté –, elle faucha net du pied les deux jambes de Guillaume.*

◗ Roald Dahl, *Matilda.*

Les tirets jouent ici le rôle de parenthèses.

◗ Les **guillemets** encadrent des paroles rapportées au discours direct ou une citation. Dans un long dialogue, ils sont placés seulement au début et à la fin du dialogue ; le changement d'interlocuteur est alors marqué par un tiret.

Ils sont parfois employés pour isoler des mots, les mettant ainsi en relief, de façon positive ou négative.

> *Il la prit par la douceur, par le raisonnement, par les sentiments. Il sut rester « monsieur le comte », tout en se montrant galant quand il le fallut, complimenteur, aimable enfin.*

◗ Guy de Maupassant, *Boule-de-Suif.*

L'emploi des guillemets permet de donner de l'importance au statut social élevé de ce personnage et de sous-entendre sa dignité liée à son rang.

Résumé

◗ Les signes de ponctuation permettent d'organiser les phrases et les textes.

◗ Ils aident à comprendre le sens des phrases ou des textes.

◗ Ils indiquent l'intonation.

La reprise nominale et pronominale

*Elle vit que, dans sa précipitation, elle avait remis **le Lézard** la tête en bas et que **la pauvre bête**, incapable de se tirer d'affaire toute seule, agitait mélancoliquement sa queue dans tous les sens. Elle eut vite fait de **le** replacer dans une position normale.*

▶ LEWIS CARROLL,
Alice au pays des merveilles.

Dans ce texte, il est question d'un lézard : grâce aux procédés de reprise, l'auteur peut le désigner de diverses manières.

180 À quoi servent les procédés de reprise ?

▶ Dans un texte, des personnes, des choses ou des idées peuvent être évoquées plusieurs fois. Les **procédés de reprise** servent à désigner ce dont on a déjà parlé, soit en le répétant soit en l'exprimant d'une autre façon, pour éviter une répétition.

*À la fin, **Robinson** n'en pouvait plus d'attendre en surveillant l'horizon vide. **Il** décida d'entreprendre la construction d'un bateau assez important pour rejoindre la côte du Chili.*

▶ MICHEL TOURNIER, *Vendredi ou la Vie sauvage.*

Le pronom *il* reprend le nom propre *Robinson*.

▶ Les procédés de reprise assurent la **cohérence du texte** ; grâce à eux, les phrases s'enchaînent en reprenant des informations déjà données.

*Dans les premiers jours du mois d'octobre 1815, une heure environ avant le coucher du soleil, **un homme** qui voyageait à pied entrait dans la petite ville de Digne. Les rares habitants qui se trouvaient en ce moment à leurs fenêtres ou sur le seuil de leurs maisons regardaient **ce voyageur** avec une sorte d'inquiétude. Il était difficile*

*de rencontrer **un passant** d'un aspect plus misérable. C'était*
***un homme** de taille moyenne, trapu et robuste, dans la force*
de l'âge.

▶ Victor Hugo, *Les Misérables.*

Le lien entre la première et la deuxième phrase est assuré par la reprise
de *un homme* par *ce voyageur* : les deux phrases s'enchaînent en parlant
du même personnage dont on apprend qu'il voyage.

▶ Il existe deux procédés de reprise : la reprise par un pronom,
appelée **reprise pronominale**, et la reprise par un nom, appelée
reprise nominale (ou **lexicale**).

181 La reprise pronominale

▶ Tous les pronoms sont des outils grammaticaux de reprise ; ils
jouent un rôle de **substitut**, c'est-à-dire qu'ils remplacent un
nom ou un groupe nominal déjà apparu dans le texte ; ils peuvent
aussi remplacer une phrase entière.

*J'ai beaucoup vécu chez **les grandes personnes**. Je **les** ai vues*
*de très près. **Ça** n'a pas trop amélioré mon opinion.*

▶ Antoine de Saint-Exupéry, *Le Petit Prince.*

Le pronom personnel *les* reprend le groupe nominal *les grandes personnes* ;
le pronom démonstratif *ça* reprend l'idée de la deuxième phrase.

▶ Un pronom personnel ou démonstratif effectue une **reprise
totale** de ce dont on a déjà parlé.

S'il existait sur la terre d'autres êtres que nous, comment
*ne **les** connaîtrions-nous point depuis longtemps ;*
*comment ne **les** auriez-vous pas vus, vous ? comment*
*ne **les** aurais-je pas vus, moi ?*

▶ Guy de Maupassant, *Le Horla.*

Le pronom *les* reprend le groupe nominal *d'autres êtres.*

▶ En revanche, un pronom indéfini effectue une **reprise partielle**
de ce dont on a déjà parlé.

Edmond remua à poignée les diamants, les perles, les rubis,
*qui, cascade étincelante, faisaient, en retombant **les uns** sur*
***les autres**, le bruit de la grêle sur les vitres.*

▶ Alexandre Dumas, *Le Comte de Monte-Cristo.*

Les pronoms indéfinis *les uns* et *les autres* renvoient au groupe nominal
les diamants, les perles, les rubis, mais chacun de ces pronoms n'en
désigne qu'une partie.

182 La reprise nominale

On parle de **reprise fidèle** lorsqu'un nom ou un groupe nominal est répété ; seul le déterminant, dans ce cas, est modifié.

> *Il était une fois **un homme** qui avait de belles maisons à la Ville et à la Campagne, de la vaisselle d'or et d'argent, des meubles en broderie, et des carrosses tout dorés, mais par malheur **cet homme** avait la barbe bleue.*
>
> CHARLES PERRAULT, *La Barbe bleue.*

On parle de **reprise infidèle** lorsqu'un nom ou un groupe nominal est remplacé par un autre nom ou un autre groupe nominal. On peut avoir :

– un synonyme ;

> *Leur **maison** était au coin de la rue. C'était une vieille **demeure** du siècle dernier.*

– un terme générique ;

> *Les **chiens**, les **chats**, les **oiseaux** seront maintenus en quarantaine ; ces **animaux** devront être vaccinés.*

– un nom commun à la place d'un nom propre ;

> ***Antoine** avait cinq ans ; mais **l'enfant** en paraissait huit.*

– une périphrase ;

> ***Michael Schumacher** a mis un terme à sa brillante carrière. **Le septuple champion du monde automobile** verra-t-il son record égalé ?*

GRAMMAIRE

– la nominalisation d'un verbe ;

*Tout le pays **fut informé** de la situation. Mais **l'information** ne calma pas les esprits.*

– une expression qui résume l'information.

François songeait à partir faire fortune en Amérique.
***Ce rêve** était devenu une obsession.*

◗ La reprise nominale permet souvent d'apporter une **information supplémentaire** qui caractérise ce dont on parle ou qui exprime un jugement du locuteur.

*Dans la caverne, Hermès ne trouva pas **Ulysse** : il pleurait sur le cap, **le héros magnanime**, assis en cette place où chaque jour les larmes, les sanglots, le chagrin lui secouaient le cœur.*

◗ Homère, *Odyssée.*

La périphrase *le héros magnanime*, qui reprend *Ulysse*, a une valeur méliorative.

Résumé

◗ Les procédés de reprise permettent d'assurer la cohérence du texte et d'éviter les répétitions.

◗ La reprise pronominale consiste à remplacer un nom ou un groupe nominal par un pronom.

◗ La reprise nominale consiste à remplacer un nom ou un groupe nominal par un nom ou une expression de même sens.

Les connecteurs temporels, spatiaux et logiques

Le mot connecteur vient du latin *connectere*, qui signifie
« lier ensemble ».

183 Qu'est-ce qu'un connecteur ?

▶ Un connecteur est un mot de liaison. Il permet de **relier** des
propositions, des **phrases**, des **paragraphes**, des **chapitres**. Il
sert à organiser un texte et à assurer sa cohérence.

> *Enfin, le dimanche matin, au sortir de la messe, sa belle-*
> *mère lui demanda ce qu'il avait obtenu de sa bonne amie*
> *depuis la conversation dans le verger.*
>
> ▶ George Sand, *La Mare au diable.*

Cette phrase commence un nouveau chapitre du roman *La Mare*
au diable. Elle assure la cohérence temporelle et logique entre les chapitres
16 et 17 grâce à deux connecteurs : *enfin* et *le dimanche matin*.

▶ Un connecteur se place souvent au **début** de la phrase ou de la
proposition.

> *Ma mère m'a abandonné*
> *à la porte de l'hospice.*
> ***Mais** elle a agité la cloche.*
> ▶ Évelyne Brisou-Pellen,
> *Le Fantôme de maître Guillemin.*

POURQUOI

**Pourquoi les connecteurs se trouvent-ils souvent
en début de phrase ?**

En grec et en latin, il n'y avait pas de signes de ponctuation. Les
connecteurs étaient donc les seuls signes qui permettaient de
délimiter les phrases. C'est pourquoi on les trouvait en première ou
en deuxième position. Cet usage nous est resté.

184 Les connecteurs temporels

Les connecteurs temporels situent les actions **dans le temps**, les unes par rapport aux autres.

Les principaux connecteurs temporels sont :
– des adverbes ou des locutions adverbiales : *hier, aujourd'hui, demain, ensuite, après, enfin, d'abord...*
– des groupes nominaux : *le lendemain, la veille, ce jour-là...*
– des conjonctions de subordination : *quand, dès que, tandis que...*
– des groupes prépositionnels introduits par *avant, après...*
– la conjonction de coordination *et*.

> *Après s'être reposés quelque temps, ils mangèrent à leur déjeuner deux montagnes, que leurs gens leur apprêtèrent assez proprement. Ensuite ils voulurent reconnaître le petit pays où ils étaient. Ils allèrent d'abord du nord au sud. Les pas ordinaires du Sirien et de ses gens étaient d'environ trente mille pieds de roi ; le nain de Saturne suivait de loin en haletant.*
>
> ▶ Voltaire, *Micromégas*.

La préposition *après* suivie d'un infinitif, l'adverbe *ensuite* et la locution adverbiale *d'abord* sont des connecteurs temporels. Ils indiquent dans quel ordre les personnages ont accompli leurs différentes actions.

185 Les connecteurs spatiaux

Les connecteurs spatiaux situent les actions, les êtres et les objets **dans l'espace**, les uns par rapport aux autres.

Les principaux connecteurs spatiaux sont :
– des adverbes ou des locutions adverbiales : *ici, là, devant, au loin...*
– des groupes nominaux introduits par des prépositions de sens spatial : *sur la droite, sur la gauche, d'un côté, de l'autre côté...*

> *Car, tournant le dos au rivage, je ne voyais plus **devant moi** que la rivière. Elle glissait. **Plus loin**, en aval, l'île, prise dans les premiers rayons du jour, commençait à sortir des brumes matinales.* ▶ Henri Bosco, *L'Enfant et la Rivière*.

Les groupes nominaux *devant moi* et *en aval*, le groupe adverbial *plus loin* sont des connecteurs spatiaux. Ils organisent la description du paysage dans l'espace.

186 Les connecteurs logiques

▶ Les connecteurs logiques, appelés aussi connecteurs argumentatifs, assurent la **progression logique** d'un texte. Selon le cas, ils expriment une relation logique :

– de cause : *car*; *parce que, puisque...*

– de conséquence ou de conclusion : *donc*; *ainsi, c'est pourquoi, si bien que...*

– d'addition ou d'alternative : *et, ni, ou*; *puis, premièrement, deuxièmement, enfin...*

– d'opposition ou de concession : *mais, or*; *pourtant, cependant, certes, alors que...*

– d'explication : *en effet, c'est-à-dire, par exemple...*

> *Ma mère la chercha longtemps, **et** la retrouva plusieurs fois.*
> ***Mais** elle ne la reconnut jamais, **car** nous l'avions aplatie*
> *à coups de marteau pour en faire une truelle.*

▶ MARCEL PAGNOL, *La Gloire de mon père.*

(Le narrateur parle d'une cuillère.)
Et exprime une addition d'action,
chercher et *retrouver*.
Mais exprime une opposition
entre le fait de trouver
et le fait de ne pas reconnaître.
Car exprime l'explication
du fait de ne pas reconnaître
la cuillère.

Pour aller plus loin

**Quel est le rôle des connecteurs
dans un raisonnement logique ?**

Les connecteurs sont très importants dans un raisonnement logique. *Or* et *Donc* introduisent les étapes de ce **syllogisme** (raisonnement qui fonde une conclusion sur deux propositions posées comme vraies) :

> *Tous les hommes sont mortels. **Or** Socrate est un homme.*
> ***Donc** Socrate est mortel.*

187 L'absence de connecteurs : les liens implicites

▶ Quand la relation logique entre deux phrases ou deux paragraphes n'est pas exprimée explicitement par un connecteur, on parle de **lien implicite**.

> *Cette blessure n'est peut-être que superficielle. Il faut l'ignorer, ne pas en retenir l'image.*

▶ ANDRÉE CHÉDID, *Le Message*.

Le lien implicite entre les deux phrases est un lien de conséquence.
On pourrait dire : *Cette blessure n'est peut-être que superficielle.*
Il faut <u>donc</u> l'ignorer, ne pas en retenir l'image.

Résumé

▶ Les connecteurs sont des mots de liaison qui relient des propositions, des phrases, des paragraphes ou des chapitres.

▶ Ils organisent le texte selon un point de vue temporel, spatial et/ou logique.

▶ On distingue :
– les connecteurs temporels, qui situent les actions dans le temps ;
– les connecteurs spatiaux, qui situent les actions, les êtres et les objets dans l'espace ;
– les connecteurs logiques, qui assurent la progression logique du texte.

▶ Quand il n'y a pas de connecteurs, les liens sont implicites.

Thème et propos

> MAÎTRE DE PHILOSOPHIE. — *On peut les mettre premièrement comme vous avez dit : Belle marquise, vos beaux yeux me font mourir d'amour. Ou bien : D'amour mourir me font, belle marquise, vos beaux yeux.*
>
> ❱ MOLIÈRE, *Le Bourgeois gentilhomme.*

Le maître de philosophie enseigne à Monsieur Jourdain qu'un énoncé peut être organisé différemment selon ce qu'on veut mettre en avant.

188 Qu'appelle-t-on le thème et le propos ?

❱ Pour rendre son propos clair et cohérent, un locuteur (celui qui parle ou celui qui écrit) peut organiser son énoncé en fonction des informations qu'il veut donner. On distingue le **thème**, partie de l'énoncé déjà connue de l'interlocuteur, et le **propos**, information nouvelle apportée à l'interlocuteur.

> *Il était une fois une veuve très pauvre. Elle avait un fils nommé Jacques et possédait une vache qu'on appelait Blanchelait.*
>
> ❱ *Jacques et le haricot magique*, conte anglais.

• Dans la première phrase, qui est le début du conte, tout est propos, car tout est nouveau pour le lecteur.

• Dans la seconde phrase, *elle*, représentant la veuve, devient le thème, car il s'agit d'une information connue au sujet de laquelle on parle ; *avait un fils nommé Jacques et possédait une vache qu'on appelait Blanchelait* est le propos, l'information nouvelle.

189 La transformation passive et l'organisation en thème et propos

❱ Le locuteur peut choisir la voix passive plutôt que la voix active selon l'élément qu'il veut mettre en position de thème ou de propos.

❱ La **voix active** met l'**agent** de l'action **en position de thème**.

> *Les potiers grecs ont fabriqué des vases à figures noires.*
> thème — propos

● La **voix passive** met **celui** (objet, homme ou animal) **qui subit** l'action **en position de thème**.

> *Les vases à figures noires* <u>*ont été fabriqués par des potiers grecs.*</u>
>   thème   propos

190 L'emphase et l'organisation en thème et propos

● L'**emphase** est un procédé qui consiste à **mettre en relief** un élément de la phrase. Les principaux procédés de mises en relief sont le détachement et l'utilisation d'un présentatif ▸ 111 .

● Le **détachement** permet de mettre le **thème** de la phrase en valeur.

> *Moi, de ce temps, je m'en allais dans notre grand escalier*
> *et je montais à la rencontre du soleil.*

> ▸ JEAN GIONO, *Jean le Bleu.*

Le locuteur, *je*, sujet des verbes *allais* et *montais*, est le thème constant de la phrase.
L'emploi du pronom personnel renforcé *moi*, en début de phrase, le met en valeur comme thème de la phrase.

● Le **présentatif** permet de mettre le **propos** de la phrase en valeur.

> *Si ce n'est toi, c'est donc ton frère.*

> ▸ JEAN DE LA FONTAINE, *Le Loup et l'Agneau.*

L'information nouvelle donnée par le loup est la mention du *frère* comme auteur potentiel du crime « reproché » à l'agneau. Il s'agit donc du propos de la phrase ; il est introduit et mis en relief par le présentatif *c'est*.

Résumé

● Un énoncé s'organise, en fonction des informations qu'il délivre, en thème et propos. Le thème est ce dont on parle, le propos est l'information nouvelle apportée dans l'énoncé.

● Les formes active, passive et emphatique permettent de jouer sur les positions du thème et du propos.

ORTHOGRAPHE

Avant de commencer

Testez vos connaissances en orthographe !

Besoin d'aide ? Reportez-vous au(x) paragraphe(s) indiqué(s) à droite.

1. Un seul mot est mal orthographié : lequel ? **191**

☐ des choux ☐ des tuyaus ☐ des festivals ☐ des pneus

2. Écrivez ces nombres en toutes lettres. **199**

a. 300 000 : ....

b. 80 : ....

c. 200 : ....

3. Quelle est la forme correcte ? **202**

☐ des chaussures vertes claires ☐ des chaussures vert clair

☐ des chaussures vertes clair

4. Complétez les phrases suivantes en conjuguant le verbe entre parenthèses au présent de l'indicatif. **205**

a. C'est toi qui *(aller)* .... prendre ta douche en premier.

b. Elle et moi *(être)* .... amies depuis longtemps.

5. Lorsque le sujet est *chacun* ou *aucun*, le verbe se met toujours au singulier. **206**

☐ vrai ☐ faux

6. Une seule phrase est correcte : laquelle ? **212**

☐ Quelle ville as-tu visiter cet été ?

☐ Quelle ville as-tu visité cet été ?

☐ Quelle ville as-tu visitée cet été ?

7. Transformez les phrases suivantes en remplaçant *il* par *elle*. **213**

a. Il s'est coupé les cheveux tout seul.

....

b. Il s'est lavé dans la rivière.

....

8. Complétez les phrases suivantes avec *la* ou *l'a*. **229**

a. Elle ne me ...... pas dit tout de suite.

b. Il ne veut pas ...... revoir.

9. Complétez les phrases suivantes avec *prêt* ou *près*. **239**

a. Il ne se sent pas .... à passer son examen.

b. Elle habite .... de son collège.

10. Choisissez le terme qui convient pour compléter cette phrase : *Ils sont toujours souriants ... soient leurs soucis.* **242**

☐ quelques ☐ quels que ☐ quelque

11. Complétez la terminaison des verbes dans les phrases suivantes. **248**

a. Elle a trich...... deux fois !

b. Il veut jou...... au tennis.

c. Vous vous tromp...... de route.

12. Choisissez le mot qui convient pour compléter cette phrase : *Il a eu des gestes ... .* **252** **253**

☐ provoquants ☐ provocants ☐ provoquant

13. Quelles sont les formes correctes ? **254**

☐ j'aperçois ☐ j'apperçois ☐ j'apelle ☐ j'appelle

14. Quelle est la bonne orthographe ? **254**

☐ l'agravation ☐ l'aggravation

15. Quelle est la bonne orthographe ? **268**

☐ violament ☐ violemment ☐ violement

Corrigés p. 478

Le pluriel des noms et des adjectifs

J'ai vu des continents
Des îles lointaines
De fabuleux océans
Des rives incertaines
    Dans le regard d'un enfant

▶ CLAUDE HALLER, « Dans le regard d'un enfant », *Poèmes du petit matin*.

Comme le montre cet exemple, la plupart des noms et des adjectifs prennent un s au pluriel. Cependant, il existe des exceptions.

191 Le pluriel des noms communs

La règle générale

▶ Le pluriel des **noms communs** se forme généralement en ajoutant un **s** à la fin du nom singulier : *un fromage – des fromages*.

Les cas particuliers

▶ Les noms déjà terminés par **-s**, **-x** ou **-z** au singulier ne changent pas de forme au pluriel.

un palais – des palais	*une croix – des croix*
un nez – des nez	*une noix – des noix*

▶ Les noms terminés par **-au**, **-eau** ou **-eu** au singulier prennent un **x** au pluriel, sauf *bleu*, *pneu* et *landau* qui prennent un **s**.

un tuyau – des tuyaux	*un bateau – des bateaux*
un feu – des feux	*un pneu – des pneus*

▶ Les noms terminés par **-ou** au singulier prennent un **s** au pluriel, sauf sept noms : *bijou, caillou, chou, genou, hibou, joujou* et *pou*, qui prennent un **x**.

un trou – des trous	*un chou – des choux*

▶ Les noms terminés par **-al** au singulier s'écrivent **-aux** au pluriel, sauf six noms : *bal, carnaval, chacal, festival, récital* et *régal*.

un journal – des journaux	*un bal – des bals*

◗ Certains noms terminés par **-ail** au singulier s'écrivent **-aux** au pluriel : *bail, corail, émail, soupirail, travail, vantail, vitrail...* Les autres noms prennent un **s**.

*un travail – des trav**aux*** *un chandail – des chandail**s***

◗ Il existe quelques noms dont le pluriel n'obéit à aucune des règles citées ci-dessus.

*un œil – des **yeux*** *un ail – des **aulx*** *un ciel – des **cieux***
*un monsieur – des **messieurs*** *un aïeul – des **aïeux***

192 Le pluriel des noms propres

◗ En règle générale, les noms propres ne prennent pas la marque du pluriel.

Les Durand ont déménagé.
J'ai rangé tous les Télérama.

◗ Il existe des exceptions :

– les noms de familles très célèbres ;

les Bourbons, les Jacksons

– les noms des habitants d'un pays, d'une ville ou d'une région ;

les Belges, les Parisiens, les Auvergnats

– parfois les noms d'œuvres artistiques désignées par le nom de leur auteur.

les Rembrandts

193 Le pluriel des noms composés

◗ Pour les noms composés **sans trait d'union**, seul le premier nom se met au pluriel.

*des pomme**s** de terre*

◗ Pour les noms composés **avec un trait d'union**, la règle à appliquer dépend de la nature des mots qui les composent :

– le verbe, l'adverbe, la préposition sont invariables ;

*des **tire**-bouchons* (verbe + nom), *des **avant**-scènes* (adverbe + nom), *des **arcs-en**-ciel* (nom + préposition + nom)

– l'adjectif prend la marque du pluriel;

*des **belles**-sœurs* (adjectif + nom)

– le nom commun prend en général la marque du pluriel, sauf lorsqu'il désigne une réalité indénombrable (qui ne peut être comptée).

*des taille-**haies*** (verbe + nom)

*des chasse-**neige*** (verbe + nom indénombrable)

*des gratte-**ciel*** (verbe + nom indénombrable)

⚠ Attention

■ **On peut désormais généraliser l'emploi du s sur le nom commun placé en deuxième position, quel que soit le sens.** (Rectifications orthographiques de 1990)

On peut par exemple écrire :

*des gratte-**ciels***   *des serre-**têtes***

■ **Dans certains noms composés, les mots *aide* et *garde* sont des noms, pas des verbes.**

Ils se mettent donc au pluriel.

*des **aides**-soignantes*   *des **gardes**-malades*

▶ Lorsque le nom est composé du groupe **nom** + **préposition** + **nom**, seul le premier nom se met au pluriel.

*des **chefs**-d'œuvre*

▶ **Demi-**, **mi-**, **semi-**, **nu-**, placés à gauche du nom et reliés par un trait d'union, sont invariables.

*deux **demi**-heures*   *des **mi**-bas*

*des **semi**-remorques*   *des **nu**-pieds*

Pour aller plus loin

On peut désormais appliquer aux noms empruntés à une langue étrangère les marques du pluriel de la langue française. (Rectifications orthographiques de 1990)

On peut écrire par exemple :

des médias, des spaghettis

194 Le pluriel des adjectifs qualificatifs

La règle générale

● Le pluriel des adjectifs qualificatifs se forme généralement en ajoutant un **s** à la fin de l'adjectif masculin ou féminin singulier.

petit – petits   *grande – grandes*

Les cas particuliers

● Les adjectifs masculins terminés par **-s** ou **-x** au singulier ne changent pas de forme au masculin pluriel.

gros – gros   *vieux – vieux*

● Les adjectifs masculins terminés par **-eau** au singulier prennent un **-x** au pluriel.

beau – beaux   *nouveau – nouveaux*

● Les adjectifs masculins terminés par **-al** au singulier s'écrivent **-aux** au pluriel, sauf quelques mots : *banal, bancal, fatal, glacial, natal, naval…* qui prennent un **s** au pluriel.

spécial – spéciaux   *marginal – marginaux*
fatal – fatals   *banal – banals*

Résumé

● En général, le pluriel des noms communs et des adjectifs se forme en ajoutant un s au nom ou à l'adjectif singulier.

● Mais il existe des règles particulières :
– pour les noms en *-s, -x, -z, -au, -eau, -eu, -ou, -al, -ail* ;
– pour les noms composés : seuls l'adjectif et le nom peuvent prendre la marque du pluriel ;
– pour les adjectifs en *-s, -x, -eau* et *-al*.

Le féminin des adjectifs qualificatifs

*— Eh bien, voilà, Apolon, dit Mlle Legourdin, et de nouveau
sa voix était sucrée, persuasive, presque onctueuse.*

» Roald Dahl, *Matilda*.

Comme le montre cet exemple, le féminin des adjectifs
qualificatifs ne se forme pas toujours de la même façon.

195 La règle générale

▶ Le féminin de l'adjectif qualificatif se forme généralement en
ajoutant un **e** à la fin de l'adjectif masculin.

gourmand – gourmande

▶ Quand l'adjectif se termine par une voyelle au masculin, le
passage au féminin ne s'entend généralement pas à l'oral.

pointu – pointue

196 Les cas particuliers

▶ Quand l'adjectif se termine par **-on**, **-ien**, **-s** ou **-el** au masculin,
la consonne finale est doublée au féminin.

*breton – breton**ne***   *ancien – ancien**ne***

*gros – gros**se***   *mortel – mortel**le***

▶ La consonne finale est aussi doublée pour quelques adjectifs
en **-et**.

*net – net**te***   *fluet – fluet**te***

▶ Pour certains adjectifs terminés par **-f**, **-c**, **-s** ou **-x** au masculin,
ces consonnes sont modifiées au féminin ; parfois, un accent est
ajouté sur la voyelle précédant la consonne modifiée.

*neuf – neu**ve***   *sec – sè**che***

*frais – fraî**che***   *heureux – heureu**se***

▶ Certains adjectifs changent de suffixe au féminin :

– **-eau** devient **-elle** ;

*beau – bel**le***

– **-eur** devient **-euse**, **-rice** ou **-eresse** ;
moqueur – moqueuse
dominateur – dominatrice
enchanteur – enchanteresse

– **-er** devient **-ère** ;
cher – chère

– **-ou** devient **-olle**.
mou – molle

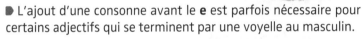

▶ L'ajout d'une consonne avant le **e** est parfois nécessaire pour certains adjectifs qui se terminent par une voyelle au masculin.
favori – favorite   *rigolo – rigolote*

▶ Les adjectifs terminés par **-e** au masculin ne changent pas au féminin.
héroïque – héroïque   *salutaire – salutaire*

▶ Il existe quelques cas particuliers.
*vieux – **vieille***   *malin – **maligne***

Résumé

▶ En général, le féminin des adjectifs qualificatifs se forme en ajoutant un *e* à l'adjectif masculin.

▶ Pour certains adjectifs, il faut modifier la consonne finale ou le suffixe.

Accorder les déterminants

*Quand reverrai-je, hélas! de **mon** petit village*
*Fumer **la** cheminée, et en **quelle** saison*
*Reverrai-je **le** clos de **ma** pauvre maison*
*Qui m'est **une** province, et beaucoup davantage ?*

> ❯ JOACHIM DU BELLAY, « Heureux qui, comme Ulysse... », *Les Regrets.*

Le déterminant tout naturellement s'accorde avec le nom qu'il accompagne.

197 La règle générale

❯ Le déterminant s'accorde **en genre et en nombre** avec le nom qu'il détermine.

le chien	*la chienne*	*les chiens*
un chien	*une chienne*	*des chiens*

198 Cet, nul, quel, tel

❯ Certains déterminants ont la même prononciation au masculin et au féminin ou au singulier et au pluriel. À l'écrit, il faut penser à faire l'accord :

– **cet / cette** : on écrit **cet** devant un nom masculin singulier commençant par une voyelle ou un **h** muet. On écrit **cette** devant un nom féminin singulier ;

> ***Cet** homme et **cette** femme sont mal assortis.*

– **nul / nulle** : on écrit **nul** devant un nom masculin et **nulle** devant un nom féminin ;

> ***Nul** homme, **nulle** femme ne peut ignorer la loi.*

– **quel / quelle / quels / quelles** : on écrit **quel** devant un nom masculin, **quelle** devant un nom féminin, **quels** devant un nom masculin pluriel, **quelles** devant un nom féminin pluriel ;

> ***Quel** bel appartement!*   ***Quels** beaux garçons vous avez!*
> ***Quelle** belle voiture!*   ***Quelles** belles petites filles!*

– **tel / telle / tels / telles** : on écrit **tel** devant un nom masculin, **telle** devant un nom féminin, **tels** devant un nom masculin pluriel, **telles** devant un nom féminin pluriel.

Tel père, telle fille.

*Il accomplit de **tels** exploits, il vécut de **telles** aventures !*

199 Les déterminants numéraux

▶ Les déterminants **numéraux cardinaux** sont invariables.
trente élèves

▶ Mais **vingt** et **cent** prennent un **s quand ils sont multipliés sans être suivis d'un autre nombre** : on écrit *deux cents* ou *quatre-vingts* mais *deux cent un* et *quatre-vingt-deux*.

*À l'heure où je vous parle, il y a **cent mille** fous de notre espèce, couverts de chapeaux, qui tuent **cent mille** autres animaux couverts d'un turban.*

▶ Voltaire, *Micromégas.*

⚠ Attention

On peut désormais généraliser l'emploi du trait d'union dans les déterminants numéraux composés.
(Rectifications orthographiques de 1990)

Tous les déterminants inférieurs ou supérieurs à **cent** peuvent être liés par un trait d'union, même s'ils sont séparés par **et**.

trois-cents *quarante-et-un*

Résumé

▶ Le déterminant s'accorde avec le nom qu'il détermine.

▶ À l'exception de *vingt* et *cent*, les déterminants numéraux sont invariables.

Accorder l'adjectif avec le nom

[...] *Le **monde** est **pointu***
*La **terre** est **pointue***
*L'**espace** est **carré**.*

▶ ROBERT DESNOS, « Le carré pointu »,
Destinée arbitraire.

Ces vers comportent trois noms,
trois adjectifs, mais une même règle
d'accord.

200 La règle générale

▶ L'**adjectif**, quelle que soit sa fonction, s'accorde en **genre** et en **nombre** avec le nom auquel il se rapporte :

– adjectif épithète ;

*N'importe ! tel qu'il est, avec ses <u>yeux</u> **clignotants***
*et sa <u>mine</u> **renfrognée**, ce <u>locataire</u> **silencieux** me plaît*
encore mieux qu'un autre, et je me suis empressé de lui
renouveler son bail.

▶ ALPHONSE DAUDET, « Installation », *Lettres de mon moulin.*

Cette phrase comporte trois adjectifs épithètes : *clignotants* s'accorde avec le nom *yeux*, au masculin pluriel, *renfrognée* s'accorde avec le nom *mine*, au féminin singulier, *silencieux* s'accorde avec le nom *locataire*, au masculin singulier.

– adjectif apposé ou épithète détachée ;

*La <u>tête</u>, **petite** comme celle de presque toutes les statues*
grecques, était légèrement inclinée en avant.

▶ PROSPER MÉRIMÉE, *La Vénus d'Ille.*

L'adjectif apposé *petite* s'accorde avec le nom *tête* au féminin singulier.

– adjectif attribut.

*La <u>terre</u> est **bleue** comme une orange*
Jamais une erreur les mots ne mentent pas [...]

▶ PAUL ELUARD, *L'Amour, la poésie.*

L'adjectif attribut *bleue* s'accorde avec le nom *terre* au féminin singulier.

L'**adjectif verbal** obéit à la même règle, il s'accorde en genre et en nombre avec le nom auquel il se rapporte.

> *Je trouve les caprices de la mode, chez les Français,*
> ***étonnants.*** ▶ Montesquieu, *Lettres persanes.*
>
> La forme verbale *étonnants* s'accorde en genre et en nombre avec *caprices*, car il s'agit d'un adjectif verbal.

> Octave. — *Si tu l'avais vue, Scapin, en l'état que je dis,*
> *tu l'aurais trouvée admirable.*

> Scapin. — *Oh! je n'en doute point ; et, sans l'avoir vue,*
> *je vois bien qu'elle était tout à fait **charmante.***
> ▶ Molière, *Les Fourberies de Scapin.*
>
> La forme verbale *charmante* s'accorde en genre et en nombre avec le pronom *elle*, car il s'agit d'un adjectif verbal.

⚠ Attention

Certains adjectifs comme *bon, cher, droit, fort, haut* **sont parfois utilisés comme adverbes.**

Dans ce cas, ils ne s'accordent pas.

On écrit : *des habits **chers*** mais *Ces habits coûtent **cher.***

*des athlètes **forts*** mais *Ils parlent **fort.***

201 L'accord de l'adjectif qui se rapporte à plusieurs noms

L'adjectif qui se rapporte à plusieurs noms se met au **pluriel**. Si ces noms sont de genre identique, l'adjectif s'accorde avec ce genre (féminin ou masculin).

> *Ma jupe et ma chemise sont **froissées.***

Si ces noms sont de genres différents, l'adjectif prend le genre masculin.

> *Ma jupe et mon pantalon sont **froissés.***

Lorsque l'adjectif se rapporte à deux noms singuliers coordonnés par **ou**, il se met au masculin pluriel s'il qualifie les deux noms ; mais s'il n'en qualifie qu'un, il s'accorde avec ce dernier.

> *Elle mange toujours les viandes ou les légumes bien **cuits.***
>
> L'adjectif *cuits* qualifie les légumes et les viandes, donc il prend la marque du masculin pluriel.

*Il lui offre souvent du parfum <u>ou</u> des fleurs **bleues**.*

L'adjectif *bleues* ne se rapporte qu'au mot *fleurs*, donc il s'accorde au féminin pluriel.

202 L'accord des adjectifs de couleur

◗ La plupart des adjectifs de couleur s'accordent en genre et en nombre avec le nom auquel ils se rapportent.

Je te promets qu'il n'y aura pas d'i verts /
Il y aura des i bleus / Des i blancs / Des i rouges.

> ◗ LUC BÉRIMONT, « Les points sur les i », *La Poésie comme elle s'écrit.*

◗ Mais lorsque l'adjectif est composé de deux mots (adjectif + adjectif ou adjectif + nom), il est invariable.

*des pantalons **bleu marine** – des tennis **jaune citron***

◗ Lorsque l'adjectif de couleur est tiré d'un nom, il est généralement invariable : *orange, marron, noisette, argent...*

*des chevaux **marron** – des yeux **noisette***

Il existe des exceptions : *rose, mauve, fauve, pourpre, écarlate* prennent un **-s** au pluriel.

◗ Lorsqu'une même réalité est de plusieurs couleurs, les adjectifs juxtaposés ou coordonnés sont invariables.

*des murs **blanc**, **noir** et **bleu***

203 L'accord des adjectifs composés

◗ La règle à appliquer dépend de la nature des mots qui composent l'adjectif :

– l'adverbe, l'adjectif à valeur adverbiale et la préposition ne s'accordent pas ;

*ma **bien**-aimée* (adverbe + adjectif)

*une fille **court**-vêtue* (adjectif à valeur adverbiale + adjectif)

*une **avant**-dernière candidate* (préposition + adjectif)

– l'adjectif, qu'il soit en première ou en deuxième position, s'accorde.

*des personnes **sourdes-muettes*** (adjectif + adjectif)

● Lorsque le premier élément est un mot tronqué, il ne s'accorde pas.

> *des usines **agro**-alimentaires*
> *des alliances **franco**-belges*

● Comme premier élément d'un adjectif composé, **mi-**, **semi-** ou **demi-** sont invariables.

> *une fenêtre **mi**-close*
> *des moteurs **semi**-automatiques*
> *une table **demi**-circulaire*

Résumé

● L'adjectif s'accorde en genre et en nombre avec le nom auquel il se rapporte.

● Quand il y a plusieurs noms de genre différent, l'accord se fait au masculin pluriel.

● Un adjectif de couleur composé de deux mots ou tiré d'un nom est invariable.

● L'accord de l'adjectif composé dépend de la nature des mots qui le composent.

Accorder le verbe avec le sujet

MARTINE. — *Mon Dieu! je n'avons pas étugué comme vous,*
Et je parlons tout droit comme on parle cheux nous.

BÉLISE. — *Ton esprit, je l'avoue, est bien matériel.*
Je n'est qu'un singulier, avons est pluriel.
Veux-tu toute ta vie offenser la grammaire?

▶ MOLIÈRE, *Les Femmes savantes.*

Au grand désespoir de sa maîtresse Bélise, la servante
Martine ne sait pas accorder le verbe avec le sujet.

204 La règle générale

▶ Un verbe s'accorde en **nombre** et en **personne** avec son sujet.

En tout cas, monsieur, je vous l'ai dit, j'ignorais
complètement le contenu de la dépêche dont j'étais porteur.

▶ ALEXANDRE DUMAS, *Le Comte de Monte-Cristo.*

Les verbes *ai dit, ignorais* et *étais* s'accordent avec le sujet *je*, première
personne du singulier.

▶ Seules les formes passives s'accordent aussi en **genre** avec le
sujet.

La tarte a été mangée par l'ensemble de la famille.

La tarte est féminin singulier; *mangée* s'accorde au féminin singulier.

Au cours de cette partie, les filles sont attrapées les premières.

Les filles est féminin pluriel; *attrapées* s'accorde au féminin pluriel.

▶ Lorsque le sujet est un groupe nominal, c'est le **nom noyau** qui
commande l'accord du verbe.

Puis un vol de plumes mouillées froissa les touffes de roseaux
et tout autour de notre barque le murmure confus des bêtes
d'eau, encore invisibles, monta.

▶ HENRI BOSCO, *L'Enfant et la Rivière.*

Un vol de plumes mouillées est le GN sujet du verbe *froissa*; l'accord
se fait avec le nom noyau du groupe, *vol. Le murmure confus des bêtes*
d'eau, encore invisibles, est le GN sujet du verbe *monta*; l'accord se fait
avec le nom noyau du groupe, *murmure.*

205 L'accord du verbe qui a plusieurs sujets

◗ Quand le verbe a plusieurs sujets, il se met au **pluriel**.

> *Le tonnerre et la pluie **ont fait** un tel ravage*
> *Qu'il reste en mon jardin bien peu de fruits vermeils.*
>> ◗ CHARLES BAUDELAIRE, « L'ennemi », *Les Fleurs du mal.*
>
> Le verbe a deux sujets : *le tonnerre et la pluie* ; il se met au pluriel : *ont fait.*

◗ Quand le verbe a des sujets de personnes différentes, il y a deux accords possibles :

– deuxième personne + troisième personne : le verbe se met à la deuxième personne du pluriel ;

> *Elle et toi **êtes** de grandes amies.*
> *Eux et vous **parlez** d'une seule voix.*

– première personne + deuxième ou troisième personne : le verbe se met à la première personne du pluriel.

> *Toi et moi **sommes** les meilleurs de la classe.*
> *Hugo et moi **faisons** bande à part.*

206 L'accord du verbe avec les pronoms indéfinis *aucun, chacun, on*

◗ Quand le sujet est **chacun** ou **aucun**, le verbe se met toujours au **singulier** : *Chacun fait ce qui lui plaît. Quand je leur ai demandé leur accord, aucun n'a refusé.*

> *Mais le matin, il ne s'y trouvait que sept locataires dont*
> *la réunion offrait pendant le déjeuner l'aspect d'un repas*
> *de famille. Chacun **descendait** en pantoufles.*
>> ◗ HONORÉ DE BALZAC, *Le Père Goriot.*
>
> *Chacun* reprend un par un les sept locataires de la pension de famille.
> Mais l'accord du verbe se fait au singulier.

◗ Quand le sujet est **on**, le verbe se met au **singulier**.

> *MAÎTRE JACQUES. — On ne **saurait** aller nulle part où l'on ne*
> *vous **entende** accommoder de toutes pièces ; vous êtes la risée*
> *de tout le monde ; et jamais on ne **parle** de vous, que sous*
> *les noms d'avare, de ladre, de vilain et de fesse-mathieu[1].*
>> ◗ MOLIÈRE, *L'Avare.*

1. Un fesse-mathieu : un usurier.

▶ Mais l'**adjectif attribut** ou le **participe de la forme passive** peuvent varier en genre et en nombre selon le sens du pronom indéfini.

> *On est **content**.*
>
> *On* signifie *tout le monde, n'importe qui* : l'accord se fait au singulier et au masculin.

> *On est **contents**. On est **contentes**.*
>
> *On* est l'équivalent de *nous* : l'accord se fait au masculin pluriel ou au féminin pluriel, selon ce que *on* représente.

207 L'accord du verbe avec les groupes nominaux comportant un adverbe de quantité

▶ Quand le groupe nominal sujet comprend un **adverbe de quantité** comme *beaucoup de, peu de, combien de, que de...* le verbe se met au **pluriel**.

> *Ô combien de marins, combien de capitaines*
> *Qui sont partis joyeux pour des courses lointaines*
> *Dans ce morne horizon **se sont évanouis** !*
>
> ▶ VICTOR HUGO, « Oceano Nox »,
> *Les Rayons et les Ombres.*
>
> *Combien de marins, combien de capitaines* sont sujets du verbe *se sont évanouis.* Ce verbe est au pluriel.

208 L'accord du verbe avec les noms collectifs

▶ Quand le mot noyau du groupe nominal sujet est une expression représentant un ensemble d'éléments, c'est-à-dire un **nom collectif** *(la plupart, une foule, l'ensemble...)*, l'accord varie selon le type de nom collectif employé : le verbe se met parfois au singulier, parfois au pluriel. On peut écrire : *une foule d'oiseaux est passée / une foule de gens pensent.*

> *Le peuple hors des murs était déjà posté.*
> *La plupart **s'en allaient** chercher une autre terre.*
>
> ▶ JEAN DE LA FONTAINE, *Les Membres et l'Estomac.*
>
> Dans cet exemple, l'accord se fait au pluriel.

209 L'accord du verbe avec le pronom relatif sujet *qui*

▶ Lorsque l'antécédent du pronom relatif sujet est un pronom personnel, le verbe s'accorde en nombre et en personne avec ce pronom personnel.

> *C'est <u>moi qui</u> **vais** dans la salle de bains en premier!*
>
> *Qui* reprend *moi* et impose au verbe *vais* l'accord à la première personne du singulier.

> *C'est <u>toi qui</u> **vas** ranger la vaisselle!*
>
> *Qui* reprend *toi* et impose au verbe *vas* l'accord à la deuxième personne du singulier.

> <u>*Nous qui*</u> ***sommes*** *des adultes pouvons regarder la télévision le soir.*
>
> *Qui* reprend *nous* et impose au verbe *sommes* l'accord à la première personne du pluriel.

> <u>*Vous qui*</u> ***êtes*** *des enfants devez aller vous coucher.*
>
> *Qui* reprend *vous* et impose au verbe *êtes* l'accord à la deuxième personne du pluriel.

> *Un soir, ma mère m'annonça que dorénavant ce serait <u>moi qui</u> **ferais** les commissions.*
>
> ▶ RICHARD WRIGHT, *Black Boy.*
>
> *Qui* reprend *moi* et impose au verbe *ferais* l'accord à la première personne du singulier.

Résumé

▶ Le verbe s'accorde en nombre et en personne avec son sujet.

▶ Lorsqu'il y a plusieurs sujets, le verbe se met au pluriel.

▶ Dans un groupe nominal, le nom noyau commande l'accord du verbe.

Accorder le participe passé

Pour accorder le participé passé, il faut se poser quatre questions.

– Le participe est-il employé **seul** ?
– Le participe est-il employé avec l'auxiliaire **être** ou **avoir** ?
– Le participe a-t-il un **COD** ?
– Où est placé ce **COD** ?

210 Le participe passé employé seul, sans auxiliaire

▶ Le participe passé employé **seul** s'accorde en **genre** et en **nombre** avec le **nom** auquel il se rapporte.

▶ Il a les mêmes fonctions qu'un adjectif :

– épithète ;

*« Vois cette <u>île</u> **composée** de volcans », dit le professeur.*

▶ JULES VERNE, *Voyage au centre de la Terre.*

– apposé ;

Bercées *par le grondement des vagues, <u>elles</u> dormaient d'un profond sommeil.*

▶ NATHANIEL HAWTHORNE, *Les Héros de la mythologie grecque.*

– attribut.

*Les deux <u>crabes</u> ne parurent pas du tout **gênés** par l'arrivée de Robinson, et ils poursuivirent tranquillement leur bruyant travail.*

▶ MICHEL TOURNIER, *Vendredi ou la Vie sauvage.*

211 Le participe passé employé avec l'auxiliaire *être*

▶ Le participe passé employé avec l'auxiliaire **être** s'accorde en **genre** et en **nombre** avec le **sujet**.

> *Grand-mère et moi, nous **fûmes convoqués** dans son bureau.*
>
> ▶ ROALD DAHL, *Sacrées Sorcières*.
>
> Le narrateur de l'histoire est un petit garçon. *Nous* représente donc un masculin et un féminin. Le masculin l'emporte. L'accord du participe passé se fait au masculin pluriel.

Pour aller plus loin

Dans quels cas emploie-t-on l'auxiliaire *être* ?

■ Le participe passé est employé avec l'auxiliaire **être** pour former la **tournure passive**.

> *Les êtres vivants **sont emportés** par l'onde.*
>
> ▶ OVIDE, *Métamorphoses*.

■ Le participe passé est employé avec l'auxiliaire **être** pour former les **temps composés** des **verbes intransitifs** : *aller, arriver, venir, sortir, naître*…

> *Jeudi après-midi, toute la classe **est allée** au cirque.*
>
> ▶ JEAN-JACQUES SEMPÉ et RENÉ GOSCINNY, *Histoires inédites du Petit Nicolas*.

212 Le participe passé employé avec l'auxiliaire *avoir*

▶ Le participe passé employé avec l'auxiliaire **avoir ne s'accorde jamais avec le sujet**.

> *Les femmes, **ayant posé** à leurs pieds leurs grands paniers, en **avaient tiré** leurs volailles qui gisaient par terre, liées par les pattes, l'œil effaré, la crête écarlate.*
>
> ▶ GUY DE MAUPASSANT, *La Ficelle*.
>
> Les participes passés *posé* et *tiré* ne s'accordent pas avec le sujet *les femmes*.

▶ Il s'accorde en **genre** et en **nombre** avec le **COD** si celui-ci est placé avant le verbe, c'est-à-dire **antéposé**. Le COD antéposé peut être :

– un pronom relatif ;

> *Les statues que cet artiste*
> *a sculptées sont superbes.*
>
> *Que*, pronom relatif qui a pour
> antécédent *statues* (mot féminin
> pluriel), est COD du verbe *a sculptées*
> et il est antéposé. L'accord du participe
> passé se fait au féminin pluriel.

– un pronom personnel ;

> *Avant d'entrer dans le cirque,*
> *la maîtresse nous a comptés,*
> *et elle a vu qu'il en manquait un,*
> *c'était Alceste, qui était allé acheter*
> *de la barbe à papa.*
>
> ❱ JEAN-JACQUES SEMPÉ et RENÉ GOSCINNY, *Histoires inédites du Petit Nicolas.*
>
> *Nous*, pronom personnel représentant les élèves, est COD du verbe
> *a comptés* et il est antéposé. L'accord se fait au masculin pluriel.

– un groupe nominal avec un déterminant interrogatif ou exclamatif.

> *Quelles couleurs as-tu choisies pour ton dessin ?*
> *Quelle belle robe tu as portée ce soir-là !*

 Attention

Le pronom relatif *que* ne représente pas toujours un COD.

Il existe des formes trompeuses ! Le pronom relatif **que** peut représenter un complément circonstanciel. Dans ce cas, il n'y a pas d'accord
du participe passé.

> *Les heures que j'ai passé à t'attendre ont été interminables.*
> *Les heures* est un complément circonstanciel de temps marquant
> la durée et non un COD.

7. D'où vient la règle d'accord du participe passé
avec le COD ?

La règle d'accord du participe passé lorsque le COD est placé avant
lui nous vient de Clément Marot, poète français du XVIᵉ siècle, qui
s'inspirait d'un phénomène de la langue italienne.
Merci Monsieur Marot !

213 Le participe passé des verbes pronominaux

▶ Le participe passé des verbes pronominaux s'accorde avec le **pronom réfléchi** *(me, te, se, nous, vous, se)* lorsque celui-ci est un **COD**.

> *Elle s'est regardée dans le miroir.*
> S' est un COD placé avant le participe, il y a donc accord.

> *Les deux soldats se sont entretués.*
> Se est un COD placé avant le participe, il y a donc accord.

▶ Il reste **invariable** lorsque le **pronom réfléchi** est un **COI**.

> *Elle s'est coupé les ongles.*
> S' correspond à *elle*, COI du verbe *est coupé* : il n'y a pas d'accord.

▶ Il **s'accorde avec le sujet** quand le pronom réfléchi est employé avec des **verbes essentiellement pronominaux** (qui n'existent qu'à la forme pronominale) ou avec les verbes **pronominaux de sens passif**.

> *Elles se sont souvenues de leur leçon.* Se souvenir est un verbe essentiellement pronominal. Il y a donc accord du participe passé.

> *Les baguettes se sont bien vendues.* Se vendre est un verbe pronominal de sens passif. Il y a donc accord du participe passé.

ASTUCE

> **Pour trouver le COD des verbes pronominaux, on peut essayer de les transformer en employant l'auxiliaire *avoir*.**

Ils se sont regardés.
● Ils ont regardé eux-mêmes. *Eux-mêmes*, qui remplace se, est COD, il y a donc accord du participe passé.

Ils se sont succédé.
● Ils ont succédé à eux-mêmes. À *eux-mêmes*, qui remplace se, est COI, il n'y a donc pas d'accord du participe passé.

Elles se sont donné une heure.
● Elles ont donné une heure à elles-mêmes. À *elles-mêmes*, qui remplace se, est COS et le COD, *heure*, est placé après le verbe, il n'y a donc pas d'accord du participe passé.

Elles se sont évanouies.
La tournure avec l'auxiliaire *avoir* est impossible. Se ne représente rien car il s'agit d'un verbe essentiellement pronominal. Il y a donc accord du participe passé.

214 Le participe passé suivi d'un infinitif

● Lorsque le participe passé est suivi d'un infinitif, il n'y a pas d'accord si c'est l'infinitif qui a un COD.

> *Les arbres qu'il **a vu** couper étaient immenses.*
> Arbres est COD du verbe *couper* et non du verbe *a vu*, il n'y a donc pas d'accord du participe passé.

● Lorsque le participe passé est suivi d'un infinitif, si c'est le **participe** qui a un COD et que ce COD est placé avant, le participe s'accorde avec ce COD.

> *Les musiciens que j'**ai entendus** jouer hier au concert étaient formidables.*
> Les musiciens est COD du verbe *ai entendus*. Ce GN est antéposé au verbe, il y a donc accord du participe passé.

215 Le participe passé des verbes *faire, laisser, devoir, pouvoir, vouloir* suivi d'un infinitif

● Lorsque le participe passé des verbes **faire**, **laisser**, **devoir**, **pouvoir**, **vouloir** est suivi d'un infinitif, il n'y a jamais d'accord, quelle que soit la place du COD (→ **R8** p. 459).

> *Il **a pu** commettre des fautes.*
> *Les fautes qu'il **a pu** commettre ne sont pas graves.*
>
> *Il **a laissé** pourrir des pommes.*
> *Les pommes qu'il **a laissé** pourrir ne sont pas bonnes.*
>
> *Il **a fait** rentrer des personnes chez lui.*
> *Les personnes qu'il **a fait** rentrer chez lui sont ses invités.*

216 Le participe passé précédé du pronom *en*

◗ Le participe passé ne s'accorde pas quand le COD antéposé est le pronom **en**.

> *J'en ai connu beaucoup de ces maîtres d'autrefois.*
>
> ◗ MARCEL PAGNOL, *La Gloire de mon père*.

En représente *ces maîtres*, mot au masculin pluriel ; pourtant, il n'y a pas d'accord du participe passé.

Pour aller plus loin • • • • • • • • • • • • • •

Pourquoi n'y a-t-il pas d'accord avec le pronom *en* ?

En est un pronom invariable à valeur neutre ; il ne contient donc pas de marque de genre ni de nombre. Il est logique qu'il n'y ait pas d'accord grammatical.

217 Le participe passé précédé du pronom *le*

◗ Le participe passé est au masculin singulier quand le COD antéposé est le pronom **le** mis pour une proposition.

> *Sa réussite n'était pas aussi brillante que nous l'avions imaginé.*

L' représente la proposition sous-entendue *que sa réussite était brillante* ; le participe passé se met au masculin singulier, comme *le*.

Résumé

◗ Le participe passé employé comme adjectif s'accorde avec le nom auquel il se rapporte.

◗ Le participe passé employé avec l'auxiliaire *être* s'accorde avec le sujet.

◗ Le participe passé employé avec l'auxiliaire *avoir* ne s'accorde jamais avec le sujet, mais s'accorde avec le COD quand celui-ci est placé avant le verbe.

Accorder *tout* et *même*

Tout le monde a les *mêmes* problèmes pour accorder *tout* et *même*!

218 Comment s'accorde le mot *tout*?

▶ Les règles d'accord du mot **tout** varient selon la nature de ce mot. **Tout** est soit un déterminant, soit un pronom indéfini, soit un adverbe.

▶ Comme **déterminant**:

– **tout** peut être utilisé seul au singulier; il est l'équivalent de **chaque**; il s'accorde alors en genre: *tout* homme, *toute* chose;

– il peut être utilisé avec un autre déterminant, au singulier ou au pluriel; il signifie **tout entier**; il s'accorde alors en genre et en nombre avec le nom auquel il se rapporte: *tout* le monde, *toute* la foule, *tous* ces gens, *toutes* ces statues.

> *Tous les mots que j'avais à dire se sont changés en étoiles*
> ▶ GUILLAUME APOLLINAIRE, « Je n'ai plus même pitié de moi », *Alcools*.

▶ Comme **pronom indéfini**:

– **tout** peut être l'équivalent de **toute chose**; il reste invariable; *Tout est clair.*

– il peut être un pronom représentant un élément pluriel du contexte. Il s'accorde en genre et en nombre avec ce qu'il représente.

> *Ils ne mouraient pas tous, mais tous étaient frappés.*
> ▶ JEAN DE LA FONTAINE, *Les Animaux malades de la peste*.

▶ Comme **adverbe**, **tout** est l'équivalent de **tout à fait**, **entièrement**.

Il est invariable devant un adjectif ou un participe au masculin pluriel.
> *des arbres tout verts*

Il s'accorde en genre et en nombre devant un adjectif ou un participe au féminin.
> *des feuilles toutes vertes*

Devant un nom féminin commençant par une voyelle, **tout** reste invariable, mais on tolère aujourd'hui l'accord : on peut écrire *tout entière* ou *toute entière*.

*C'est Vénus **tout entière** à sa proie attachée.*

▶ Jean Racine, *Phèdre*.

219 Comment s'accorde le mot *même* ?

▶ Les règles d'accord du mot **même** varient selon la nature de ce mot. **Même** est soit un déterminant indéfini, soit un adverbe.

▶ Comme **déterminant**, **même** s'accorde en nombre avec le nom ou le pronom auquel il se rapporte : *les **mêmes** fleurs, nous-**mêmes**.*

*Ils battent **au même rythme** pour **la même besogne** tous ces cœurs […]*

▶ Robert Desnos, « Ce cœur qui haïssait la guerre », *Destinée arbitraire*.

▶ Comme **adverbe**, **même** est invariable. Il signifie **aussi**, **de plus**, **encore plus**. On peut le déplacer dans la phrase.

*Même les arbres ont perdu leurs couleurs. Les arbres **même** (aussi) ont perdu leurs couleurs.*

Résumé

▶ Les règles d'accord des mots *tout* et *même* varient selon leur nature : déterminant, pronom indéfini ou adverbe.

Les principaux homophones grammaticaux

J'ai mieux mangé que toi, ce soir.
Comment ça se fait ?
D'habitude, c'est toi qui manges
le plus. Ce n'est pas l'appétit
qui te manque.

▶ Eugène Ionesco, *La Cantatrice chauve.*

Pour savoir s'il faut écrire *ce* ou *se*, il faut apprendre à distinguer les homophones grammaticaux.

220 a / à

▶ On écrit **a** quand il s'agit du verbe ou de l'auxiliaire **avoir**. Pour le reconnaître, on peut le remplacer par l'imparfait **avait**.

*Il **a** treize ans.* Il *avait* treize ans.

*Il **a** rencontré des amis.* Il *avait* rencontré des amis.

▶ On écrit **à** quand il s'agit de la préposition. On ne peut pas la remplacer par **avait**.

*Il habite **à** Paris.*
⊖ Il habite *avait* Paris.

*Nous avons rendez-vous **à** deux heures.*
⊖ Nous avons rendez-vous *avait* deux heures.

221 ça / çà

▶ On écrit **ça** quand il s'agit du pronom démonstratif d'emploi courant et familier. Pour le reconnaître, on peut le remplacer par **cela**, **ceci**.

Ça ne m'étonne pas de lui.
Cela ne m'étonne pas de lui.

● On écrit **çà** quand il s'agit de l'adverbe de lieu. Pour le reconnaître, on peut le remplacer par **ici**.

> **Çà** *et là traînaient de vieux papiers.*
> *Ici* et là traînaient de vieux papiers.

222 ce / se

● On écrit **ce** :

– lorsqu'il s'agit du déterminant démonstratif employé devant un nom masculin singulier. Pour le reconnaître, on peut remplacer le nom masculin par un nom féminin ; **ce** devient alors **cette** ;

> **Ce** *chien est fort beau.*
> *Cette* chienne est fort belle.

– lorsqu'il s'agit du pronom démonstratif employé devant le verbe **être** ou devant un pronom relatif. Dans ces deux cas, pour le reconnaître, on peut remplacer **ce** par **cela** ou **cette chose**.

> **Ce** *n'est pas très aimable de votre part.*
> *Cela* n'est pas très aimable de votre part.

> **Ce** *qui me plaît chez lui, c'est son humour.*
> *Cette chose* qui me plaît chez lui, c'est son humour.

● On écrit **se** uniquement devant un verbe pronominal ; il s'agit alors du pronom personnel réfléchi de la troisième personne. Pour le reconnaître, on peut conjuguer le verbe pronominal à une autre personne ; **se** devient alors **me**, **te**...

> *Il* **se** *promène souvent par ici.* Je *me* promène, tu *te* promènes...

223 ces / ses

● On écrit **ces** quand il s'agit du déterminant démonstratif au pluriel. Pour le reconnaître, on peut mettre le nom auquel il se rapporte au singulier ; **ces** devient alors **ce**, **cet** ou **cette**.

> **Ces** *pommes me font envie.* Cette pomme me fait envie.

● On écrit **ses** quand il s'agit du déterminant possessif au pluriel ; il indique à qui appartient quelque chose (*ses* signifie *les siens*, *les siennes*). Pour le reconnaître, on peut mettre le nom auquel il se rapporte au singulier ; **ses** devient alors **son** ou **sa**.

> *Elle mit* **ses** *plus beaux vêtements.* Elle mit *sa* plus belle robe.

224 c'est / s'est

🔹 On écrit **c'est** devant un nom ou un groupe nominal, un adjectif ou un pronom (*c'* est la forme élidée du démonstratif *ce*). Pour le reconnaître, on peut le remplacer par **cela est** ou mettre la phrase à la forme négative : **ce n'est pas**.

> *C'est une affaire sérieuse.*
> Cela est une affaire sérieuse.
>
> *C'est triste.*
> Cela est triste.
>
> *C'est lui que tu as vu.*
> Ce n'est pas lui que tu as vu.

🔹 On écrit **s'est** seulement devant un participe passé ; il s'agit alors d'un verbe pronominal (*s'* est la forme élidée du pronom réfléchi *se*). Pour le reconnaître, on peut conjuguer le verbe à une autre personne ; **s'** devient alors **me**, **t'**... La forme négative est : **ne s'est pas**.

> *Il s'est amusé.*
> Je me suis amusé, tu t'es amusé...
>
> *Elle ne s'est pas entendue avec lui.*
> Je ne me suis pas entendue avec lui.

225 dans / d'en

🔹 On écrit **dans** quand il s'agit de la préposition. Elle est toujours suivie d'un nom et peut être remplacée par **à l'intérieur de**, **au milieu de**, **en**, **pendant**.

> *Il s'était perdu dans la foule.*
> Il s'était perdu au milieu de la foule.

🔹 On écrit **d'en** quand il s'agit de la préposition **de** et du pronom personnel adverbial **en**. Il est suivi d'un verbe à l'infinitif. Pour le reconnaître, on peut le remplacer par **de cela**.

> *Il vient d'en parler.*
> Il vient de parler de cela.

On le rencontre aussi dans les expressions **d'en haut**, **d'en bas** où **en** est une préposition.

226 des / dès

● On écrit **des** quand il s'agit du déterminant indéfini ou partitif. Il est toujours suivi d'un nom au pluriel.

*Il mangeait **des** bonbons.*

● On écrit **dès** quand il s'agit de la préposition qui indique le **temps** ou quand il s'agit de la locution conjonctive **dès que**.

__Dès__ son arrivée, il est allé la saluer.

__Dès qu'il__ est arrivé, il est allé la saluer.

Quand il est arrivé, il est allé la saluer.

227 du / dû

● On écrit **du** quand il s'agit du déterminant défini ou partitif. Il est la contraction de **de le** et il est toujours suivi d'un nom.

*Il est monté dans le premier wagon **du** train pour Marseille.*

*Il a bu **du** chocolat.*

● On écrit **dû** quand il s'agit du participe passé du verbe **devoir** ou du nom formé sur celui-ci.

*J'ai **dû** m'absenter deux jours.*

*Il a eu son **dû**.*

228 est / et

● On écrit **est** quand il s'agit du verbe ou de l'auxiliaire **être**. Pour le reconnaître, on peut le remplacer par l'imparfait **était**.

*Il **est** très surpris.* Il était très surpris.

*Elle **est** arrivée.* Elle était arrivée.

● On écrit **et** quand il s'agit de la conjonction de coordination. On ne peut pas la remplacer par **était**.

*C'est un homme riche **et** puissant.*

⊖ C'est un homme riche était puissant.

229 la / l'a / là

● On écrit **la** :

– quand il s'agit du déterminant défini employé devant un nom féminin. Pour le reconnaître, on peut remplacer le nom féminin par un nom masculin ; **la** devient alors **le** ;

> **La** *chatte dormait au soleil.*
> *Le* chat dormait au soleil.

– quand il s'agit du pronom personnel féminin employé devant un verbe. Pour le reconnaître, on peut le remplacer par le pronom masculin **le**.

> *Cette voiture me plaît ;*
> *je **la** veux.*
> Ce collier me plaît ; je *le* veux.

● On écrit **l'a** quand il s'agit du verbe ou de l'auxiliaire **avoir** conjugué et précédé d'un pronom personnel. Pour le reconnaître, on peut le remplacer par l'imparfait **l'avait**.

> *Cette voiture, il **l'a** depuis deux jours.*
> Cette voiture, il *l'avait* depuis deux jours.

> *Ce livre, il **l'a** lu plus d'une fois.*
> Ce livre, il *l'avait* lu plus d'une fois.

● On écrit **là** quand il s'agit de l'adverbe de lieu. Pour le reconnaître, on peut le remplacer par **ici** ou un complément de lieu.

> *C'est **là** que nous nous sommes rencontrés.*
> C'est *ici* (c'est *dans cette ville*) que nous nous sommes rencontrés.

230 l'ai / les

● On écrit **l'ai** quand il s'agit du verbe **avoir** à la première personne du singulier précédé du pronom personnel élidé **le** ou **la**. Pour le reconnaître, on peut le remplacer par la première personne du pluriel **nous l'avons**.

> *Je **l'ai** rencontré ici.*
> *Nous l'avons* rencontré ici.

● On écrit **les** quand il s'agit du déterminant défini pluriel ou du pronom personnel pluriel. Pour le reconnaître, on peut le remplacer par les formes du singulier **le** ou **la**.

> *Les coureurs approchent ; je les aperçois.*
> *Le* coureur approche ; je l'aperçois.

231 leur / leurs

● **Leur** ne prend jamais de **s** quand il est devant un verbe. Il s'agit du pronom personnel au pluriel. Pour le reconnaître, on peut le remplacer par le pronom singulier **lui**.

> *Il **leur** a parlé.* Il *lui* a parlé.

● On écrit également **leur** quand il s'agit du déterminant possessif employé devant un nom singulier. Pour le reconnaître, on peut le remplacer par **sa** ou **son**.

> *Leur maison était spacieuse. Sa* maison était spacieuse.
> *Ils avaient écourté **leur** voyage.* Il avait écourté *son* voyage.

● On écrit **leurs** quand il s'agit du déterminant possessif employé devant un nom pluriel. Pour le reconnaître, on peut le remplacer par **ses**.

> *Leurs amis les avaient aidés. Ses* amis l'avaient aidé.

● On écrit également **leurs** quand il s'agit du pronom possessif **les leurs**.

232 mais / mes

● On écrit **mais** quand il s'agit de la conjonction de coordination. Pour la reconnaître, on peut la remplacer par **cependant**, **toutefois**.

> *Nous voulions pêcher, **mais** nous n'avions pas de canne à pêche.*
> Nous voulions pêcher, *toutefois* nous n'avions pas de canne à pêche.

● On écrit **mes** quand il s'agit du déterminant possessif pluriel de la première personne. Pour le reconnaître, on peut le remplacer par la deuxième personne **tes**.

> *Mes chaussures sont neuves. Tes* chaussures sont neuves.

233 ni / n'y

On écrit **ni** quand il s'agit de la conjonction de coordination. Pour la reconnaître, on peut mettre la phrase à la forme affirmative ; **ni** devient alors **et**.

*Il ne riait **ni** ne pleurait.* Il riait *et* il pleurait.

*Il ne voulait **ni** bonbons **ni** chocolat.*
Il voulait des bonbons *et* du chocolat.

On écrit **n'y** quand il s'agit du pronom personnel adverbial **y** précédé de la négation **n'**. Pour le reconnaître, on peut le remplacer par **à cela**, **à ce**, **dans cela**, **dans ce**... À la différence de **ni**, **n'y** peut toujours être précédé d'un pronom personnel sujet (*je, tu, il...*).

*Sophie **n'y** comprenait rien.*
Elle ne comprenait rien *à cela.*

*Il **n'y** faisait guère chaud.*
Il ne faisait guère chaud *dans ce* pays.

234 ont / on / on n'

On écrit **ont** quand il s'agit du verbe ou de l'auxiliaire **avoir**. Pour le reconnaître, on peut le remplacer par l'imparfait **avaient**.

*Nos voisins **ont** un nouveau chien.*
Nos voisins *avaient* un nouveau chien.

*Les spectateurs **ont** applaudi à tout rompre.*
Les spectateurs *avaient* applaudi à tout rompre.

On écrit **on** quand il s'agit du pronom personnel ou du pronom indéfini. On ne peut pas le remplacer par **avaient**.

***On** a tous eu très peur.*
➋ *Avaient* a tous eu très peur.

On écrit **on n'** quand il s'agit du pronom personnel ou du pronom indéfini suivi d'une négation : **n'... pas**, **n'... plus**, **n'... jamais**, **n'... rien**, **n'... personne**, **n'... aucun**, etc. Pour ne pas confondre **on n'** avec **on** suivi d'un verbe qui commence par une voyelle – ce qui entraîne une liaison –, on observe si la phrase est affirmative ou négative. On peut aussi remplacer **on** par **il**.

*On avait envie de partir. **On n'**avait aucune envie de partir.*
Il avait envie de partir. Il n'avait aucune envie de partir.

235 ou / où

▶ On écrit **ou** quand il s'agit de la conjonction de coordination. Pour la reconnaître, on peut la remplacer par **ou bien**.

*Préfères-tu la mer **ou** la montagne ?*
Préfères-tu la mer *ou bien* la montagne ?

▶ On écrit **où** quand il s'agit d'un adverbe interrogatif de lieu ou d'un pronom relatif qui introduit une subordonnée relative. On ne peut pas le remplacer par **ou bien**.

__Où__ irons-nous en vacances ?
⊖ *Ou bien* irons-nous en vacances ?

*Voici le chalet **où** j'ai passé mon enfance.*
⊖ Voici le chalet *ou bien* j'ai passé mon enfance.

236 peut être / peut-être

▶ On écrit **peut être** quand il s'agit du verbe **pouvoir** suivi du verbe **être**. Pour le reconnaître, on peut le remplacer par l'imparfait **pouvait être**.

*Malgré sa blessure, il **peut être** efficace sur le terrain.*
Malgré sa blessure, il *pouvait être* efficace sur le terrain.

▶ On écrit **peut-être** quand il s'agit de l'adverbe signifiant **probablement**. On ne peut pas le remplacer par **pouvait être**.

*Il a **peut-être** oublié.*
Il a *probablement* oublié. ⊖ Il a *pouvait être* oublié.

237 peux / peut / peu

▶ On écrit **peux** ou **peut** quand il s'agit du présent de l'indicatif du verbe **pouvoir** à la première et à la deuxième personne (*peux*) ou à la troisième personne (*peut*) du singulier. Pour le reconnaître, on peut le remplacer par l'imparfait **pouvais** ou **pouvait**.

*Tu **peux** partir quand tu veux.*
Tu *pouvais* partir quand tu voulais.

*Il ne **peut** rien faire comme tout le monde.*
Il ne *pouvait* rien faire comme tout le monde.

● On écrit **peu** quand il s'agit de l'adverbe de quantité ; il est invariable et on ne peut pas le remplacer par **pouvait**.

*Il y avait fort **peu** de dégâts.*
◒ Il y avait fort *pouvait* de dégâts.

238 plus tôt / plutôt

● On écrit **plus tôt** quand il s'agit du comparatif de l'adverbe **tôt**, le contraire de **tard**.
Pour le reconnaître, on peut le remplacer par **plus tard**.

*La prochaine fois, arrivez **plus tôt**.*
La prochaine fois, arrivez *plus tard*.

● On écrit **plutôt** quand il s'agit de l'adverbe qui exprime une préférence. Pour le reconnaître, on peut le remplacer par **de préférence**.

*Prenez **plutôt** ces pneus ; ils sont de meilleure qualité.*
Prenez *de préférence* ces pneus ; ils sont de meilleure qualité.

239 près / prêt

● On écrit **près** quand il s'agit de l'adverbe ou de la préposition exprimant la proximité dans le lieu ou le temps. Il est invariable. Employé comme préposition, **près** est suivi de **de**.

*L'homme s'était assis tout **près**.* Près signifie *à côté*.

*Il était **près de** partir, quand elle arriva.*
Près de signifie *sur le point de*.

● On écrit **prêt** quand il s'agit de l'adjectif qualificatif qui signifie **préparé** ou **disposé à**. Pour le reconnaître, on peut le mettre au féminin : **prête**. **Prêt** s'emploie avec la préposition **à**.

*Nous sommes **prêts** depuis plus d'une heure.*
Nous sommes *prêtes* depuis plus d'une heure.

*Je suis **prêt à** vous rendre service.*
Je suis *prête* à vous rendre service.

240 quand / quant / qu'en

🔹 On écrit **quand** lorsqu'il s'agit de l'adverbe interrogatif ou de la conjonction de subordination. Pour le reconnaître, on peut le remplacer par **à quel moment** ou par **lorsque**.

> *Quand rentres-tu ?* À quel moment rentres-tu ?
>
> *Les oiseaux s'envolèrent, **quand** retentit la détonation.*
> Les oiseaux s'envolèrent, *lorsque* retentit la détonation.

🔹 On écrit **quant** lorsqu'il s'agit de la préposition. Elle est toujours suivie de **à** ou **au(x)**. Pour la reconnaître, on peut la remplacer par **en ce qui concerne**.

> *Quant à moi, je ne crois pas pouvoir venir.*
> En ce qui me concerne, je ne crois pas pouvoir venir.
>
> *Quant aux enfants, ils devront partir chez leur père.*
> En ce qui concerne les enfants, ils devront partir chez leur père.

🔹 On écrit **qu'en** lorsqu'il s'agit de la conjonction de subordination ou du pronom **que** suivi de la préposition ou du pronom personnel adverbial **en**. Pour le reconnaître, on peut le remplacer par **que... de cela** ou le décomposer en *que en*.

> *Qu'en pensez-vous ?* Que pensez-vous de cela ?
>
> *Rien **qu'en** le voyant, j'ai compris qu'il était coupable.*
> ⊖ Rien *que en* le voyant, j'ai compris qu'il était coupable.

241 qu'elle / quel(s) / quelle(s)

🔹 On écrit **qu'elle** quand il s'agit de la conjonction de subordination ou du pronom relatif **que** suivi du pronom personnel **elle**. Pour le reconnaître, on peut le remplacer par **qu'il**.

> *Je pense qu'elle viendra.* Je pense *qu'il* viendra.
>
> *C'est une erreur **qu'elle** commet souvent.*
> C'est une erreur *qu'il* commet souvent.

🔹 On écrit **quel(s)** ou **quelle(s)** quand il s'agit du déterminant interrogatif ou exclamatif qui s'accorde avec le nom auquel il se rapporte. On ne peut pas le remplacer par **qu'il**.

> *Quelle belle robe !* ⊖ *Qu'il* belle robe !
> *Quel temps fait-il ?* ⊖ *Qu'il* temps fait-il ?

242 quel(s) que / quelle(s) que / quelque(s)

▶ On écrit **quel(s) que** ou **quelle(s) que** quand il s'agit de la locution suivie du verbe **être** au subjonctif. Dans ce cas, **quel** s'accorde en genre et en nombre avec le nom qui suit le verbe **être**.

> *Quels que soient <u>les résultats</u>, tu dois poursuivre.*
> *Quelle que soit <u>votre intention</u>, nous ne sortirons pas d'ici.*

▶ On écrit **quelques** quand il s'agit du déterminant indéfini qui précède un nom au pluriel. Pour le reconnaître, on peut le remplacer par **plusieurs** ou **des**.

> *Quelques personnes attendaient dans le hall.*
> Des *(plusieurs)* personnes attendaient dans le hall.

▶ On écrit **quelque** :

– quand il s'agit du déterminant indéfini qui précède un nom au singulier. Pour le reconnaître, on peut le remplacer par **un**, **un certain**, **un quelconque** ;

> *Dans cette affaire, j'ai eu **quelque** inquiétude.*
> Dans cette affaire, j'ai eu *une certaine* inquiétude.

– quand il s'agit d'un adverbe ; il est alors invariable et on peut le remplacer par **environ** ou **si**.

> *Il y avait **quelque** deux cents personnes.*
> Il y avait *environ* deux cents personnes.

> *Quelque sympathiques qu'ils soient, ils ne m'inspirent guère confiance.*
> *Si* sympathiques soient-ils, ils ne m'inspirent guère confiance.

243 quoique / quoi que

▶ On écrit **quoique** quand il s'agit de la conjonction de subordination. Pour la reconnaître, on peut la remplacer par **bien que**.

> *Quoiqu'il pleuve, Bernard part faire son jogging.*
> *Bien qu*'il pleuve, Bernard part faire son jogging.

On écrit **quoi que** quand il s'agit du pronom relatif composé qui signifie *quelle que soit la chose que*. On ne peut pas le remplacer par **bien que**.

> *Quoi que tu dises, tu auras raison.*
> ⊖ *Bien que tu dises, tu auras raison.*

244 sans / s'en

On écrit **sans** quand il s'agit de la préposition qui exprime le manque, la privation ; elle est le contraire de **avec**. On la rencontre devant un nom ou un infinitif.

> *Ils sont arrivés sans un bruit.*
> *Elles sont parties sans dire au revoir.*

On écrit **s'en** quand il s'agit du pronom personnel réfléchi (*s'* est la forme élidée de *se*) suivi du pronom personnel adverbial **en**. **S'en** ne se rencontre que devant un verbe pronominal. Pour le reconnaître, on peut conjuguer le verbe à une autre personne : **s'en** devient alors **m'en**, **t'en**...

> *De toute façon, il s'en moque complètement.*
> Je *m'en* moque, tu *t'en* moques...
> *Il ne pourra jamais s'en servir.*
> Tu ne pourras jamais *t'en* servir.

245 si / s'y / ci

On écrit **si** quand il s'agit de la conjonction de subordination qui exprime la **condition** ou de l'adverbe qui signifie **oui** ou **tellement**.

> *Si le temps le permet, nous irons à la mer.*
> *À condition que* le temps le permette, nous irons à la mer.
> *Mais si, c'est bien elle. Elle est si gentille.*
> Mais *oui*, c'est bien elle. Elle est *tellement* gentille.

On écrit **s'y** quand il s'agit du pronom personnel réfléchi **se** suivi du pronom personnel adverbial **y**. **S'y** fait partie d'un verbe pronominal à la troisième personne. Pour le reconnaître, on peut le remplacer par la première ou la deuxième personne **m'y** ou **t'y**.

> *Il ne s'y attendait vraiment pas.*
> Je ne *m'y* attendais vraiment pas.

▶ On écrit **ci** quand il s'agit de l'adverbe de lieu qui est l'abréviation de **ici**. On le rencontre également après le pronom ou le déterminant démonstratif : **celui-ci**, **celle-ci**, **ce... -ci**, **cet... -ci**, **cette... -ci**.

*Vous trouverez le document **ci**-joint.*

*Il y avait quelques promeneurs par-**ci** par-là.*

*Que fais-tu debout à cette heure-**ci** ?*

On écrit également **ci** quand il s'agit du pronom démonstratif qui est l'abréviation de **ceci**. Dans ce cas, il s'emploie avec **ça**.

*Comment vas-tu ? Comme **ci** comme ça.*

246 son / sont

▶ On écrit **son** quand il s'agit du déterminant possessif qui indique à qui appartient quelque chose. Pour le reconnaître, on peut le remplacer par **sa** ou **ses**.

__Son__ chien était un superbe animal.

Sa chienne, ses chiens...

▶ On écrit **sont** quand il s'agit du verbe ou de l'auxiliaire **être**. On peut le remplacer par l'imparfait **étaient**.

*Ils **sont** en retard.*

Ils étaient en retard.

*Elles **sont** venues nous voir.*

Elles étaient venues nous voir.

247 sur / sûr

● On écrit **sur** quand il s'agit de la préposition qui signifie **dessus**, **à propos de**. Elle est immédiatement suivie d'un nom ou d'un pronom.

> *Il y avait des papiers **sur** son bureau.*
> ⊖ Il y avait des papiers *dessus* son bureau.
>
> *Avez-vous des informations **sur** lui ?*
> Avez-vous des informations *à propos de* lui ?

● On écrit **sûr** quand il s'agit de l'adjectif qualificatif qui signifie **certain** ou **fiable**. Comme tout adjectif, il s'accorde avec le nom auquel il se rapporte.

> *Es-tu **sûr** de ce qu'elle t'a dit ? Ce n'est pas une personne **sûre**.*
> Es-tu *certain* de ce qu'elle t'a dit ? Ce n'est pas une personne *fiable*.

On le rencontre aussi dans les expressions **bien sûr**, **pour sûr**.

Les terminaisons verbales homophones

*Cela **fait**, il ét**ait** habillé, peigné, coiffé, préparé et parfumé, pendant quoi on lui répét**ait** les leçons du jour précédent.*

> ▶ François Rabelais, *Gargantua*.

Il ne faut pas confondre les terminaisons verbales en -*ait*, comme *fait, était, répétait,* et les terminaisons verbales en -*é*, comme *habillé, peigné, coiffé, préparé, parfumé,* même si elles sont homophones, puisqu'on entend presque le même son à la fin du mot.

248 Les terminaisons en –*ez*, –*er*, –*é*, –*ai*, –*ais*, –*ait*

▶ Plusieurs terminaisons verbales contiennent le son **é** [e] ou le son **ê** [ɛ] : les terminaisons en **-ez**, **-er**, **-é**, **-ai**, **-ais** et **-ait**. À l'oral, les deux sons ont tendance à se confondre. Cela crée une **homophonie** entre plusieurs formes du verbe qu'il faut bien distinguer.

▶ **-ez** ne peut être que la terminaison de la deuxième personne du pluriel ; cette terminaison est donc toujours associée au pronom personnel **vous** (sauf à l'impératif où le pronom est absent). Pour reconnaître la deuxième personne du pluriel, on peut la remplacer par la première personne du pluriel.

> <u>Vous</u> vous **flattez** beaucoup, et <u>vous</u> **devez** savoir
> Que qui sert bien son roi ne fait que son devoir.
> <u>Vous</u> vous **perdrez**, Monsieur, sur cette confiance.
>
> ▶ Pierre Corneille, *Le Cid*.

On pourrait dire : *Nous nous flattons beaucoup et nous devons savoir… Nous nous perdrons…*

◗ **-er** est la terminaison de l'**infinitif** des verbes du premier groupe. On trouve l'infinitif après les prépositions, après un premier verbe (autre qu'un auxiliaire) et comme sujet.

> *Il refuse <u>de</u> parler.* (infinitif après une préposition)
>
> *Il <u>faut</u> manger pour vivre.* (infinitif après un autre verbe)
>
> *Se tromper est humain.* (infinitif sujet)

Pour reconnaître le verbe à l'infinitif, on peut le remplacer par un verbe du troisième groupe à l'infinitif.

> *Mais un jour deux hirondelles ont volé jusqu'à Tintagel <u>pour</u>*
> *y porter l'un de tes cheveux d'or.* ◗ *Le Roman de Tristan et Iseut.*
>
> L'infinitif *porter* est construit après la préposition *pour*. On pourrait dire :
> *pour y prendre l'un de tes cheveux d'or.*

> *Pour construire un poème*
> *Il <u>faut</u> briser le temps* ◗ Georges Jean, *Les Mots du ressac.*
>
> L'infinitif *briser* suit un premier verbe, *faut*. On pourrait dire : *Il faut*
> *prendre le temps.*

◗ **-é** (ou **-ée**, **-és**, **-ées**) est la terminaison du **participe passé** des verbes du premier groupe. On trouve le participe :

– après les auxiliaires **être** ou **avoir** pour les temps composés ;

> *Elle <u>est</u> tombée. Nous <u>avions</u> oublié.*

– après l'auxiliaire **être** pour les formes passives et pronominales ;

> *Vous <u>serez</u> trompés.*

– employé seul (sans auxiliaire) comme épithète d'un nom ou apposé à un nom : *Le <u>soldat</u>, assommé, tomba à la renverse.*

Pour reconnaître le verbe au participe, on peut le remplacer par un verbe du troisième groupe au participe.

> *J'<u>ai</u> frappé à ta porte*
> *J'<u>ai</u> frappé à ton cœur*
> *pour avoir bon lit*
> *pour avoir bon feu* ◗ René Philombe, « L'homme qui te ressemble »,
> *Petites Gouttes de chant pour créer l'homme.*
>
> Le participe *frappé* suit l'auxiliaire *ai*. On pourrait dire : *J'ai couru à ta porte.*

> *Deux Coqs vivaient en paix : une Poule survint,*
> *Et voilà la <u>guerre</u> allumée.*
> ◗ Jean de La Fontaine, *Les Deux Coqs.*
>
> Le participe *allumée* est épithète du nom *guerre*. On pourrait dire :
> *Et voilà la guerre éteinte.*

Attention

Pour distinguer les formes **-é,-és, -ée, -ées**, il faut connaître
les règles d'accord du participe passé ▸ 210-217 .

◗ **-ai** est la terminaison de la première personne du singulier du
passé simple des verbes du premier groupe.
Pour reconnaître le verbe au passé simple, on peut le conjuguer à
la deuxième personne du singulier du passé simple.

> *Je **demeurai** quelques minutes à contempler sa silhouette*
> *merveilleuse.* ◗ PROSPER MÉRIMÉE, *La Vénus d'Ille.*
> On pourrait dire : *Tu demeuras quelques minutes...* À la deuxième
> personne du singulier, il n'y a plus d'homophonie.

◗ **-ais** est la terminaison de la première et de la deuxième personne
de l'**imparfait de l'indicatif** pour tous les groupes de verbes.
Pour reconnaître le verbe à l'imparfait, on peut le conjuguer à
une autre personne de l'imparfait de l'indicatif *(nous, vous)*.

> *J'**étais** moi-même un homme à habitudes régulières,*
> *et je n'**aimais** guère être dérangé à des heures indues.*
> ◗ CONAN DOYLE, *Le Ruban moucheté.*
> On pourrait dire : *Nous étions nous-mêmes... nous n'aimions guère...* À la
> première ou à la deuxième personne du pluriel, il n'y a plus d'homophonie.

◗ **-ait** est la terminaison de la troisième personne de l'**imparfait
de l'indicatif**. La terminaison **-t** est toujours une marque de la
troisième personne.

> *Chaque jour au retour de sa promenade il **demandait***
> *si aucun marin n'**était** passé sur la route.*
> ◗ ROBERT LOUIS STEVENSON, *L'Île au trésor.*

249 Les terminaisons en *–rai* et *–rais*

◗ **-rai** est la terminaison de la première personne du singulier du
futur de l'indicatif pour les trois groupes de verbes : *j'aimerai, je*
finirai, je prendrai.

◗ **-rais** est la terminaison de la première personne du **conditionnel présent** pour les trois groupes de verbes : *j'aimerais, je*
finirais, je prendrais.

▶ Pour distinguer ces deux homophones, on peut les conjuguer à la deuxième personne du singulier car alors les formes du futur et du conditionnel ne sont pas homophones : *je dirai, tu diras* (futur) ; *je dirais, tu dirais* (conditionnel).

> ÉLISE. — *Je me **tuerai** plutôt que d'épouser un tel mari.*
> HARPAGON. — *Tu ne te **tueras** point, et tu l'épouseras.*
>
> ▶ MOLIÈRE, *L'Avare.*

La réponse d'Harpagon confirme bien que *tuerai* est un futur et non un conditionnel.

250 Les terminaisons en *–i, –ie, –is, –it*

▶ Plusieurs terminaisons verbales contiennent le son **i** [i].

> *Mme Forestier alla vers son armoire à glace, **prit** un large coffret, l'apporta, l'**ouvrit**, et **dit** à Mme Loisel : « **Choisis**, ma chère. »*
>
> ▶ GUY DE MAUPASSANT, *La Parure.*

▶ Ces terminaisons peuvent être :

– des **présents de l'indicatif** des verbes du deuxième groupe *(finir)* et de certains verbes du troisième groupe *(dire)* aux trois personnes du singulier ;

> *je finis, tu finis, il finit   je dis, tu dis, il dit*

– des **impératifs** des verbes du deuxième groupe *(finir)* et de certains verbes du troisième groupe *(dire)* à la deuxième personne du singulier ;

> *finis, dis*

– des **passés simples** de l'indicatif des verbes du deuxième groupe *(finir)* et de certains verbes du troisième groupe *(dire, prendre, faire...)* aux trois personnes du singulier ;

> *je finis, tu finis, il finit*   *je dis, tu dis, il dit*
> *je pris, tu pris, il prit*   *je fis, tu fis, il fit*

– des **participes passés** des verbes du deuxième groupe *(finir)* et de certains verbes du troisième groupe *(dire, prendre...)*. Ils peuvent se terminer par **-i(e)**, par **-is** ou par **-it** : *fini(e), pris, écrit.*

ASTUCE

💡 **Les participes passés peuvent être distingués des autres formes s'ils sont mis au féminin.**

On voit alors s'ils sont terminés par une consonne ou non, et si oui par quelle consonne.

> *Le livre que j'ai **pris** à la bibliothèque est passionnant.*
> Au féminin, on aurait : *La photo que j'ai prise.* Donc, *pris* s'écrit *-is.*

251 Les terminaisons en *-u, -ue, -us, -ut*

🔹 Plusieurs terminaisons verbales contiennent le son **u** [y].

> *Le chat ne l'**eut** pas plus tôt **aperçue** qu'il se jeta dessus,*
> *et la mangea.* 🔹 CHARLES PERRAULT, *Le Maître Chat ou le Chat botté.*

🔹 Ces terminaisons peuvent être :

– des **présents de l'indicatif** des verbes du troisième groupe comme *conclure* aux trois personnes du singulier ;

> *je conclus, tu conclus, il conclut*

– des **impératifs** des verbes du troisième groupe comme *conclure* à la deuxième personne du singulier;

> *conclus*

– des **passés simples** de certains verbes du troisième groupe;

> *devoir: je dus; boire: je bus; croire: je crus; vivre: je vécus*
> *plaire: je plus, tu plus, il plut*
> *lire: je lus, tu lus, il lut*
> *conclure: je conclus, tu conclus, il conclut*

– des **participes passés** de certains verbes du troisième groupe.

> *plaire: plu; lire: lu(e); devoir: dû(ue); boire: bu(e);*
> *croire: cru(e); conclure: conclu(e); vivre: vécu(e)*

 Attention

■ **Il faut faire attention au participe passé en -*u*.**

Un participe passé en **-u** ne se termine jamais par **-t** ni par **-s**.

■ **Que marque la terminaison -*t*?**

Au présent comme au passé simple de tous les verbes, la terminaison **-t** est toujours une marque de la troisième personne.

■ **Quelles sont les formes identiques au présent et au passé simple?**

Certains verbes ont exactement les mêmes formes aux trois personnes du singulier du présent de l'indicatif et du passé simple de l'indicatif: *je finis* (présent ou passé simple); *je conclus* (présent ou passé simple).

Résumé

▶ Pour ne pas confondre les terminaisons verbales qui contiennent le son *é* [e] ou le son *ê* [ɛ], il faut:
  – leur substituer un verbe du troisième groupe;
  – les conjuguer à d'autres personnes.

▶ Pour ne pas confondre les terminaisons verbales qui contiennent le son *i* [i] ou le son *u* [y], il faut:
  – distinguer les formes personnelles des participes;
  – mettre les participes au féminin.

ORTHOGRAPHE

Les formes en –*ant*

Quand vous serez bien vieille, au soir, à la chandelle,
*Assise auprès du feu, **dévidant** et **filant**,*
*Direz, **chantant** mes vers, en vous **émerveillant** :*
« Ronsard me célébrait du temps que j'étais belle ! »

▶ PIERRE DE RONSARD, *Sonnets pour Hélène.*

Ces vers comportent plusieurs formes en -*ant* qui correspondent à des formes verbales différentes : le participe présent et le gérondif.

252 L'adjectif verbal et le participe présent

▶ Il existe deux formes verbales terminées par le suffixe **-ant** : l'une a un emploi d'adjectif, on l'appelle l'**adjectif verbal** ; l'autre a un emploi de verbe, on l'appelle le **participe présent**. Il est important de les distinguer car leur orthographe est souvent différente.

*Ayant ainsi parlé, Athéna aux yeux **brillants** retourna dans l'Olympe.*
*Aussitôt l'aube parut sur son trône d'or, **réveillant** Nausicaa au beau voile.* ▶ HOMÈRE, *Odyssée.*

Dans cet exemple, *brillants* se rapporte au nom *yeux* auquel il s'accorde comme un adjectif qualificatif : il s'agit d'un adjectif verbal.

Réveillant se comporte comme un verbe puisqu'il est suivi d'un complément d'objet *(Nausicaa)* et il ne s'accorde pas avec le nom féminin *aube* auquel il se rapporte : il s'agit d'un participe présent.

▶ L'**adjectif verbal** se comporte comme un adjectif : il **s'accorde** en genre et en nombre avec le **nom** auquel il se rapporte. Il peut occuper toutes les fonctions d'un adjectif et il peut varier en degré grâce à la présence d'un adverbe antéposé.

*Si la conduite des hommes avait été **alarmante** dans le canot, elle devint réellement **menaçante** quand ils furent remontés à bord.* ▶ ROBERT LOUIS STEVENSON, *L'Île au trésor.*

Les formes verbales *alarmante* et *menaçante* s'accordent en genre et en nombre avec *la conduite*, car il s'agit d'adjectifs verbaux. Ils sont tous les deux attributs du sujet. L'adverbe *réellement* accroît l'intensité de l'adjectif *menaçante*.

● Le **participe présent** est un mode impersonnel du verbe : il est **invariable**. Il peut être suivi d'un complément d'objet ou d'un complément circonstanciel. Il peut se mettre à la forme négative (*ne... pas*) et il peut introduire une subordonnée.

*Pour confirmation, le jeune Martin ira demander à notre bien-aimé recteur, maître Hervé Péro, une attestation écrite, **confirmant** qu'il possède vraiment, malgré son jeune âge, le grade de bachelier...*

▶ ÉVELYNE BRISOU-PELLEN, *Le Fantôme de maître Guillemin.*

Confirmant est un participe présent, il reste invariable. Il introduit la subordonnée qui termine la citation.

● Lorsque le participe présent est **précédé de la préposition** *en*, il constitue un **gérondif**. Cette forme verbale, qui est toujours **invariable**, joue le rôle d'un complément circonstanciel.

*Et la maîtresse a serré la main de nos papas et de nos mamans, qui faisaient des gros sourires et qui nous faisaient bonjour **en remuant** les doigts, **en clignant** les yeux ou **en bougeant** la tête.*

▶ JEAN-JACQUES SEMPÉ et RENÉ GOSCINNY, *La Rentrée du Petit Nicolas.*

Les formes verbales *en remuant, en clignant, en bougeant* sont des compléments circonstanciels se rapportant au pronom relatif *qui* dont l'antécédent (*nos papas et nos mamans*) est pluriel. Pourtant ils ne s'accordent pas car il s'agit de gérondifs.

253 Quelques particularités orthographiques

◗ Certains adjectifs verbaux ont des particularités orthographiques qui les distinguent des participes présents :

– Les participes présents des verbes en **-quer** et **-guer** gardent la forme du radical des verbes (**-quant**, **-guant**) alors que les adjectifs verbaux de ces verbes ont une forme spécifique (**-cant**, **-gant**).

Verbe	Participe présent	Adjectif verbal
provoquer	provoquant	provocant
fatiguer	fatiguant	fatigant
naviguer	naviguant	navigant
communiquer	communiquant	communicant
convaincre	convainquant	convaincant

*Elle a passé une journée très **fatigante** !*
*Elle travaille souvent avec des écrans **fatiguant** ses yeux.*
Dans la première phrase, la forme verbale *fatigante* est employée en tant qu'adjectif verbal. Dans la deuxième phrase, *fatiguant* est un participe présent, donc l'orthographe « gu » du radical du verbe à l'infinitif est conservée.

– Le participe présent a toujours la désinence **-ant**, alors que certains adjectifs verbaux se terminent par **-ent**.

Verbe	Participe présent	Adjectif verbal
influer	influant	influent
différer	différant	différent
précéder	précédant	précédent
équivaloir	équivalant	équivalent
négliger	négligeant	négligent

*Je l'ai rencontré durant les **précédentes** vacances.*
*Il s'est blessé le jour **précédant** son examen.*
Dans la première phrase, la forme verbale *précédentes* est employée en tant qu'adjectif verbal. Dans la deuxième phrase, *précédant* est un participe présent.

Comment distinguer facilement l'adjectif verbal et le participe présent ?

■ On peut remplacer le nom par un nom féminin de façon à rendre l'accord audible et visible : si cet accord est possible, il s'agit d'un adjectif verbal. Dans le cas contraire, il s'agit d'un participe présent.

*Les enfants, **énervant** leur mère, sont punis.*

On ne peut pas dire : ○ *Les filles, énervantes leur mère, sont punies.*

Il n'y a pas d'accord possible, donc *énervant* est un participe présent.

*Les enfants, **énervants**, sont punis.*

On peut dire : *Les filles, énervantes, sont punies.*

L'accord est possible, donc *énervants* est un adjectif verbal.

■ On peut également essayer de placer un adverbe devant : cela sera possible pour l'adjectif verbal, mais impossible pour le participe présent.

On ne peut pas dire : ○ *Les enfants, très énervant leur mère, sont punis.*

Donc, *énervant* est un participe présent.

On peut dire : *Les enfants, très énervants, sont punis.*

Donc, dans ce cas, *énervants* est un adjectif verbal.

■ On peut enfin essayer de remplacer le mot en *-ant* par un autre adjectif : cela sera possible pour l'adjectif verbal, mais impossible pour le participe présent.

On ne peut pas remplacer : *Les enfants, énervant leur mère, sont punis.*

par : ○ *Les enfants, turbulent leur mère, sont punis.*

Donc, *énervant* est un participe présent.

On peut remplacer : *Les enfants, énervants, sont punis.*

par : *Les enfants, turbulents, sont punis.*

Donc, dans ce cas, *énervants* est un adjectif verbal.

Résumé

◗ L'adjectif verbal, contrairement au participe présent, s'accorde en genre et en nombre avec le nom auquel il se rapporte.

◗ Quand le participe présent est précédé de *en*, il s'agit d'un gérondif, qui est invariable.

Les doubles consonnes

Mme Verdebois mastiquait consciencieusement, les yeux rivés sur l'émission de variétés saucissonnée de publicités. C'était une bonne femme mafflue.

▶ ROALD DAHL, *Matilda*.

Quand faut-il doubler les consonnes ? Voilà une question difficile, mais quelques règles existent.

254 Les doubles consonnes au début d'un mot

▶ On double la consonne dans les mots :

– commençant par **ac-** : *accord, accoudoir...* ; parfois, cela s'entend dans la prononciation : *accident, accéder...*
Exceptions : *acacia, acompte, académie...*

– commençant par **af-** : *affamé, affluence...*
Exceptions : *afin, Afrique, africain.*

– commençant par **ap-** : *appareil, appeler...*
Exceptions : *apercevoir, aplatir, apostrophe, apaiser, apeurer, apitoyer, aplomb...*

– commençant par **as-** si la consonne est suivie d'une voyelle : *assez, associé...* (mais *aspirer*).

– commençant par **eff-** ou **off-** : *effort, officiel...*

▶ On ne double pas la consonne dans les mots :

– commençant par **ad-** : *adroit, adopter...*
Exceptions : les mots de la famille d'*addition.*

– commençant par **ag-** : *agricole, agrafe...*
Exceptions : *agglomération, aggraver, agglutiner* et les mots de la même famille.

● Identifier les **préfixes** et leur sens permet parfois d'écrire correctement le début d'un mot. La dernière consonne du préfixe s'assimile parfois à la première consonne du radical.

● Lorsque le préfixe **a-** ou **ad-** signifie « en direction de », il s'écrit :

– toujours **a-** devant la consonne **b** : *aborder, aboutir, abattre...*
Il n'y a donc pas de doublement de consonne en début de mot.

– toujours **a-** devant la consonne **m** : *améliorer, amortir, amerrir...*
Il n'y a donc pas de doublement de consonne en début de mot.

– toujours **an-** devant la consonne **n**, qui est donc doublée : *annonce, annoter, annexe...*
Exception : *anoblir.*

– toujours **ar-** devant la consonne **r**, qui est donc doublée : *arriver, arracher, arranger...*
Exception : *araser.*

 Attention

Le préfixe *a-* est parfois utilisé dans un sens négatif.

Dans ce cas, la consonne qui suit n'est pas doublée, comme dans les mots *anormal, amoral, apolitique...*

● Lorsque le préfixe **in-** est utilisé dans un sens négatif devant les radicaux commençant par les consonnes **l**, **m**, **n** ou **r**, il se modifie et sa consonne s'assimile à celle du radical qui est alors toujours doublée : *illégal, immoral, innocent, irréfléchi...*

 Attention

Tous les mots commençant par *i* ne comportent pas le préfixe *in-*.

La consonne qui suit le **i** n'est donc pas doublée. C'est le cas de mots comme *île, ironie, iris...*

255 Les doubles consonnes au milieu d'un mot

◗ Connaître des mots de la même famille et l'étymologie permet souvent de savoir s'il faut doubler ou non la consonne à l'intérieur d'un mot. Pour les **familles de mots régulières**, le radical reste inchangé.

– Les mots de la famille de **terre** prennent deux **r** : *terrain, terrestre, terrasse, enterrer...*

– Les mots de la famille de **fer** prennent deux **r** : *ferreux, ferrailleur, ferrure...* Le mot **fer** ne prend qu'un **r** car la consonne termine le mot.

– Les mots de la famille de **moral** prennent un seul **l** : *moralité, morale, démoraliser...*

– Les mots qui proviennent du latin *domus* (maison) ne prennent qu'un **m** : *domestique, domicile, domaine...*

– Les mots qui proviennent du latin *manus* (main) ne prennent qu'un **n** : *manette, manucure, manuscrit...*

– Les mots qui proviennent du grec *khrônos* (temps) ne prennent qu'un **n** : *chronologie, anachronisme, chronomètre...*

◗ Mais il existe des **familles de mots irrégulières**. Cette irrégularité peut parfois s'expliquer par la persistance de deux radicaux, l'un savant (directement emprunté au latin) à consonne simple et l'autre populaire à consonne double.

– Le latin *honor* (honneur) a donné *honorer, honorable*, mais aussi *honneur, honnête...*

– Le latin *nomen* (nom) a donné *nominal, nomination*, mais aussi *nommer, renommée.*

– Le latin *donare* (donner) a donné *donation, donateur*, mais aussi *donner, pardonner.*

– Le latin *moneta* (monnaie) a donné *monétaire,* mais aussi *monnaie, monnayer...*

– Le latin *sonus* (son) a donné *résonance, assonance*, mais aussi *sonner, consonne.*

● Cependant, certaines irrégularités ne s'expliquent pas par cette règle. Il reste à les apprendre !
– *battre, combattre*, mais *bataille, courbature...*
– *collier, décolleté*, mais *encolure, accolade...*
– *charrette, charrue*, mais *chariot.*

⚠ **Attention**

On peut désormais harmoniser l'orthographe des mots d'une même famille.
(Rectifications orthographiques de 1990)

On peut, par exemple, écrire :
  – *charriot* (sur le modèle de *charrette*) ;
  – *combattif* (sur le modèle de *battre*) ;
  – *bonhommie* (sur le modèle de *bonhomme* et *homme*) ;
  – *boursouffler* (sur le modèle de *souffler*).

● La prononciation indique quelquefois qu'il faut doubler la consonne :
– entre deux voyelles, le **s** doit être doublé s'il se prononce [s] et non [z] : *poisson, poison* ;
– la voyelle **e** se prononce [ɛ] ou [e] devant des consonnes doubles : *échelle, verrou...* ;
– la voyelle **e** se prononce [a] devant le **m** doublé : *prudemment, femme...*

● Le doublement de la consonne permet parfois de distinguer des homonymes.

canne – cane	*ballade – balade*
salle – sale	*datte – date*

256 Les doubles consonnes à la fin d'un mot

▶ Lorsqu'un adjectif passe au féminin, il arrive que la consonne soit doublée :
– adjectifs en **-el** : *réelle* ;
– adjectifs en **-ien** : *ancienne* ;
– adjectifs en **-s** : *grasse* ;
– adjectifs en **-on** : *gloutonne* ;
– quelques adjectifs en **-et** : *muette*.

▶ Quelques noms féminins correspondant à certains noms masculins comportent une double consonne :
– noms en **-ien** : *chienne* ;
– noms en **-on** ou **-ion** : *polissonne, lionne*.

▶ Les verbes en **-onner** prennent toujours deux **n** : *chantonner, sermonner*…
Exceptions : *détoner, ramoner, s'époumoner, dissoner*.

▶ Lorsqu'un adverbe est formé à partir d'adjectifs terminés par **-ant** ou **-ent** au masculin singulier, il prend **toujours deux m** : *abondamment, prudemment*…

⚠ Attention

On peut désormais conjuguer sur le modèle de *acheter* **ou de** *peler* **tous les verbes en** *-eler* **et en** *-eter* **sauf** *appeler*, *jeter* **et leurs dérivés.** (Rectifications orthographiques de 1990)

Auparavant, on devait écrire : *j'épelle, il ruisselle, il époussette*…
On peut désormais écrire : *j'épèle, il ruissèle, il époussète*…

257 Les consonnes non doublées

▶ On ne double jamais les consonnes **h**, **j**, **q**, **v**, **w**, **x**.

▶ On ne double jamais une consonne qui suit une voyelle comportant un accent : *parallèle, hérisson*…

● On ne double jamais une consonne qui suit une autre consonne : *insecte, gonflement*... sauf pour les verbes **tenir** et **venir** à l'imparfait du subjonctif : *que je tinsse, que tu vinsses*...

● On ne double pas une consonne (sauf le **s** prononcé [s] comme dans *aussi*) après les groupes de lettres **ai**, **au**, **oi** : *prairie, auteur, voiture*...

● On ne met jamais de consonnes doubles comme premières ni dernières lettres d'un mot, sauf pour quelques termes empruntés à des langues étrangères : *football, hall*...

La fin des noms

*Un écho, un héros, un abri, un tapis, un délai, un relais,
un accord, un drap, un enseignant…*

Que de diversité dans l'écriture de la fin des noms!

258 Les noms terminés par les sons [εj], [aj], [œj], [uj], [war]

▶ Les noms terminés par les sons [εj], [aj], [œj], [uj], [war] prennent un **e** s'ils sont féminins: le **l** est alors doublé.

> *un réveil – une abeille*
> *un éventail – une maille*
> *un chevreuil – une feuille*
> *un fenouil – une grenouille*
> *un couloir – une baignoire*

▶ Il existe quelques exceptions:

– les composés masculins de *feuille* s'écrivent **-lle**: *un portefeuille, un millefeuille…*

– quelques noms masculins en [war] prennent un **-e**: *un répertoire, un laboratoire, un territoire…*

⚠ Attention

Après les consonnes c et g, on écrit -ueil et non -euil.

> *un accueil – un recueil – l'orgueil*

259 Les noms terminés par le son [y]

● Les noms terminés par le son [y] prennent un **e** au féminin :
un tissu, une grue, une rue...
Exceptions : *la glu, la tribu, la vertu...*

● Quelques noms masculins en [y] se terminent par une consonne muette :
un talus, un jus, un flux...

260 Les noms terminés par le son [i]

● Les noms féminins terminés par le son [i] prennent un **e** :
la zizanie, la pluie... ;
Exceptions : *la souris, la brebis, la perdrix, la fourmi, la nuit.*

● Les noms masculins peuvent, eux, s'écrire de façon très diverse :
un abri, un nid, un répit, un outil, un rubis...

261 Les noms terminés par le son [e]

● Les noms féminins terminés par le son [e] prennent un **e** (sauf *clé* ou *clef*) : *une randonnée, la pensée...*

● La plupart des noms masculins terminés par le son [e] s'écrivent **-er** : *un déjeuner, un sorcier, un sanglier...*

● Quelques rares noms masculins en [e] prennent aussi un **e** :
un lycée, un scarabée...

262 Les noms terminés par le son [ɛ]

● Les noms féminins terminés par le son [ɛ] s'écrivent **-aie** :
la monnaie, une baie, une hêtraie...
Exceptions : *la paix* et *la forêt.*

● Les noms masculins terminés par le son [ɛ] s'écrivent généralement **-et** : *un sonnet, le muguet, le ticket...*
Exceptions : *le relais, le quai, le souhait, le poney, l'abcès, le portrait, le marais...*

263 Les noms terminés par les sons [te] et [tje]

▶ Les noms féminins terminés par les sons [te] et [tje] ne prennent pas de **e** : *une qualité, une amitié...*
Exceptions : les noms qui désignent un contenu, comme *une pelletée, une charretée...* Six autres noms prennent un **e** : *une butée, une dictée, une jetée, une montée, une pâtée, une portée.*

▶ Les noms masculins terminés par le son [tje] prennent tous un **r** : *le charcutier, le quartier...*

264 Les noms terminés par le son [œr]

▶ Les noms terminés par le son [œr] s'écrivent toujours sans **e**, quel que soit leur genre : *un vendeur, l'ardeur.*
Exceptions : *le beurre, la demeure, l'heure, le leurre.*

265 Les noms terminés par le son [u]

▶ Les noms féminins terminés par le son [u] prennent un **e** : *la boue, la joue, la moue...*
Exception : *la toux.*

▶ Les noms masculins peuvent, eux, s'écrire de façon très diverse : *le caoutchouc, le loup, le pouls, le pou, le ragoût...*

266 Les noms terminés par les sons [yr] et [yl]

▶ Les noms terminés par le son [yr] prennent généralement un **e** : *la voiture, la confiture, la piqûre, le mercure...*
Exceptions : *le mur, l'azur, le futur, le fémur.*

● Les noms terminés par le son [yl] prennent un **e** : *la majuscule, la pendule, le monticule, le ventricule...*
Exceptions : *le consul, le recul, le calcul.*
Attention : *bulle* et *tulle* prennent deux **l**.

ASTUCE

Pour savoir comment s'écrit la fin d'un nom, on peut s'aider d'autres mots de la même famille.

■ Les mots de la même famille rappellent souvent la présence d'une consonne muette.

le retard – retarder	*le repos – reposer*
l'exploit – exploiter	*le rang – ranger*
le sanglot – sangloter	

■ Rechercher un mot de la même famille permet parfois de ne pas se tromper quand on hésite entre deux homonymes.

le chant – chanter	*le champ – champêtre*
le coup – couper	*le coût – coûter*

■ Il existe cependant des irrégularités.
le numéro (de la famille de *numéroter*)
le chaos (de la famille de *chaotique*)
le favori (de la famille de *favoriser*)

Les adverbes en *-ment*

> *À quatre ans, elle lisait coura**ment**
> et, tout naturelle**ment**, se mit à rêver
> de livres.*
>
> ▶ ROALD DAHL, *Matilda*.

L'orthographe des adverbes en *-ment*
obéit à des règles précises.

267 Comment se forment les adverbes en *-ment*?

▶ La plupart des adverbes de manière se terminent par **-ment**.
Pour les écrire correctement, il faut savoir comment ils sont formés.
Les adverbes en **-ment** se forment dans la plupart des cas en
ajoutant à l'**adjectif féminin singulier le suffixe -ment**: *curieuse,
curieuse**ment***.

▶ Cependant, quelques particularités sont à signaler:
– lorsque l'adjectif est identique au masculin et au féminin, on
ajoute simplement le suffixe: *aimable, aimable**ment***;
– lorsque l'adjectif se termine par une voyelle autre que le **e**,
on ajoute le suffixe à l'adjectif masculin: *vrai, vrai**ment**; poli,
poli**ment**; absolu, absolu**ment**; aisé, aisé**ment***;
– lorsque l'adjectif se termine par **-ant** ou **-ent**, une règle
particulière s'applique 268 .

⚠ Attention

Un accent s'ajoute parfois pour former l'adverbe.

▪ Dans la formation de quelques adverbes, le **e** de l'adjectif devient **é**:
intensément, aveuglément, précisément...

▪ Beaucoup d'adverbes issus d'adjectifs en **-u** prennent un accent
circonflexe: *continûment, goulûment, assidûment*... mais son omission
est maintenant tolérée. (Rectifications orthographiques de 1990)

268 Les adverbes en –*ment* formés sur les adjectifs en –*ant* ou –*ent*

● Lorsque l'adverbe en **-ment** est formé à partir d'adjectifs terminés par **-ant** ou **-ent** au masculin singulier, il prend **toujours deux m**.

Pour l'écrire correctement, il suffit de conserver la voyelle employée dans l'adjectif :

– l'adjectif terminé par **-ant** donne un adverbe en **-amment** : *constant, constamment* ; *puissant, puissamment* ;

– l'adjectif terminé par **-ent** donne un adverbe en **-emment** : *prudent, prudemment* ; *violent, violemment*.

Dans les deux cas, on prononce [amã]. Mais il existe quelques exceptions : *lentement, présentement, véhémentement*... qui se prononcent [əmã].

269 Quelques adverbes irréguliers

● Quelques adverbes en **-ment** n'obéissent pas aux règles générales : *brièvement, grièvement, gentiment, impunément, notamment, sciemment*...

● L'adverbe issu de l'adjectif *gai* peut s'écrire *gaiement* ou *gaîment*.

Résumé

● Pour former la plupart des adverbes de manière, il faut ajouter le suffixe -*ment* à l'adjectif féminin singulier.

● Les adjectifs en -*ant* et -*ent* donnent respectivement des adverbes en -*amment* et -*emment*.

Les accents

[...] *Moi qui suis en ménage*
Depuis... ah! y a bel âge!
De vous goûter, manèges,
Je n'ai plus... que n'ai-je?...
L'âge. [...]

▶ MAX JACOB, *Avenue du Maine.*

Qu'ils soient graves, aigus ou circonflexes, les accents coiffent souvent les voyelles!

270 Les différents accents

▶ Les accents sont des signes graphiques qui se placent sur les voyelles :

– pour indiquer leur prononciation : *la gelée* ne se prononce pas comme *il gèle* ;

– pour permettre de distinguer des homonymes : *sur, sûr* ; *ou, où* ; *du, dû* ; *ça, çà.*

▶ On distingue :

– l'accent **aigu**, qui ne se place que sur la voyelle **e** : *été, habité* ;

– l'accent **grave**, qui peut se placer sur les voyelles **a**, **e**, **u** : *déjà, flèche, où* ;

– l'accent **circonflexe**, qui peut se placer sur toutes les voyelles : *âne, pêche, dîner, drôle, flûte.*

271 Les règles d'emploi des différents accents

▶ On ne met jamais d'accent devant une consonne double ni devant un **x** : *couette, exil.*

▶ Un accent ne peut pas être suivi d'une consonne double : *émission, planète.*

▶ L'**accent aigu** sur le **e** indique la prononciation fermée [e] : *étage.*

● On ne met jamais d'accent aigu sur un **e** qui précède les consonnes finales **d**, **f**, **r**, **z**, même si on entend le son [e] : *pied, clef* (qui peut s'écrire *clé*), *premier, nez*.

⚠ Attention

■ **Certains mots qui s'écrivaient avec un accent aigu sur le e peuvent prendre un accent grave.**
(Rectifications orthographiques de 1990)

> *un événement : un évènement*   *je céderai : je cèderai*

■ **L'accent grave peut remplacer le doublement de la consonne.**

Cette règle s'applique dans la conjugaison des verbes en **-eler** et **-eter**, sauf pour les verbes **jeter**, **appeler** et leurs dérivés (→ **R2** p. 459).

> *j'épèle, tu époussètes*

● L'**accent grave** :

– placé sur le **e**, il indique la prononciation ouverte [ɛ] : *je pèse* ;

– placé sur le **a** ou sur le **u**, il ne change pas la prononciation mais permet de distinguer des homonymes : *la, là ; ou, où*.

● L'**accent circonflexe** :

– placé sur le **e**, le **a** ou le **o**, il change la prononciation par rapport à la même lettre sans accent : *fête* (son [ɛ] comme pour l'accent grave), *bâton* (son [ɑ]), *rôti* (son [o]) ;

– placé sur le **i** ou le **u**, il ne change pas la prononciation mais permet parfois de distinguer des homonymes : *mur, mûr*.

⚠ Attention

L'accent circonflexe n'est plus obligatoire dans certains cas sur les voyelles *i* et *u*.
(Rectifications orthographiques de 1990)

■ On peut écrire, par exemple : *boite, paraitre, diner*.

■ Mais il faut garder l'accent circonflexe pour les terminaisons verbales au passé simple et à l'imparfait du subjonctif : *nous sentîmes, qu'il crût*.

■ Cet accent reste obligatoire lorsqu'il permet de distinguer des homonymes : *j'ai dû accepter* ; *sûr de lui* ; *un fruit mûr* ; *il jeûne* ; *la plante croît*.

CONJUGAISON

Avant de commencer

Testez vos connaissances en conjugaison !

Besoin d'aide ? Reportez-vous au(x) paragraphe(s) indiqué(s) à droite.

1. Quels sont les auxiliaires qui permettent de conjuguer les temps composés ? **272**

☐ devoir   ☐ avoir   ☐ être

---

2. Lequel de ces verbes est à la voix passive ? **277**

☐ il est parti   ☐ il est cassé   ☐ il est redescendu

---

3. Dans la phrase *Ils se dévisagèrent longuement*, le verbe pronominal est : **280**

☐ réfléchi   ☐ réciproque

---

4. Parmi les verbes suivants, lesquels appartiennent au 3ᵉ groupe ? **283 à 285**

☐ il prit   ☐ il lit   ☐ il rougit

☐ il prie   ☐ il vit   ☐ il crie

---

5. Lequel de ces verbes prend un *d* à la 3ᵉ personne du singulier du présent de l'indicatif ? **288**

☐ craindre   ☐ descendre   ☐ résoudre

---

6. Quelle est la forme correcte du verbe *vaincre* à la 3ᵉ personne du singulier du présent de l'indicatif ? **288**

☐ il vainc   ☐ il vaint   ☐ il vainct

---

7. Laquelle de ces formes verbales est à la fois un présent et un passé simple de l'indicatif ? **292**

☐ il vit   ☐ il finit   ☐ il lit   ☐ il prit

---

8. Trouvez l'intrus. **297**

☐ tu saurais   ☐ je mangerai   ☐ vous seriez   ☐ il verrait

9. Quel est le participe passé au masculin singulier du verbe *conclure* ? `299`

☐ conclus   ☐ conclu   ☐ conclut

10. Dans la phrase *Puissions-nous retourner à Venise !*, qu'exprime le subjonctif ? `303`

☐ un ordre   ☐ une supposition   ☐ un souhait

11. Associez chaque emploi du présent à sa valeur. `310`

1. L'orage gronda. Aussitôt
il prend la fuite.   a. actuel

2. Quelle heure est-il ?   b. futur proche

3. Cinq et cinq font dix.   c. vérité générale

4. Il part dans un instant.   d. narration

12. Dans la phrase *Tu iras au cinéma quand tu auras rangé ta chambre*, le verbe *auras rangé* exprime : `314`

☐ la postériorité   ☐ l'antériorité   ☐ la simultanéité

13. Laquelle de ces formes verbales exprime une action en cours d'accomplissement ? `317`

☐ Il dormait profondément.   ☐ Il avait profondément dormi.

14. Quelle est la forme correcte de l'impératif présent du verbe *avoir* ? `322`

☐ aies confiance   ☐ ai confiance

☐ ale confiance   ☐ ais confiance

15. Associez chaque forme du verbe *finir* à son mode et son temps. `326`

1. en ayant fini   a. indicatif passé antérieur

2. qu'il ait fini   b. indicatif plus-que-parfait

3. ils eurent fini   c. gérondif passé

4. nous avions fini   d. subjonctif passé

Corrigés p. 478

La conjugaison du verbe

*Tout **dormait, dorma, dormut***
Dans les vieux pays fourbus.
*Et tout **dormirait** encore,*
*Tout **dormirait** à jamais.*
▶ Géo Norge, « Chant du Merle », *La Belle Saison.*

Voilà une conjugaison bien poétique
du verbe *dormir*... mais pas très
grammaticale !

272 Comment un verbe est-il conjugué ?

▶ Un verbe comprend un radical et une terminaison :

– le **radical** indique le sens du verbe ; cette partie du verbe
change peu ;

> **aim**er
> Le radical du verbe *aimer* est *aim-*.

> **pouv**oir
> Les radicaux du verbe *pouvoir* sont *peu-, pouv-, pu-*.

– la **terminaison change** selon la personne, le temps et le mode
du verbe.

> *Je veux faire **pendre** tout le monde : et si je ne retrouve*
> *mon argent, je me **pendrai** moi-même après.*
>
> ▶ Molière, *L'Avare.*

> *Pend-* est le radical du verbe *pendre*.
> *-re* est la terminaison de l'infinitif ;
> *-rai* est la terminaison du futur de l'indicatif, première personne du singulier.

▶ Un verbe peut prendre différentes formes :

– une forme **simple** ne comprenant qu'un seul mot ;

– une forme **composée** comprenant deux ou trois mots dont un
auxiliaire, **être** ou **avoir**.
On appelle ces formes du verbe des formes verbales.

● Dans une forme verbale composée, l'**auxiliaire** porte les marques de **personne**, de **temps** et de **mode** du verbe.

> *Un soir le petit Gavroche n'**avait** point **mangé** ;*
> *il se souvint qu'il n'**avait** pas non plus **dîné** la veille.*
>
> ▶ Victor Hugo, *Les Misérables*.

Avait mangé et *avait dîné* sont deux formes verbales composées de l'auxiliaire *avoir* et du participe passé des verbes *manger* et *dîner*. L'auxiliaire comporte la marque de la troisième personne, la marque de temps et de mode : indicatif imparfait. L'ensemble de la forme verbale est au plus-que-parfait de l'indicatif.

Pour aller plus loin

▪ **Les formes verbales composées sont parfois séparées par d'autres mots.**

Dans l'exemple ci-dessus, les adverbes de négation *n'... point* et *n'... pas non plus* séparent les formes verbales composées.

▪ **La combinaison des marques de personne, de temps, et de mode produit un système de 97 formes.**

On appelle cet ensemble la **conjugaison** du verbe.

Les verbes ne possèdent pas tous ces 97 formes. Certains n'en possèdent que très peu : il s'agit de verbes anciens ou limités dans leurs emplois à cause de leur sens. On les appelle les **verbes défectifs**.

choir : ce verbe ancien n'a plus d'imparfait de l'indicatif ni de présent du subjonctif. C'est un verbe défectif.

pleuvoir : ce verbe n'existe qu'à la troisième personne. C'est un verbe défectif.

273 Les marques de personne

● Le verbe comprend généralement des **marques de personne** (*je, tu, il, elle, on, nous, vous, ils, elles*).

> ***Nous sommes passés** devant le magasin de jouets et, dans la vitrine, **j'ai vu** des nez en carton qu'**on met** sur la figure pour faire rire les copains.*
>
> ▶ Jean-Jacques Sempé et René Goscinny, *Les Récrés du Petit Nicolas*.

Sommes passés est à la première personne du pluriel ; *ai vu* à la première personne du singulier ; *met* à la troisième personne du singulier.

● Certaines formes verbales ne contiennent pas de marques de personne : l'**infinitif**, le **participe** et le **gérondif**. On les appelle des **formes non conjuguées** du verbe.

*Quitter un appartement. **Vider** les lieux. **Décamper.***
*****Faire** place nette. **Débarrasser** le plancher.*

▶ GEORGES PEREC, « Déménager », *Espèces d'espaces.*

Quitter, vider, décamper, faire et *débarrasser* sont des formes
non conjuguées.

274 Temps simple et temps composé

▶ Le verbe se conjugue selon deux types de temps : les temps
simples et les temps **composés**.

▶ Les temps simples sont constitués d'un seul mot. On distingue :
le **présent**, l'**imparfait**, le **passé simple**, le **futur**.

*La mer **écrit** un poisson bleu,*
*****efface** un poisson gris.*
*La mer **écrit** un croiseur qui **prend** feu,*
*****efface** un croiseur mal écrit. [...]*

▶ ALAIN BOSQUET, « Mer », *Poèmes, un.*

Les verbes *écrit, efface* et *prend* sont des présents, ils ne sont constitués
que d'une seule forme verbale.

▶ Les temps composés sont constitués de plusieurs mots (un ou
deux auxiliaires et le participe passé). On distingue : le **passé
composé**, le **plus-que-parfait**, le **passé antérieur** et le **futur
antérieur**.

*Elle **avait pris** ce pli dans son âge enfantin*
De venir dans ma chambre un peu chaque matin ;

▶ VICTOR HUGO, *Les Contemplations.*

Le verbe *avait pris* est un plus-que-parfait.

275 Les auxiliaires *être* et *avoir*

▶ Aux temps composés, le verbe se conjugue avec les auxiliaires
être ou **avoir**. L'auxiliaire est imposé par le sens du verbe. On ne
peut pas le choisir.
Le plus souvent, les verbes **transitifs directs et indirects** forment
leurs temps composés avec l'auxiliaire **avoir**.
Les verbes **intransitifs** forment leurs temps composés avec
l'auxiliaire **être**.

raconter (verbe transitif direct) *: j'ai raconté* (passé composé)

obéir (verbe transitif indirect) *: j'ai obéi* (passé composé)

venir (verbe intransitif) *: je suis venu* (passé composé)

🔹 Aux temps composés de la voix passive, les deux auxiliaires sont successivement utilisés.

j'ai été aimé (*ai* : auxiliaire *avoir* ; *été* : auxiliaire *être*)

 Attention

Il ne faut pas confondre le temps de l'auxiliaire et le temps de la forme composée.

▪ Dans une forme composée, l'auxiliaire varie en temps, mais le temps de l'auxiliaire ne donne pas le temps de la forme composée.

j'ai ouvert
L'auxiliaire est conjugué au présent, *ai*, mais la forme verbale est le passé composé.

j'avais ouvert
L'auxiliaire est conjugué à l'imparfait, *avais*, mais la forme verbale est le plus-que-parfait.

▪ La forme **été**, participe passé du verbe **être**, est toujours invariable.

*Le coffre a **été** ouvert. Les coffres ont **été** ouverts.*

*La porte a **été** ouverte. Les portes ont **été** ouvertes.*

276 Mode personnel et mode impersonnel

🔹 Le verbe se conjugue à un mode **personnel** ou à un mode **impersonnel**.

🔹 Les **modes personnels** sont appelés ainsi car ils comportent des marques de personne. Ils sont au nombre de quatre : **indicatif**, **subjonctif**, **conditionnel**, **impératif**.

L'impératif ne se conjugue qu'à trois personnes (deuxième personne du singulier, première personne du pluriel, deuxième personne du pluriel).

*Si les fléaux de la guerre **sont** inévitables, ne nous **haïssons**
pas, ne nous **déchirons** pas les uns les autres dans le sein
de la paix.*

▶ Voltaire, *Traité sur la tolérance.*

Sont est à la troisième personne du pluriel de l'indicatif présent, *haïssons*
et *déchirons* sont à la première personne du pluriel de l'impératif présent.

*Je **voudrais** être fort pour que tu m'**aimes**.*

▶ Guillaume Apollinaire, *Poèmes à Lou.*

Voudrais est à la première personne du singulier du conditionnel présent,
aimes est à la deuxième personne du singulier du subjonctif présent.

Attention

**Le conditionnel n'est plus considéré
comme un mode à part entière.**

On le rattache plutôt aujourd'hui aux temps de l'indicatif pour son
emploi de futur dans le passé et au mode pour sa valeur hypothétique.

▶ Les **modes impersonnels** ne comportent pas de marques de
personne. Ils sont au nombre de trois : l'**infinitif** *(chanter)*, le **participe** *(chantant, chanté)* et le **gérondif**, composé de la préposition **en** et du participe présent *(en chantant)*.

*Nous allons **avoir** l'honneur de vous **charger**, répondit
Aramis **en levant** son chapeau d'une main et **tirant**
son épée de l'autre.*

▶ Alexandre Dumas, *Les Trois Mousquetaires.*

Avoir et *charger* sont des infinitifs, *en levant* est un gérondif,
tirant est un participe.

277 Voix active et voix passive

▶ Le verbe se conjugue à la **voix active** ou à la **voix passive**. La voix active concerne tous les verbes. La voix passive ne concerne que les verbes transitifs directs.

▶ La **voix passive** se construit avec l'auxiliaire **être** et le participe passé du verbe. Les verbes à la voix passive sont donc toujours des formes verbales composées.

> *On **aime**, on **est aimé**, bonheur qui manque aux rois!*
>
> ▶ VICTOR HUGO, *Les Contemplations*.

Le verbe *aime* est à la voix active, le verbe *est aimé* est à la voix passive.

▶ À la voix passive, le participe passé s'accorde en genre et en nombre avec le sujet du verbe.

> *Et sur la croix de marbre où tout à l'heure j'avais lu:*
> *« Elle aima, **fut aimée** et mourut. »*
> *J'aperçus:*
> *« Étant sortie un jour pour tromper son amant,*
> *elle eut froid sous la pluie, et mourut. »*
>
> ▶ GUY DE MAUPASSANT, *La Morte*.

La forme *fut aimée* est un passé simple de l'indicatif à la voix passive. Le participe passé s'accorde au féminin singulier avec le sujet du verbe, *elle*.

Résumé

▶ Une forme verbale simple se décompose en un radical et une terminaison.

▶ Une forme verbale composée comporte un auxiliaire conjugué (*être* ou *avoir*) et le participe passé du verbe.

▶ Un verbe se conjugue selon:
– la personne, qui correspond aux pronoms personnels;
– le temps, simple (présent, imparfait, passé simple, futur) ou composé (passé composé, plus-que-parfait, passé antérieur, futur antérieur);
– le mode, personnel (indicatif, subjonctif, conditionnel, impératif) ou impersonnel (infinitif, participe, gérondif);
– la voix, active ou passive.

Les verbes pronominaux

Qui se ressemble s'assemble.
Qui s'y frotte s'y pique.

Ces célèbres proverbes comportent chacun deux verbes pronominaux.

278 Qu'est-ce qu'un verbe pronominal ?

◗ Un verbe pronominal est un verbe dont toutes les formes sont accompagnées d'un **pronom personnel réfléchi**. Il s'agit d'un pronom qui renvoie à la même personne que le sujet, comme un miroir qui **réfléchit** l'image de celui qui se regarde.

*Il **se** regarde.*
Le pronom *se* renvoie au sujet *il*,
le verbe est donc pronominal.

*Il **le** regarde.*
Le pronom *le* ne renvoie pas au sujet *il*,
mais désigne quelqu'un d'autre,
le verbe n'est donc pas pronominal.

◗ Les verbes pronominaux se conjuguent avec l'auxiliaire **être** aux temps composés.

*Il **s'est** regardé.*
Il s'agit du passé composé du verbe
se regarder.

◗ Il existe différentes catégories de verbes pronominaux.

Certains verbes existent tantôt sous une forme simple, non pronominale, tantôt sous la forme pronominale. Il s'agit des verbes **pronominaux réfléchis**, **réciproques**, **de sens passif**.

D'autres verbes n'existent que sous la forme pronominale ; on les appelle les verbes **essentiellement pronominaux**.

279 Les verbes pronominaux réfléchis

▶ Un verbe pronominal est dit **réfléchi** quand le sujet exerce l'action du verbe sur **lui-même**.

*Elle **se regarde**.*
Cette phrase équivaut à : ● *Elle regarde elle-même.*

*Elle **se prépare** un café.*
Cette phrase équivaut à : ● *Elle prépare un café à elle-même.*

Souvent il demeurait assis sur le petit banc de bois
*où Charles et Eugénie **s'étaient juré** un éternel amour.*
▶ Honoré de Balzac, *Eugénie Grandet.*

S'étaient juré est l'équivalent de *avaient juré à eux-mêmes* ; il s'agit d'un verbe pronominal réfléchi.

Pour aller plus loin

La forme pronominale du verbe change parfois le sens du verbe simple.

Le verbe *mettre*, par exemple, qui signifie sous sa forme simple « placer quelque chose ou quelqu'un dans un endroit déterminé », peut signifier sous sa forme pronominale « commencer à ».

C'est étrange, ô Abraracourcix ! Pourquoi les Romains
*se **mettent**-ils à enrôler des Gaulois ?*
▶ René Goscinny et Albert Uderzo, *Astérix légionnaire.*

▶ Pour l'accord du participe passé des verbes pronominaux réfléchis, voir « Accorder le participe passé » ▶ 213 .

280 Les verbes pronominaux réciproques

▶ Un verbe pronominal est dit **réciproque** quand il est nécessairement au pluriel et que les sujets exercent une **action réciproque** les uns sur les autres.

*Ils **se dévisagent**.*
Cette phrase équivaut à : *Chacun dévisage le visage de l'autre de façon réciproque.*

*Ils **se sont serré** la main.*
Cette phrase équivaut à : *Chacun a serré la main de l'autre de façon réciproque.*

*Tout à coup, le charme se rompait ; l'accident terrible
les désunissait ; leurs bras **s'étaient désenlacés**.*

▶ VILLIERS DE L'ISLE-ADAM, *Véra*.

Le verbe pronominal réciproque *s'étaient désenlacés* signifie que chacun
des deux amoureux enlève ses bras du corps de l'autre.

▶ Pour l'accord du participe passé des verbes pronominaux réciproques, voir « Accorder le participe passé » ▶ 213.

281 Les verbes pronominaux de sens passif

▶ Un verbe pronominal peut avoir **le sens d'un verbe à la voix passive**. Il a généralement pour sujet un nom inanimé. Contrairement à la voix passive, cette tournure n'a pas de complément d'agent.

*Ce gâteau **s'est coupé** facilement.*

Cette phrase équivaut à : *Ce gâteau a été coupé facilement.*

*Et la fenêtre **s'ouvre** au loin sur la campagne.*

▶ PAUL VERLAINE, « L'Auberge », *Jadis et Naguère*.

Le verbe *s'ouvre* est un verbe pronominal de sens passif. Il équivaut
à *est ouverte*.

▶ Le participe passé des verbes pronominaux de sens passif s'accorde toujours avec le sujet.

*Cette maison s'est vend**ue** au prix fort.*

282 Les verbes essentiellement pronominaux

▶ Certains verbes pronominaux n'existent **que** sous la forme pronominale ; on les appelle des verbes **essentiellement prono-**

minaux. Il s'agit de verbes tels que *s'évanouir, s'absenter, se repentir, se souvenir, s'enfuir.*

> *Les jours **se sont enfuis**, d'un vol mystérieux,*
> *Mais toujours la jeunesse éclatante et vermeille*
> *Fleurit dans ton sourire et brille dans tes yeux.*
>
> ▶ THÉODORE DE BANVILLE, *Roses de Noël.*

La forme *se sont enfuis* vient du verbe *s'enfuir,* qui est un verbe essentiellement pronominal.

▶ Le participe passé des verbes essentiellement pronominaux s'accorde toujours avec le sujet.

> *Les jours se sont enfuis.*
> *Les hirondelles se sont enfuies.*

ASTUCE

🔍 **Comment reconnaître un verbe essentiellement pronominal ?**

Dans le dictionnaire, un verbe essentiellement pronominal est présenté ainsi : *évanouir (s').*

L'indication entre parenthèses du pronom **se** (ou **s'**) signifie que le verbe n'existe pas sans ce pronom.

Résumé

▶ Les verbes pronominaux se construisent avec un pronom personnel réfléchi.

▶ Ils se conjuguent avec l'auxiliaire *être* aux temps composés.

▶ Il existe des verbes pronominaux réfléchis, réciproques, de sens passif et essentiellement pronominaux.

Les trois groupes de conjugaison

On classe les verbes français en trois groupes de conjugaison qui ont des caractéristiques communes.

283 Le premier groupe

▶ Le premier groupe rassemble tous les verbes terminés par **-er** à l'infinitif. Ces verbes se conjuguent selon un seul modèle. Ils ont un radical unique que l'on obtient en enlevant la terminaison **-er** de l'infinitif.

aimer
Le radical est *aim-*.

▶ Cependant, pour certains verbes, il y a quelques petites modifications orthographiques.

placer
Le radical est *plac-* devant les voyelles *i* et *e*, et *plaç-* devant les voyelles *o* et *a*.

Pour aller plus loin

Quand on crée un verbe nouveau, on le construit généralement sur le modèle du premier groupe.

Le premier groupe est en effet le groupe de conjugaison le plus simple.

tchater – scanner
Ces nouveaux verbes ont été créés pour désigner des activités nouvelles : converser sur Internet pour le premier, numériser un document sur ordinateur pour le second.

284 Le deuxième groupe

▶ Le deuxième groupe rassemble les verbes terminés par **-ir** à l'infinitif et qui font leur participe présent en **-issant**. Ces verbes se conjuguent selon un seul modèle. Ils ont un radical tantôt en **-i-** *(je finis, tu finis…)*, tantôt en **-iss-** *(ils finissent, que je finisse)*.

*finir – fin**issant***   *blanchir – blanch**issant***

285 Le troisième groupe

▶ Le troisième groupe rassemble **tous les autres verbes**. Il compte plusieurs modèles de conjugaison. Les verbes de ce groupe changent de radical dans leur conjugaison. Il s'agit donc d'un groupe très hétérogène.

▶ Les formes les plus difficiles à connaître pour ces verbes sont le passé simple de l'indicatif et le participe passé.
On distingue cependant quelques grands types :

– les verbes en **-oir** qui ont leur passé simple en **-u-** ;
vouloir : il voulut   *pouvoir : il put*

– les verbes en **-oir** qui ont leur passé simple en **-i-** ;
voir : il vit   *asseoir : il assit*

– les verbes en **-re** qui ont leur passé simple en **-i-** ;
prendre : il prit   *faire : il fit*
dire : il dit   *mettre : il mit*

– les verbes en **-ir** qui ont leur participe présent en **-ant**, et non en **-issant** comme les verbes du deuxième groupe.
dormir : dormant   *tenir : tenant*

Résumé

▶ Les verbes se classent en trois groupes de conjugaison.

▶ Le premier et le deuxième groupe proposent chacun un modèle unique.

▶ Le troisième groupe propose plusieurs modèles.

Le présent de l'indicatif

je sonne,
tu sonnes,
il sonne,
nous sonnons,
vous êtes sourds ?
Ils ne sont pas là !

▶ PEF, *L'Ivre de français.*

Voilà une curieuse façon de conjuguer le verbe *sonner* au présent !

286 Les verbes du premier groupe

Les terminaisons du premier groupe

◗ Pour conjuguer au présent de l'indicatif les verbes du premier groupe, il faut ajouter au radical les terminaisons : **-e**, **-es**, **-e**, **-ons**, **-ez**, **-ent**. Tous les verbes de ce groupe ont les mêmes terminaisons.

> *j'aime, tu aimes, il aime*
> *nous aim**ons**, vous aim**ez**, ils aim**ent***

Les particularités orthographiques

Les verbes du premier groupe présentent des particularités orthographiques concernant leur radical. Voici les principales.

◗ Pour les verbes en **-cer**, il ne faut pas oublier la **cédille** sous le **c** devant **o**.

> *commencer : nous commen**ç**ons*

◗ Pour les verbes en **-ger**, il faut garder le **e** devant le **o**.

> *manger : nous mang**e**ons*

◗ Pour les verbes en **-guer**, il faut garder le **u** après le **g** dans toute la conjugaison.

> *naviguer : je navi**gu**e, nous navi**gu**ons*

● Les verbes en **-oyer** et en **-uyer** changent le **y** en **i** devant un **e muet**.

> *envoyer : j'envoie, nous envoyons*
> *essuyer : tu essuies, vous essuyez*

● Les verbes en **-ayer** peuvent se conjuguer de deux façons différentes :

– soit ils changent le **y** en **i** devant un **e muet** ;
– soit ils gardent le **y** dans toute la conjugaison.

> *essayer : j'essaie ou j'essaye*
> *payer : tu paies ou tu payes*

● Les verbes **appeler**, **jeter** et leurs composés doublent la consonne devant une syllabe comportant un **e muet**.

> *appeler : j'appelle, nous appelons*
> *jeter : il jette, nous jetons*

● Les verbes en **e** + consonne + **er** changent le **e** en **è** devant une syllabe comportant un **e muet** (→ **R2** p. 459).

> *lever : je lève*   *peser : tu pèses*

● Les verbes en **é** + consonne + **er** changent le **é** en **è** devant une syllabe comportant un **e muet**.

> *céder : je cède*   *espérer : tu espères*

● Les verbes en **-éer** conservent le **é** du radical avant la terminaison.

> *créer : je crée*   *agréer : vous agréez*

287 Les verbes du deuxième groupe

● Pour conjuguer au présent de l'indicatif les verbes du deuxième groupe, il faut ajouter au radical les terminaisons : **-s**, **-s**, **-t**, **-ons**, **-ez**, **-ent**. Tous les verbes de ce groupe ont les mêmes terminaisons. Mais le radical est en **-i-** au singulier et en **-iss-** au pluriel.

> *j'obéis, tu obéis, il obéit*
> *nous obéissons, vous obéissez, ils obéissent*

288 Les verbes du troisième groupe

Les terminaisons du troisième groupe

▶ Pour conjuguer au présent de l'indicatif la plupart des verbes du troisième groupe, il faut ajouter au radical les terminaisons : **-s, -s, -t, -ons, -ez, -ent**.

je crois, tu crois, il croit
nous croyons, vous croyez, ils croient

Les particularités orthographiques

Les verbes du troisième groupe n'ont cependant pas tous les mêmes terminaisons et leur radical subit souvent des modifications.

▶ Certains verbes comme **cueillir**, **offrir**, **ouvrir**, **souffrir** prennent les terminaisons des verbes du premier groupe aux trois personnes du singulier.

cueillir : je cueille, tu cueilles, il cueille
offrir : j'offre, tu offres, il offre
ouvrir : j'ouvre, tu ouvres, il ouvre
souffrir : je souffre, tu souffres, il souffre

▶ Les verbes **pouvoir**, **vouloir**, **valoir** prennent un **-x** aux deux premières personnes du singulier et un **-t** à la troisième personne.

pouvoir : je peux, tu peux, il peut
vouloir : je veux, tu veux, il veut
valoir : je vaux, tu vaux, il vaut

▶ Les verbes en **-dre** gardent le **d** de leur radical aux trois personnes du singulier.

descendre : je descends, tu descends, il descend
rendre : je rends, tu rends, il rend

▶ Les verbes en **-eindre**, **-aindre** et **-soudre** perdent le **d** de leur radical aux deux premières personnes du singulier et prennent un **-t** à la troisième personne.

atteindre : j'atteins, tu atteins, il atteint
craindre : je crains, tu crains, il craint
résoudre : je résous, tu résous, il résout

● Les verbes en **-tir** perdent le **t** de leur radical aux deux premières personnes du singulier.

sortir : je sors, tu sors, il sort
mentir : je mens, tu mens, il ment

● Les verbes **battre**, **mettre** et leurs composés gardent le premier **t** de leur radical aux trois personnes du singulier.

battre : je bats, tu bats, il bat
mettre : je mets, tu mets, il met

● Le verbe **rompre** et ses composés gardent le **p** de leur radical aux trois personnes du singulier.

interrompre : j'interromps, tu interromps, il interrompt

● Le verbe **vaincre** et ses composés gardent le **c** de leur radical aux trois personnes du singulier.

vaincre : je vaincs, tu vaincs, il vainc

● Quelques verbes du troisième groupe ont une conjugaison très irrégulière, comme **savoir**, **faire**, **dire**, **aller** ▶ 327-338 .

⚠ Attention

L'accent circonflexe sur le *i* n'est plus obligatoire pour les verbes en *-aitre*.
(Rectifications orthographiques de 1990)

On écrit maintenant : *il parait, il connait.*

Résumé

● Les terminaisons du présent de l'indicatif sont le plus souvent : *-s* (ou *-e*), *-s* (ou *-es*), *-t* (ou *-e*), *-ons*, *-ez*, *-ent*.

● Beaucoup de verbes du troisième groupe ont cependant des formes très particulières.

L'imparfait de l'indicatif

nous criions, nous triions, vous pliiez, vous riiez...

N'y aurait-il pas un **i** de trop ? mais non, c'est bien ainsi que se conjugue l'imparfait de l'indicatif.

289 Les terminaisons de l'imparfait de l'indicatif

● À l'imparfait de l'indicatif, tous les verbes ont les mêmes terminaisons, quel que soit le groupe auquel ils appartiennent : **-ais**, **-ais**, **-ait**, **-ions**, **-iez**, **-aient**.

1ᵉʳ groupe	2ᵉ groupe	3ᵉ groupe
*je chant**ais***	*je finiss**ais***	*je pren**ais***
*tu chant**ais***	*tu finiss**ais***	*tu pren**ais***
*il chant**ait***	*il finiss**ait***	*il pren**ait***
*nous chant**ions***	*nous finiss**ions***	*nous pren**ions***
*vous chant**iez***	*vous finiss**iez***	*vous pren**iez***
*ils chant**aient***	*ils finiss**aient***	*ils pren**aient***

290 Le radical à l'imparfait de l'indicatif

● Pour conjuguer un verbe à l'imparfait de l'indicatif, il faut ajouter les terminaisons au radical du verbe tel qu'il apparaît à la première personne du pluriel du présent de l'indicatif.

appeler : j'appelle, nous <u>appel</u>ons	→ *j'**appel**/ais*
jeter : je jette, nous <u>jet</u>ons	→ *je **jet**/ais*
annoncer : j'annonce, nous <u>annonç</u>ons	→ *j'**annonç**/ais*
savoir : je sais, nous <u>sav</u>ons	→ *je **sav**/ais*
pouvoir : je peux, nous <u>pouv</u>ons	→ *je **pouv**/ais*
vouloir : je veux, nous <u>voul</u>ons	→ *je **voul**/ais*
faire : je fais, nous <u>fais</u>ons	→ *je **fais**/ais*
fuir : je fuis, nous <u>fuy</u>ons	→ *je **fuy**/ais*
boire : je bois, nous <u>buv</u>ons	→ *je **buv**/ais*
écrire : j'écris, nous <u>écriv</u>ons	→ *j'**écriv**/ais*

résoudre : je résous, nous <u>résolv</u>ons   → *je **résolv**/ais*
éteindre : j'éteins, nous <u>éteign</u>ons   → *j'**éteign**/ais*

 Attention

Il ne faut pas oublier le *i* de la terminaison aux deux premières personnes du pluriel des verbes en *-gner, -ier, -iller, -indre, -yer*.

À la première et à la deuxième personne du pluriel de l'imparfait, ces verbes se prononcent presque comme au présent. Il faut penser à écrire le **i**.

nous craignions, vous craigniez – nous criions, vous criiez
nous brillions, vous brilliez – nous peignions, vous peigniez
nous payions, vous payiez

Résumé

● Les terminaisons de l'imparfait de l'indicatif sont : *-ais, -ais, -ait, -ions, -iez, -aient.*

Le passé simple de l'indicatif

*Oui, dès l'instant où je vous **vis**,*
*Beauté féroce, vous me **plûtes**;*
*De l'amour qu'en vos yeux je **pris**,*
*Sur-le-champ vous vous **aperçûtes**.*

> ALPHONSE ALLAIS, *Complainte amoureuse.*

Il n'y a que les poètes pour déclarer leur amour au passé simple !

291 Les verbes du premier groupe

▶ Les terminaisons du passé simple de l'indicatif pour les verbes du premier groupe sont : **-ai**, **-as**, **-a**, **-âmes**, **-âtes**, **-èrent**.

> *je donn**ai**, tu donn**as**, il donn**a***
> *nous donn**âmes**, vous donn**âtes**, ils donn**èrent***

▶ Pour conjuguer un verbe du premier groupe au passé simple, il faut ajouter les terminaisons au radical du verbe tel qu'il apparaît à la première personne du pluriel du présent de l'indicatif.

> *annoncer : j'annonce, nous <u>annonç</u>ons → j'**annonç**/ai*
> *manger : je mange, nous <u>mangeons</u>   → je **mange**/ai*

292 Les verbes du deuxième groupe

▶ Les terminaisons du passé simple de l'indicatif pour les verbes du deuxième groupe sont : **-is**, **-is**, **-it**, **-îmes**, **-îtes**, **-irent**.

> *je fin**is**, tu fin**is**, il fin**it***
> *nous fin**îmes**, vous fin**îtes**, ils fin**irent***

⚠ Attention

Il ne faut pas confondre passé simple et présent de l'indicatif.

Les verbes du 2e groupe ont des terminaisons identiques au singulier du présent et du passé simple. Seul le contexte permet de les distinguer.

> présent : *Il **remplit** son sac et quitte la maison.*
> passé simple : *Il **remplit** son sac et **quitta** la maison.*

293 Les verbes du troisième groupe

Les terminaisons du passé simple de l'indicatif pour les verbes du troisième groupe sont le plus souvent : **-is, -is, -it, -îmes, -îtes, -irent**.

> *je pris, tu pris, il prit*
> *nous prîmes, vous prîtes, ils prirent*

Toutefois, plusieurs verbes, comme *apercevoir, croire, courir, mourir, paraître, pouvoir...*, prennent les terminaisons : **-us, -us, -ut, -ûmes, -ûtes, -urent**.

> *je crus, tu crus, il crut*
> *nous crûmes, vous crûtes, ils crurent*

Les verbes **tenir** et **venir** ainsi que leurs composés (*contenir, revenir...*) prennent les terminaisons : **-ins, -ins, -int, -înmes, -întes, -inrent**.

> *je vins, tu vins, il vint*
> *nous vînmes, vous vîntes, ils vinrent*

Les verbes du troisième groupe présentent un radical de passé simple souvent différent du radical d'infinitif ou de présent de l'indicatif. Il convient de consulter un dictionnaire ou un manuel de conjugaison pour connaître ce radical.

> *savoir : je sais, je **sus***   *pouvoir : je peux, je **pus***
> *devoir : je dois, je **dus***   *faire : je fais, je **fis***
> *mettre : je mets, je **mis***   *écrire : j'écris, j'**écrivis***
> *vivre : je vis, je **vécus***   *naître : je nais, je **naquis***

Résumé

Les terminaisons du passé simple de l'indicatif sont :
- premier groupe :   *-ai, -as, -a, -âmes, -âtes, -èrent*
- deuxième groupe :   *-is, -is, -it, -îmes, -îtes, -irent*
- troisième groupe :   *-is, -is, -it, -îmes, -îtes, -irent*
                       -us, -us, -ut, -ûmes, -ûtes, -urent
                       -ins, -ins, -int, -înmes, -întes, -inrent

Le futur simple de l'indicatif

*Selon que vous **serez** puissant ou misérable,*
*Les jugements de cour vous **rendront** blanc ou noir.*

> JEAN DE LA FONTAINE, *Les Animaux malades de la peste.*

Les futurs des verbes de cette morale la rendent implacable.

294 Les terminaisons du futur simple de l'indicatif

▶ Au futur de l'indicatif, tous les verbes ont les mêmes termi-
naisons : **-ai**, **-as**, **-a**, **-ons**, **-ez**, **-ont**. Celles-ci sont précédées de
l'affixe **-r-** ou **-er-** et s'ajoutent au radical du verbe.

> *je chant-**erai*** (1er groupe)
> *je fini-**rai*** (2e groupe)
> *je mour-**rai*** (3e groupe)

ASTUCE

**D'un point de vue pratique, on peut conjuguer le futur
en ajoutant *-ai*, *-as*, *-a*, *-ons*, *-ez*, *-ont* à l'infinitif du verbe.**

Cette astuce fonctionne pour de très nombreux verbes, mais pas
pour tous.

> *manger : je **manger**ai*   *sortir : je **sortir**ai*   *jeter : je jetterai*

295 Les verbes du premier groupe

Les terminaisons du premier groupe

▶ Pour conjuguer au futur de l'indicatif les verbes du premier groupe, il faut ajouter au radical du verbe les terminaisons : **-erai, -eras, -era, -erons, -erez, -eront.**

> *parler : je parlerai, nous parlerons*

Les particularités orthographiques

Certains verbes de ce groupe ont des particularités orthographiques concernant le radical. Voici les principales.

▶ Les verbes en **-oyer** et en **-uyer** changent le **y** en **i** devant un **e muet**, sauf **envoyer** et **renvoyer** qui se conjuguent comme le verbe **voir** (*j'enverrai, tu enverras*).

> *employer : j'emploierai*
> *essuyer : tu essuieras*

▶ Les verbes en **-ayer** peuvent se conjuguer de deux façons différentes :
– soit ils changent le **y** en **i** devant un **e muet** ;
– soit ils gardent le **y** dans toute la conjugaison.

> *essayer : j'essaierai* ou *j'essayerai*
> *payer : tu paieras* ou *tu payeras*

▶ Dans les verbes en **-ouer** et en **-uer**, le radical est suivi d'un **e muet** dans toute la conjugaison.

> *jouer : je jouerai*
> *tuer : il tuera*

▶ Les verbes en **e** + consonne + **er** changent le **e** en **è** avant la terminaison.

> *lever : je lèverai*
> *peser : tu pèseras*

▶ Les verbes en **é** + consonne + **er** changent le **é** en **è** avant la terminaison (→ **R3** p. 459).

> *céder : je cèderai*
> *espérer : tu espèreras*

● Dans les verbes en **-éer**, le **é** du radical est suivi d'un **e muet** qui appartient à la terminaison.

> *créer : je créerai*
> *agréer : vous agréerez*

● Les verbes en **-eler** et **-eter** ne doublent pas la consonne ; le **e** se change en **è** avant la terminaison (→ **R2** p. 459).

> *acheter : j'achèterai*
> *peler : tu pèleras*
> *feuilleter : nous feuillèterons*
> *amonceler : vous amoncèlerez*

● Les verbes **appeler**, **jeter** et leurs composés doublent la consonne devant le **e** de la terminaison.

> *appeler : j'appellerai, nous appellerons*
> *rejeter : il rejettera, vous rejetterez*

296 Les verbes du deuxième groupe

● Pour conjuguer au futur de l'indicatif les verbes du deuxième groupe, il faut ajouter au radical du verbe les terminaisons : **-rai**, **-ras**, **-ra**, **-rons**, **-rez**, **-ront**.

> *finir : je finirai*
> *grandir : nous grandirons*

297 Les verbes du troisième groupe

● Pour conjuguer au futur de l'indicatif la plupart des verbes du troisième groupe, il faut ajouter au radical du verbe les terminaisons : **-rai**, **-ras**, **-ra**, **-rons**, **-rez**, **-ront**. On peut distinguer plusieurs types de verbes.

● Dans les verbes en **-ir** comme *sentir*, *mentir*, *partir*, *sortir*, *fuir*, *offrir*, on ajoute les terminaisons au radical qui se termine par **i**.

> *je sentirai, tu mentiras, elle partira*
> *nous sortirons, vous fuirez, ils offriront*

● Dans les verbes en **-ir** comme *cueillir*, *accueillir*, *recueillir*, on ajoute les terminaisons au radical qui se termine par **e**.

> *je cueillerai, tu accueilleras, il recueillera*

● Dans les verbes en **-rir**, on ajoute les terminaisons au radical qui se termine par **r** : ils présentent donc un futur avec deux **r**.

*je cour**rai**, nous cour**rons***
*tu mour**ras**, vous mour**rez***

● Dans les verbes en **-re**, on ajoute les terminaisons au radical sans le **re**.

*je prend**rai**, tu croi**ras**, il met**tra***
*nous suiv**rons**, vous viv**rez**, ils rend**ront***
*j'atten**drai**, tu crain**dras**, il crain**dra***
*nous résou**drons**, vous conclu**rez**, ils exclu**ront***

● Certains verbes ont un radical particulier au futur : il faut vérifier dans les tableaux de conjugaison.

*je ver**rai**, tu sau**ras**, il pour**ra***
*nous vou**drons**, vous i**rez**, ils fe**ront**, j'au**rai**, tu se**ras***

ASTUCE

☞ **Si on sait conjuguer le futur de l'indicatif, il est très facile de conjuguer le conditionnel présent.**

Ces deux temps présentent les mêmes radicaux et utilisent le même affixe **-r-** ou **-er-**. Il suffit de remplacer les terminaisons de personne du futur par celles du conditionnel présent : **-ais, -ais, -ait, -ions, -iez, -aient**. Ce sont les mêmes que celles de l'imparfait.

*chanter : je chante**rai*** (futur)   *je chante**rais*** (conditionnel présent)
*finir : je fini**rai*** (futur)   *je fini**rais*** (conditionnel présent)
*voir : je ver**rai*** (futur)   *je ver**rais*** (conditionnel présent)

Résumé

● Les terminaisons du futur de l'indicatif sont :
-erai, -eras, -era, -erons, -erez, -eront
ou *-rai, -ras, -ra, -rons, -rez, -ront.*

Le passé composé de l'indicatif

*J'**ai invité** les copains à venir à la maison cet après-midi pour jouer aux cow-boys. Ils **sont arrivés** avec toutes leurs affaires.*

▶ JEAN-JACQUES SEMPÉ et RENÉ GOSCINNY, *Le Petit Nicolas.*

Comme le Petit Nicolas, on peut raconter des histoires au passé composé.

298 La conjugaison du passé composé

▶ Le passé composé est formé du **présent** de l'auxiliaire **avoir** ou **être** et du **participe passé** du verbe.

▶ Les verbes **transitifs directs et indirects** forment leur passé composé avec l'auxiliaire **avoir**.

voir (verbe transitif direct) : *j'ai vu*

penser à (verbe transitif indirect) : *j'ai pensé*

▶ Les verbes **intransitifs** forment leur passé composé soit avec l'auxiliaire **avoir**, soit avec l'auxiliaire **être**.

courir : j'ai couru   *venir : je suis venu*

299 Le participe passé

▶ Le participe passé des verbes du **premier groupe** est formé du radical du verbe et de la terminaison **-é**.

chanté, aimé, parlé, pensé

▶ Le participe passé des verbes du **deuxième groupe** est formé du radical du verbe et de la terminaison **-i**.

fini, saisi, grandi, haï

▶ Le participe passé des verbes du **troisième groupe** est variable. Il peut être en **-u**, **-i**, **-is**, **-t** et même **-é**.

venu, couru, battu, vu, conclu, résolu

senti, pris, mis, fait, peint, craint,

allé, été, eu

Pour savoir quelle est la lettre finale d'un participe passé, il suffit d'essayer de le mettre au féminin.

■ Si le participe passé se termine par une consonne, celle-ci s'entend au féminin : *pris → prise ; mis → mise ; peint → peinte ; fait → faite.*

■ Si le participe passé se termine par une voyelle, on n'entend pas de consonne au féminin : *aimé → aimée ; fini → finie ; vu → vue ; battu → battue.*

300 La conjugaison des autres temps composés

▶ Les autres temps composés se forment à l'aide du même auxiliaire et du même participe que ceux du passé composé.

▶ À chaque temps simple de l'indicatif correspond un temps composé de l'indicatif. L'auxiliaire se met au même temps que le temps simple :

– présent → passé composé : auxiliaire au présent ;

    j'ai vu   je suis venu

– imparfait → plus-que-parfait : auxiliaire à l'imparfait ;

    j'avais vu   j'étais venu

– passé simple → passé antérieur : auxiliaire au passé simple ;

    j'eus vu   je fus venu

– futur → futur antérieur : auxiliaire au futur.

    j'aurai vu   je serai venu

Résumé

▶ Le passé composé se forme avec le présent de l'auxiliaire *être* ou *avoir* et le participe passé du verbe.

▶ Les autres temps composés se forment en changeant le temps de l'auxiliaire.

La valeur des modes

Viens en France, enfant lointain.
*Nous **avons** des blés qui dansent,*
*Qui dansent : on **dirait** des poupées.*

▶ ALAIN BOSQUET, « Viens en France », *Le cheval applaudit.*

Dans ces trois vers, trois modes sont utilisés, c'est-à-dire trois manières différentes d'envisager un fait ou une action.

301 Les différents modes

▶ Les modes sont l'indicatif, le subjonctif, le conditionnel, l'impératif, l'infinitif, le participe et le gérondif. Ces modes ont plusieurs significations, plusieurs **valeurs**. Ils permettent au locuteur (celui qui parle) de situer son énoncé par rapport à la réalité. Selon le mode qu'il emploie, le locuteur présente les faits comme réels, souhaitables ou éventuels.

> *Il vient.* (fait réel)
> *Qu'il vienne !* (fait souhaitable)
> *Il viendrait ?* (fait éventuel)

302 Les valeurs de l'indicatif

▶ L'indicatif est le mode du **réel**. Ce qui est exprimé à l'indicatif a valeur de constat.

> *Rien n'**a changé**. J'**ai** tout **revu** : l'humble tonnelle*
> *De vigne folle avec les chaises de rotin…*

▶ PAUL VERLAINE, « Après trois ans », *Poèmes saturniens.*

▶ L'indicatif peut aussi marquer une volonté d'**insistance**, de la part du locuteur, à présenter ce qu'il dit comme réel et vrai.

> *Et, pour trancher toutes sortes de discours, ou vous **serez***
> ***mariées** toutes deux avant qu'il soit peu, ou, ma foi, vous*
> ***serez** religieuses, j'en **fais** un bon serment.*

▶ MOLIÈRE, *Les Précieuses ridicules.*

Par deux fois Gorgibus emploie l'indicatif futur pour montrer à sa fille et à sa nièce qu'il est sûr du sort qui les attend.

303 Les valeurs du subjonctif

▶ Le subjonctif est le mode du **possible**, de l'**incertain**, de la **volonté** et du **souhait**.

▶ Dans les propositions indépendantes, le subjonctif exprime :
– l'ordre ou la défense ;

> *Qu'on **mette** donc les chevaux au carrosse.*
>
> ▶ Molière, *L'Avare.*

– le souhait ;

> ***Puissent** tous les hommes se souvenir qu'ils sont frères !*
>
> ▶ Voltaire, *Traité sur la tolérance.*

– l'indignation.

> *Moi, Héron, que je **fasse** une si pauvre chère !*
>
> ▶ Jean de La Fontaine, *Le Héron.*

▶ Dans les propositions subordonnées conjonctives, le subjonctif s'emploie avec des verbes de volonté, de doute et de sentiment.

> *Je souhaite qu'il **vienne** demain à la première heure.*

▶ Dans les propositions subordonnées relatives, le subjonctif exprime un fait virtuel.

> *Je voudrais une maison qui **soit** grande et belle.*

304 Les valeurs de l'impératif

▶ L'impératif est le mode de l'**injonction**. Il sert à exprimer un **ordre** ou une **défense**.

> *Vivez, si m'en croyez, **n'attendez** à demain :*
> *Cueillez dès aujourd'hui les roses de la vie.*
>
> ▶ Pierre de Ronsard, *Sonnets pour Hélène.*

305 **Les valeurs du conditionnel, considéré comme mode**

▶ Le conditionnel est le mode de l'**imaginaire**, de l'**hypothèse**. Il sert à exprimer :

– la supposition ;

> PYRRHUS. — *Me cherchiez-vous, Madame ?*
> *Un espoir si charmant me **serait**-il permis ?*
>
> ▶ JEAN RACINE, *Andromaque.*

– l'atténuation ;

> *Je **voudrais** être beau pour que tu m'aimes.*
>
> ▶ APOLLINAIRE, *Poèmes à Lou.*

– l'hypothèse, c'est-à-dire une action soumise à une condition exprimée ou non.

Dans ce cas, on distingue :

– l'action considérée comme possible dans l'avenir (**potentiel**) ;

> *Il **devrait** y avoir ici un jardin d'été comme le parc Monceau,*
> *ouvert la nuit, où on **entendrait** de la très bonne musique*
> *en buvant des choses fraîches sous les arbres.*
>
> ▶ GUY DE MAUPASSANT, *Bel-Ami.*

– l'action non réalisée dans le présent (**irréel du présent**) ;

> *Oui, il me semble que tout **irait** mieux, reprit Briant,*
> *si l'un de vous avait autorité sur les autres !*
>
> ▶ JULES VERNE, *Deux ans de vacances.*

– l'action non réalisée dans le passé (**irréel du passé**).

> *Le nez de Cléopâtre : s'il eût été plus court, toute la face*
> *de la terre **aurait changé**.*   ▶ BLAISE PASCAL, *Pensées.*

▶ En plus de ses valeurs de mode, le conditionnel a également une valeur de temps ▶ 316.

306 **Les valeurs de l'infinitif**

▶ L'infinitif est le mode de l'**action pure**, sans considération de temps ni de personne car c'est un mode **impersonnel** (sans marque de personne).

Il sert à exprimer :

– une généralisation : *Coucher à la belle étoile.*

– un ordre dans des situations très générales :

> *Ne pas se pencher au dehors.* (consigne de prudence)
>
> *Battre les œufs en neige.* (recette de cuisine)
>
> *Prendre un comprimé trois fois par jour.* (prescription médicale)

◗ L'infinitif peut aussi être l'**équivalent d'un indicatif** dans un discours narratif (on parle d'**infinitif de narration**). Il est alors précédé de la préposition **de**.

> *Et monsieur Cassandre de ramasser piteusement*
> *sa perruque, et Arlequin de détacher au viédase un coup de*
> *pied dans le derrière.* (Viédase signifie idiot.)
>
> ◗ ALOYSIUS BERTRAND, *Gaspard de la nuit.*

307 Les valeurs du participe présent et du gérondif

◗ Le participe présent et le gérondif ont une valeur d'aspect : ils donnent à l'action du verbe une idée de **déroulement**, d'**action simultanée**.

> *Il arrive à chanter en mâchant un chewing-gum.*
>
> L'action du gérondif *en mâchant* se déroule en même temps que celle du groupe verbal *arrive à chanter*. Ces deux actions sont simultanées.

Résumé

◗ Les modes indiquent comment le locuteur situe son énoncé par rapport à la réalité :

– l'indicatif est le mode du réel ;

– le subjonctif est le mode du possible et de l'incertain ;

– l'impératif est le mode de l'injonction ;

– le conditionnel est le mode de l'imaginaire et de l'hypothèse ;

– l'infinitif est le mode de l'action pure ;

– le participe présent et le gérondif sont les modes de la simultanéité.

La valeur des temps et l'aspect verbal

Présent
*À midi, la chaleur **s'étale** autour des pieds des voyageurs d'autobus.*

Passé simple
*Ce **fut** midi. Les voyageurs **montèrent** dans l'autobus.*

Imparfait
*C'**était** midi. Les voyageurs **montaient** dans l'autobus.*

◗ RAYMOND QUENEAU, *Exercices de style.*

Dans ses *Exercices de style*, Raymond Queneau raconte plusieurs fois la même histoire en jouant avec la valeur des temps verbaux.

308 À quoi servent les temps verbaux ?

◗ Les **temps verbaux** situent dans le temps l'action ou l'événement exprimé par le verbe.

◗ Ils situent l'action **par rapport au moment de l'énonciation**, c'est-à-dire par rapport au moment où parle le locuteur. Ainsi, ils indiquent si l'action a lieu dans le **passé**, dans le **présent** ou dans le **futur**.

◗ Ils peuvent également situer l'action **par rapport à une autre action** en indiquant si elle a lieu avant (**antériorité**), en même temps (**simultanéité**) ou après (**postériorité**) celle-ci.

*Elle **pensa** au loup; de tout le jour la folle n'y **avait** pas **pensé**... Au même moment une trompe **sonna** bien loin dans la vallée. C'**était** ce bon M. Seguin qui **tentait** un dernier effort.*

◗ ALPHONSE DAUDET, « La Chèvre de M. Seguin », *Lettres de mon moulin.*
Les passés simples *pensa* et *sonna* expriment une action passée; le plus-que-parfait *avait pensé* exprime une action antérieure à *pensa*; les imparfaits *était* et *tentait* expriment une action passée simultanée de *sonna*.

● Les temps verbaux, tout comme les connecteurs temporels et les compléments circonstanciels de temps, permettent d'établir la **chronologie** des événements, c'est-à-dire l'ordre dans lequel ceux-ci se déroulent.

309 Qu'est-ce que la valeur d'un temps ?

● Les temps de la conjugaison ont une valeur, c'est-à-dire une signification qui s'ajoute au sens du verbe. Chaque temps peut avoir plusieurs valeurs.

> *Tu **fermeras** la fenêtre avant de partir.*
> Ici, le futur exprime l'avenir, mais il a aussi la valeur d'un ordre.

● Ce sont les temps verbaux de l'**indicatif** qui ont les valeurs les plus variées.

310 Les valeurs du présent

● Le présent, situé à la frontière entre le passé et le futur, s'emploie pour exprimer une action qui se déroule au moment où parle le locuteur. On l'appelle alors **présent d'énonciation** ou **présent actuel**.

> *Qu'est-ce, seigneur Octave ? qu'**avez**-vous ? qu'y **a**-t-il ?*
> *quel désordre **est**-ce là ? Je vous **vois** tout troublé.*
>
> ❱ Molière, *Les Fourberies de Scapin.*

● On distingue d'autres valeurs du présent :

– le **présent à valeur de passé proche** ou **de futur proche**, pour une action qui vient de se produire ou qui va se produire ;

> *Elle **sort** d'ici.*
> *On **part** dans une semaine.*

– le **présent d'habitude**, pour une action répétée ;

> *Il **se lève** tous les matins à cinq heures.*

– le **présent de vérité générale**, pour une action intemporelle ou de portée générale exprimée dans les proverbes, les maximes, les définitions scientifiques ;

> *Qui **aime** bien **châtie** bien.*
> *La Terre **tourne** autour du Soleil.*

– le **présent de narration**, pour une action passée que l'on veut rendre plus vivante ; il s'emploie à la place du passé simple dans un récit au passé ;

> *Les enfants écoutaient attentivement le maître,*
> *quand soudain **entre** le directeur.*

– le **présent historique**, pour des faits passés dont on veut donner l'impression qu'ils se déroulent au moment même de la lecture. À la différence du présent de narration, il s'étend à l'ensemble du récit et ne se limite pas à une ou quelques actions. On le rencontre dans les ouvrages d'histoire, les autobiographies ou les romans.

> *L'armistice signé entre les Alliés et les Allemands dans*
> *une clairière de la forêt de Compiègne **met** fin à la Première*
> *Guerre mondiale. Les combats **cessent** officiellement*
> *le 11 novembre à 11 heures du matin.*
> ▶ Marielle Chevallier, *Chronologie de l'histoire du monde contemporain.*

311 Les valeurs de l'imparfait

▶ L'imparfait s'emploie pour exprimer une action passée **en cours de réalisation**. On parle d'imparfait de durée.

> *Dans la plaine rase, sous la nuit sans étoiles,*
> *d'une obscurité et d'une épaisseur d'encre, un homme*
> ***suivait** seul la grande route de Marchiennes à Montsou.*
> ▶ Émile Zola, *Germinal.*

▶ L'imparfait exprimant un état continu, il est par excellence le **temps de la description** au passé ; il s'oppose en cela au passé simple, temps du récit.

> *Rien ne **bougeait**. Hormis le chant de la brise, tout **était***
> *silencieux. Je **m'arrêtai**, très étonné, et peut-être un peu*
> *angoissé.* ▶ Robert Louis Stevenson, *L'Île au trésor.*
> Les verbes *bougeait* et *était* sont des imparfaits de description ;
> le récit reprend avec le passé simple *m'arrêtai*.

▶ Parmi les emplois de l'imparfait, on retiendra également :

– l'**imparfait d'arrière-plan**, pour une action qui sert de toile de fond à une action au passé simple dans un récit ;

> *Nous **allions** nous mettre à table, lorsqu'il arriva.*

– l'**imparfait d'habitude**, pour une action répétée dans le passé ;

*Tous les mois il **rapportait** sa paie à la maison.*

– l'**imparfait de narration**, pour un récit qui donne au lecteur l'impression d'être plongé au cœur de chaque action.

*À la 90ᵉ minute du match, l'ailier **débordait**,*
*__tirait__ du droit et c'**était** le but libérateur.*

312 Les valeurs du passé simple

▶ Le passé simple s'emploie pour des actions passées, totalement coupées du moment où l'on parle. C'est le **temps du récit**. Son emploi est littéraire et réservé à la langue écrite.

*Aussitôt que le petit Poucet **entendit** ronfler l'Ogre,*
*il **réveilla** ses frères, et leur **dit** de s'habiller promptement*
*et de le suivre. Ils **descendirent** doucement dans le jardin*
*et **sautèrent** par-dessus les murailles. Ils **coururent***
presque toute la nuit, toujours en tremblant et sans savoir
où ils allaient.

▶ Charles Perrault, *Le Petit Poucet.*

▶ Associé à l'imparfait d'arrière-plan, le passé simple crée un effet de **mise en relief** en faisant ressortir une action. Il prend souvent une valeur de **soudaineté**.

Le petit village dormait paisiblement, lorsqu'un bruit
*violent **se fit** entendre.*

313 Les valeurs du passé composé

🔹 Le passé composé s'emploie pour exprimer une action effectuée dans le passé, mais qui s'achève ou qui a des conséquences dans le présent.

*Ah! Quel bon repas nous **avons fait**!*

🔹 Il s'emploie également pour le **récit à l'oral**, à la place du passé simple. On peut le rencontrer dans un récit littéraire qui cherche à imiter la langue parlée.

*Et là, Eudes **a visé** Clotaire, qui **s'est jeté** par terre avec les mains sur la tête; la balle **est passée** au-dessus de lui, et bing! elle **est venue** taper dans le dos d'Alceste qui **a lâché** sa tartine, qui **est tombée** du côté de la confiture.*

🔹 JEAN-JACQUES SEMPÉ et RENÉ GOSCINNY, *Les Récrés du Petit Nicolas.*

Ici, le passé composé contribue à donner l'impression d'un récit oral d'enfant.

314 Les valeurs des autres temps composés

🔹 Lorsqu'ils sont employés avec les temps simples qui leur correspondent, les temps composés expriment une **antériorité**, c'est-à-dire qu'ils indiquent que l'action s'est produite avant l'action exprimée aux temps simples.

🔹 Ainsi on peut associer :

– passé composé et présent ;

*Quand il **a achevé** son travail, il se repose.*

– plus-que-parfait et imparfait ;

*Quand il **avait achevé** son travail, il se reposait.*

– passé antérieur et passé simple ;

*Quand il **eut achevé** son travail, il se reposa.*

– futur antérieur et futur simple ;

*Quand il **aura achevé** son travail, il se reposera.*

– conditionnel passé et conditionnel présent.

*Quand il **aurait achevé** son travail, il se reposerait.*

▶ Lorsqu'ils sont employés seuls, les temps composés expriment l'aspect **accompli**, c'est-à-dire que l'action est présentée comme achevée.

*Dans deux heures, il nous **aura rejoints**.*

315 Les valeurs du futur simple

▶ Le futur simple s'emploie pour exprimer une action à venir par rapport au présent.

*Demain, je vous **finirai** les nouveaux costumes d'Indiens, pendant que tu **fabriqueras** les flèches.*
▶ MARCEL PAGNOL, *La Gloire de mon père*.

▶ Le futur simple peut également prendre d'autres valeurs, parmi lesquelles on retiendra :

– le **futur d'ordre** ;

*Tu **feras** tes devoirs en rentrant.*

– le **futur d'atténuation polie** ;

*Nous vous **demanderons** de bien vouloir éteindre vos portables.*

– le **futur de certitude** ou **de prophétie** ;

« Maudit sois-tu entre tous les bestiaux.

*Tu **marcheras** sur ton ventre et tu **mangeras** de la terre. »*

▶ LA BIBLE, Genèse 1. 3.

– le **futur de supposition**. (Cette valeur se retrouve au futur antérieur.)

*J'ai entendu du bruit au grenier : ce **sera** une souris.*
(futur simple)

*Il est bien tard ; il **se sera perdu** en chemin !* (futur antérieur)

316 La valeur temporelle du conditionnel

▶ Le conditionnel, en plus de ses valeurs modales, a une valeur temporelle : il exprime le **futur du passé**, c'est-à-dire qu'il indique une action à venir par rapport à un moment passé.

> *Robinson s'était longtemps demandé comment*
> *il **appellerait** l'Indien.*
>
> ▶ MICHEL TOURNIER, *Vendredi ou la Vie sauvage.*
>
> Au présent, on aurait : *Robinson se demande comment il appellera l'Indien.*

317 Qu'est-ce que l'aspect verbal ?

▶ Les temps verbaux renseignent également sur le déroulement de l'action en indiquant si celle-ci est à son début, à sa fin, si elle est en cours de développement ou si elle se répète. Étudier l'**aspect verbal**, c'est se demander à quel moment de son déroulement se situe l'action.

▶ On distingue :

– l'**aspect accompli**, qui présente l'action comme achevée ; il est exprimé par les temps composés ;

> *Ce soir-là, il **avait préparé** le repas.*

– l'**aspect inaccompli**, qui présente l'action comme étant en cours d'accomplissement ; il est exprimé par les temps simples ;

> *Quand elle rentra du travail, il **préparait** le repas.*

– l'**aspect itératif**, qui présente l'action comme étant répétée ; il est exprimé par le présent ou l'imparfait d'habitude.

> *Le soir, après le travail, il **préparait** le repas.*

Pour aller plus loin

■ **L'aspect peut aussi s'exprimer par des périphrases verbales.**

Celles-ci expriment le début de l'action *(se mettre à, commencer à...)*, le déroulement de l'action *(être en train de, continuer de...)* ou la fin de l'action *(finir de, achever de, cesser de...)*.

■ **L'aspect peut encore s'exprimer par le sens du verbe.**

Les verbes comme *répéter, sautiller* ou les verbes comportant le préfixe *-re*, comme *refaire, redire* expriment l'aspect itératif.

Résumé

- Les temps verbaux permettent de situer une action dans le temps.

- On emploie le présent pour exprimer une action qui se déroule au moment où l'on parle.

- On emploie l'imparfait pour exprimer une action passée en cours de réalisation : il est le temps de la description au passé.

- On emploie le passé simple pour présenter une action passée totalement coupée du moment où l'on parle : il est le temps du récit.

- On emploie le passé composé pour exprimer une action passée qui garde un lien avec le présent. On l'utilise dans le récit oral.

- On emploie le futur simple pour exprimer une action à venir.

- On emploie le conditionnel pour exprimer un futur dans le passé.

- On emploie les temps composés pour présenter une action qui s'est produite avant l'action exprimée aux temps simples.

- Les temps verbaux expriment aussi l'aspect, c'est-à-dire le moment où en est l'action : à son début, dans son milieu, à son terme.

Les tableaux de conjugaison

Comment se conjugue le verbe *vouloir* à la troisième personne du singulier de l'imparfait du subjonctif à la voix active ?
Pour répondre à cette question, il faut savoir lire un tableau de conjugaison.

318 Les modèles de conjugaison

▶ Pour conjuguer un verbe, on peut utiliser les **tableaux de conjugaison**. Chaque tableau correspond à un modèle de conjugaison :

– **être** et **avoir** sont des verbes et des auxiliaires ; il faut absolument les connaître ;

– **aimer** est le modèle du 1er groupe. On l'utilise aussi pour la conjugaison de la voix passive ;

– **se méfier** est le modèle pour conjuguer les verbes pronominaux ;

– **finir** est le modèle pour conjuguer les verbes du 2e groupe ;

– **aller**, **conclure**, **croire**, **dire**, **faire**, **peindre**, **pouvoir**, **prendre**, **savoir**, **tenir**, **voir**, **vouloir** sont des modèles pour conjuguer les verbes du 3e groupe.

319 Les temps et les modes clés

▶ Pour conjuguer un verbe, il faut avant tout connaître certains temps et modes clés qui donnent les différents radicaux du verbe : l'**infinitif**, le **présent**, le **passé simple de l'indicatif** et le **participe passé**.

Infinitif : *devoir* (radical *dev-* : je devais, tu devais…, je devrai, devant)
Présent : *je dois* (radical *doi-* : tu dois, il doit)
Passé simple : *je dus* (radical *du-* : tu dus, il dut, que je dusse…)
Participe passé : *dû* (employé pour tous les temps composés)

Infinitif : *croire* (radical *croi-* : je crois, tu crois…, je croirai…)
Présent : *nous croyons* (radical *croy-* : vous croyez, je croyais…)
Passé simple : *je crus* (radical *cru-* : tu crus…, ils crurent, qu'il crût)
Participe passé : *cru* (employé pour tous les temps composés)

320 Comment mémoriser les radicaux des verbes ?

● Dans les tableaux de conjugaison, toutes les premières personnes du singulier des temps simples sont en rouge.

j'aime, je finis, j'irai, je croyais

● La première personne du pluriel de l'indicatif et du subjonctif présent et la première personne du pluriel de l'impératif présent sont en rouge. Il y a souvent une modification du radical entre le singulier et le pluriel de l'indicatif présent et de l'impératif présent.

j'ai, nous avons
je prends, nous prenons
que je prenne, que nous prenions
viens, venons

321 Être

INDICATIF	
Présent	**Passé composé**
je **suis**	j'ai été
tu es	tu as été
il est	il a été
nous **sommes**	nous avons été
vous êtes	vous avez été
ils sont	ils ont été
Imparfait	**Plus-que-parfait**
j'**étais**	j'avais été
tu étais	tu avais été
il était	il avait été
nous étions	nous avions été
vous étiez	vous aviez été
ils étaient	ils avaient été
Passé simple	**Passé antérieur**
je **fus**	j'eus été
tu fus	tu eus été
il fut	il eut été
nous fûmes	nous eûmes été
vous fûtes	vous eûtes été
ils furent	ils eurent été
Futur simple	**Futur antérieur**
je **serai**	j'aurai été
tu seras	tu auras été
il sera	il aura été
nous serons	nous aurons été
vous serez	vous aurez été
ils seront	ils auront été

CONDITIONNEL	
Présent	**Passé**
je **serais**	j'aurais été
tu serais	tu aurais été
il serait	il aurait été
nous serions	nous aurions été
vous seriez	vous auriez été
ils seraient	ils auraient été

SUBJONCTIF	
Présent	**Passé**
que je **sois**	que j'aie été
que tu sois	que tu aies été
qu'il soit	qu'il ait été
que n. **soyons**	que n. ayons été
que v. soyez	que v. ayez été
qu'ils soient	qu'ils aient été
Imparfait	**Plus-que-parfait**
que je **fusse**	que j'eusse été
que tu fusses	que tu eusses été
qu'il **fût**	qu'il eût été
que n. fussions	que n. eussions été
que v. fussiez	que v. eussiez été
qu'ils fussent	qu'ils eussent été

IMPÉRATIF	
Présent	**Passé**
sois	aie été
soyons	ayons été
soyez	ayez été

INFINITIF	
Présent	**Passé**
être	avoir été

PARTICIPE	
Présent	**Passé**
étant	été
	ayant été

GÉRONDIF	
Présent	**Passé**
en étant	en ayant été

322 Avoir

INDICATIF	
Présent	**Passé composé**
j'**ai**	j'ai eu
tu as	tu as eu
il a	il a eu
nous **avons**	nous avons eu
vous avez	vous avez eu
ils ont	ils ont eu
Imparfait	**Plus-que-parfait**
j'**avais**	j'avais eu
tu avais	tu avais eu
il avait	il avait eu
nous avions	nous avions eu
vous aviez	vous aviez eu
ils avaient	ils avaient eu
Passé simple	**Passé antérieur**
j'**eus**	j'eus eu
tu eus	tu eus eu
il eut	il eut eu
nous eûmes	nous eûmes eu
vous eûtes	vous eûtes eu
ils eurent	ils eurent eu
Futur simple	**Futur antérieur**
j'**aurai**	j'aurai eu
tu auras	tu auras eu
il aura	il aura eu
nous aurons	nous aurons eu
vous aurez	vous aurez eu
ils auront	ils auront eu

CONDITIONNEL	
Présent	**Passé**
j'**aurais**	j'aurais eu
tu aurais	tu aurais eu
il aurait	il aurait eu
nous aurions	nous aurions eu
vous auriez	vous auriez eu
ils auraient	ils auraient eu

SUBJONCTIF	
Présent	**Passé**
que j'**aie**	que j'aie eu
que tu aies	que tu aies eu
qu'il ait	qu'il ait eu
que n. **ayons**	que n. ayons eu
que v. ayez	que v. ayez eu
qu'ils aient	qu'ils aient eu
Imparfait	**Plus-que-parfait**
que j'**eusse**	que j'eusse eu
que tu eusses	que tu eusses eu
qu'il eût	qu'il eût eu
que n. eussions	que n. eussions eu
que v. eussiez	que v. eussiez eu
qu'ils eussent	qu'ils eussent eu

IMPÉRATIF	
Présent	**Passé**
aie	aie eu
ayons	ayons eu
ayez	ayez eu

INFINITIF	
Présent	**Passé**
avoir	avoir eu

PARTICIPE	
Présent	**Passé**
ayant	**eu**
	ayant eu

GÉRONDIF	
Présent	**Passé**
en ayant	en ayant eu

323 Aimer Voix active – premier groupe

INDICATIF	
Présent	**Passé composé**
j'**aime**	j'ai aimé
tu aimes	tu as aimé
il aime	il a aimé
nous **aimons**	nous avons aimé
vous aimez	vous avez aimé
ils aiment	ils ont aimé
Imparfait	**Plus-que-parfait**
j'**aimais**	j'avais aimé
tu aimais	tu avais aimé
il aimait	il avait aimé
nous aimions	nous avions aimé
vous aimiez	vous aviez aimé
ils aimaient	ils avaient aimé
Passé simple	**Passé antérieur**
j'**aimai**	j'eus aimé
tu aimas	tu eus aimé
il aima	il eut aimé
nous aimâmes	nous eûmes aimé
vous aimâtes	vous eûtes aimé
ils aimèrent	ils eurent aimé
Futur simple	**Futur antérieur**
j'**aimerai**	j'aurai aimé
tu aimeras	tu auras aimé
il aimera	il aura aimé
nous aimerons	nous aurons aimé
vous aimerez	vous aurez aimé
ils aimeront	ils auront aimé

CONDITIONNEL	
Présent	**Passé**
j'**aimerais**	j'aurais aimé
tu aimerais	tu aurais aimé
il aimerait	il aurait aimé
nous aimerions	nous aurions aimé
vous aimeriez	vous auriez aimé
ils aimeraient	ils auraient aimé

SUBJONCTIF	
Présent	**Passé**
que j'**aime**	que j'aie aimé
que tu aimes	que tu aies aimé
qu'il aime	qu'il ait aimé
que n. **aimions**	que n. ayons aimé
que vous aimiez	que vous ayez aimé
qu'ils aiment	qu'ils aient aimé
Imparfait	**Plus-que-parfait**
que j'**aimasse**	que j'eusse aimé
que tu aimasses	que tu eusses aimé
qu'il aimât	qu'il eût aimé
que n. aimassions	que n. eussions aimé
que v. aimassiez	que v. eussiez aimé
qu'ils aimassent	qu'ils eussent aimé

IMPÉRATIF	
Présent	**Passé**
aime	aie aimé
aimons	ayons aimé
aimez	ayez aimé

INFINITIF	
Présent	**Passé**
aimer	avoir aimé

PARTICIPE	
Présent	**Passé**
aimant	**aimé**
	ayant été aimé

GÉRONDIF	
Présent	**Passé**
en aimant	en ayant aimé

324 Être aimé Voix passive

INDICATIF

Présent	Passé composé
je **suis aimé**	j'ai été aimé
tu es aimé	tu as été aimé
il est aimé	il a été aimé
nous **sommes aimés**	nous avons été aimés
vous êtes aimés	vous avez été aimés
ils sont aimés	ils ont été aimés

Imparfait	Plus-que-parfait
j'**étais aimé**	j'avais été aimé
tu étais aimé	tu avais été aimé
il était aimé	il avait été aimé
nous étions aimés	nous avions été aimés
vous étiez aimés	vous aviez été aimés
ils étaient aimés	ils avaient été aimés

Passé simple	Passé antérieur
je **fus aimé**	j'eus été aimé
tu fus aimé	tu eus été aimé
il fut aimé	il eut été aimé
nous fûmes aimés	nous eûmes été aimés
vous fûtes aimés	vous eûtes été aimés
ils furent aimés	ils eurent été aimés

Futur simple	Futur antérieur
je **serai aimé**	j'aurai été aimé
tu seras aimé	tu auras été aimé
il sera aimé	il aura été aimé
nous serons aimés	nous aurons été aimés
vous serez aimés	vous aurez été aimés
ils seront aimés	ils auront été aimés

CONDITIONNEL

Présent	Passé
je **serais aimé**	j'aurais été aimé
tu serais aimé	tu aurais été aimé
il serait aimé	il aurait été aimé
nous serions aimés	nous aurions été aimés
vous seriez aimés	vous auriez été aimés
ils seraient aimés	ils auraient été aimés

SUBJONCTIF

Présent	Passé
que je **sois aimé**	que j'aie été aimé
que tu sois aimé	que tu aies été aimé
qu'il soit aimé	qu'il ait été aimé
que n. **soyons aimés**	que n. ayons été aimés
que v. soyez aimés	que v. ayez été aimés
qu'ils soient aimés	qu'ils aient été aimés

Imparfait	Plus-que-parfait
que je **fusse aimé**	que j'eusse été aimé
que tu fusses aimé	que tu eusses été aimé
qu'il fût aimé	qu'il eût été aimé
que n. fussions aimés	que n. eussions été aimés
que v. fussiez aimés	que v. eussiez été aimés
qu'ils fussent aimés	qu'ils eussent été aimés

IMPÉRATIF

Présent	Passé
sois aimé	•
soyons aimés	•
soyez aimés	•

INFINITIF

Présent	Passé
être aimé	avoir été aimé

PARTICIPE

Présent	Passé
étant aimé	**aimé**
	ayant été aimé

GÉRONDIF

Présent	Passé
en étant aimé	en ayant été aimé

325 Se méfier Verbe pronominal

INDICATIF

Présent	Passé composé
je **me méfie**	je me suis méfié
tu te méfies	tu t'es méfié
il se méfie	il s'est méfié
nous **nous méfions**	n. nous sommes méfiés
vous vous méfiez	v. vous êtes méfiés
ils se méfient	ils se sont méfiés

Imparfait	Plus-que-parfait
je **me méfiais**	je m'étais méfié
tu te méfiais	tu t'étais méfié
il se méfiait	il s'était méfié
nous nous **méfiions**	n. nous étions méfiés
vous vous **méfiiez**	v. vous étiez méfiés
ils se méfiaient	ils s'étaient méfiés

Passé simple	Passé antérieur
je **me méfiai**	je me fus méfié
tu te méfias	tu te fus méfié
il se méfia	il se fut méfié
nous nous méfiâmes	n. nous fûmes méfiés
vous vous méfiâtes	v. vous fûtes méfiés
ils se méfièrent	ils se furent méfiés

Futur simple	Futur antérieur
je **me méfierai**	je me serai méfié
tu te méfieras	tu te seras méfié
il se méfiera	il se sera méfié
nous nous méfierons	n. nous serons méfiés
vous vous méfierez	v. vous serez méfiés
ils se méfieront	ils se seront méfiés

CONDITIONNEL

Présent	Passé
je **me méfierais**	je me serais méfié
tu te méfierais	tu te serais méfié
il se méfierait	il se serait méfié
n. nous méfierions	n. nous serions méfiés
v. vous méfieriez	v. vous seriez méfiés
ils se méfieraient	ils se seraient méfiés

SUBJONCTIF

Présent	Passé
que je **me méfie**	que je me sois méfié
que tu te méfies	que tu te sois méfié
qu'il se méfie	qu'il se soit méfié
que n. **n. méfiions**	que n. n. soyons méfiés
que v. v. **méfiiez**	que v. v. soyez méfiés
qu'ils se méfient	qu'ils se soient méfiés

Imparfait	Plus-que-parfait
que je **me méfiasse**	que je me fusse méfié
que tu te méfiasses	que tu te fusses méfié
qu'il se méfiât	qu'il se fût méfié
que n. n. méfiassions	que n. n. fussions méfiés
que v. v. méfiassiez	que v. v. fussiez méfiés
qu'ils se méfiassent	qu'ils se fussent méfiés

IMPÉRATIF

Présent	Passé
méfie-toi	•
méfions-nous	•
méfiez-vous	•

INFINITIF

Présent	Passé
se méfier	s'être méfié

PARTICIPE

Présent	Passé
se méfiant	•
	s'étant méfié

GÉRONDIF

Présent	Passé
en se méfiant	en s'étant méfié

326 Finir Deuxième groupe

INDICATIF

Présent
je **finis**
tu finis
il finit
nous **finissons**
vous finissez
ils finissent

Passé composé
j'ai fini
tu as fini
il a fini
nous avons fini
vous avez fini
ils ont fini

Imparfait
je **finissais**
tu finissais
il finissait
nous finissions
vous finissiez
ils finissaient

Plus-que-parfait
j'avais fini
tu avais fini
il avait fini
nous avions fini
vous aviez fini
ils avaient fini

Passé simple
je **finis**
tu finis
il finit
nous finîmes
vous finîtes
ils finirent

Passé antérieur
j'eus fini
tu eus fini
il eut fini
nous eûmes fini
vous eûtes fini
ils eurent fini

Futur simple
je **finirai**
tu finiras
il finira
nous finirons
vous finirez
ils finiront

Futur antérieur
j'aurai fini
tu auras fini
il aura fini
nous aurons fini
vous aurez fini
ils auront fini

CONDITIONNEL

Présent
je **finirais**
tu finirais
il finirait
nous finirions
vous finiriez
ils finiraient

Passé
j'aurais fini
tu aurais fini
il aurait fini
nous aurions fini
vous auriez fini
ils auraient fini

SUBJONCTIF

Présent
que je **finisse**
que tu finisses
qu'il finisse
que n. **finissions**
que v. finissiez
qu'ils finissent

Passé
que j'aie fini
que tu aies fini
qu'il ait fini
que n. ayons fini
que v. ayez fini
qu'ils aient fini

Imparfait
que je **finisse**
que tu finisses
qu'il finît
que n. finissions
que v. finissiez
qu'ils finissent

Plus-que-parfait
que j'eusse fini
que tu eusses fini
qu'il eût fini
que n. eussions fini
que v. eussiez fini
qu'ils eussent fini

IMPÉRATIF

Présent
finis
finissons
finissez

Passé
aie fini
ayons fini
ayez fini

INFINITIF

Présent
finir

Passé
avoir fini

PARTICIPE

Présent
finissant

Passé
fini
ayant fini

GÉRONDIF

Présent
en finissant

Passé
en ayant fini

327 Aller Troisième groupe

INDICATIF	
Présent	**Passé composé**
je **vais**	je suis allé
tu vas	tu es allé
il va	il est allé
nous **allons**	nous sommes allés
vous allez	vous êtes allés
ils vont	ils sont allés
Imparfait	**Plus-que-parfait**
j'**allais**	j'étais allé
tu allais	tu étais allé
il allait	il était allé
nous allions	nous étions allés
vous alliez	vous étiez allés
ils allaient	ils étaient allés
Passé simple	**Passé antérieur**
j'**allai**	je fus allé
tu allas	tu fus allé
il alla	il fut allé
nous allâmes	nous fûmes allés
vous allâtes	vous fûtes allés
ils allèrent	ils furent allés
Futur simple	**Futur antérieur**
j'**irai**	je serai allé
tu iras	tu seras allé
il ira	il sera allé
nous irons	nous serons allés
vous irez	vous serez allés
ils iront	ils seront allés

CONDITIONNEL	
Présent	**Passé**
j'**irais**	je serais allé
tu irais	tu serais allé
il irait	il serait allé
nous irions	nous serions allés
vous iriez	vous seriez allés
ils iraient	ils seraient allés

SUBJONCTIF	
Présent	**Passé**
que j'**aille**	que je sois allé
que tu ailles	que tu sois allé
qu'il aille	qu'il soit allé
que n. **allions**	que n. soyons allés
que v. alliez	que v. soyez allés
qu'ils aillent	qu'ils soient allés
Imparfait	**Plus-que-parfait**
que j'**allasse**	que je fusse allé
que tu allasses	que tu fusses allé
qu'il allât	qu'il fût allé
que n. allassions	que n. fussions allés
que v. allassiez	que v. fussiez allés
qu'ils allassent	qu'ils fussent allés

IMPÉRATIF	
Présent	**Passé**
va	sois allé
allons	soyons allés
allez	soyez allés

INFINITIF	
Présent	**Passé**
aller	être allé

PARTICIPE	
Présent	**Passé**
allant	**allé**
	étant allé

GÉRONDIF	
Présent	**Passé**
en allant	en étant allé

INDICATIF

Présent

je **conclus**
tu conclus
il conclut
nous **concluons**
vous concluez
ils concluent

Passé composé

j'ai conclu
tu as conclu
il a conclu
nous avons conclu
vous avez conclu
ils ont conclu

Imparfait

je **concluais**
tu concluais
il concluait
nous concluions
vous concluiez
ils concluaient

Plus-que-parfait

j'avais conclu
tu avais conclu
il avait conclu
nous avions conclu
vous aviez conclu
ils avaient conclu

Passé simple

je **conclus**
tu conclus
il conclut
nous conclûmes
vous conclûtes
ils conclurent

Passé antérieur

j'eus conclu
tu eus conclu
il eut conclu
nous eûmes conclu
vous eûtes conclu
ils eurent conclu

Futur simple

je **conclurai**
tu concluras
il conclura
nous conclurons
vous conclurez
ils concluront

Futur antérieur

j'aurai conclu
tu auras conclu
il aura conclu
nous aurons conclu
vous aurez conclu
ils auront conclu

CONDITIONNEL

Présent

je **conclurais**
tu conclurais
il conclurait
nous conclurions
vous concluriez
ils concluraient

Passé

j'aurais conclu
tu aurais conclu
il aurait conclu
nous aurions conclu
vous auriez conclu
ils auraient conclu

SUBJONCTIF

Présent

que je **conclue**
que tu conclues
qu'il conclue
que n. **concluions**
que v. concluiez
qu'ils concluent

Passé

que j'aie conclu
que tu aies conclu
qu'il ait conclu
que n. ayons conclu
que v. ayez conclu
qu'ils aient conclu

Imparfait

que je **conclusse**
que tu conclusses
qu'il conclût
que n. conclussions
que v. conclussiez
qu'ils conclussent

Plus-que-parfait

que j'eusse conclu
que tu eusses conclu
qu'il eût conclu
que n. eussions conclu
que v. eussiez conclu
qu'ils eussent conclu

IMPÉRATIF

Présent

conclus
concluons
concluez

Passé

aie conclu
ayons conclu
ayez conclu

INFINITIF

Présent

conclure

Passé

avoir conclu

PARTICIPE

Présent

concluant

Passé

conclu
ayant conclu

GÉRONDIF

Présent

en concluant

Passé

en ayant conclu

329 Croire Troisième groupe

INDICATIF				SUBJONCTIF	

INDICATIF

Présent	Passé composé
je **crois**	j'ai cru
tu crois	tu as cru
il croit	il a cru
nous **croyons**	nous avons cru
vous croyez	vous avez cru
ils croient	ils ont cru

Imparfait	Plus-que-parfait
je **croyais**	j'avais cru
tu croyais	tu avais cru
il croyait	il avait cru
nous croyions	nous avions cru
vous croyiez	vous aviez cru
ils croyaient	ils avaient cru

Passé simple	Passé antérieur
je **crus**	j'eus cru
tu crus	tu eus cru
il crut	il eut cru
nous crûmes	nous eûmes cru
vous crûtes	vous eûtes cru
ils crurent	ils eurent cru

Futur simple	Futur antérieur
je **croirai**	j'aurai cru
tu croiras	tu auras cru
il croira	il aura cru
nous croirons	nous aurons cru
vous croirez	vous aurez cru
ils croiront	ils auront cru

CONDITIONNEL

Présent	Passé
je **croirais**	j'aurais cru
tu croirais	tu aurais cru
il croirait	il aurait cru
nous croirions	nous aurions cru
vous croiriez	vous auriez cru
ils croiraient	ils auraient cru

SUBJONCTIF

Présent	Passé
que je **croie**	que j'aie cru
que tu croies	que tu aies cru
qu'il croie	qu'il ait cru
que n. **croyions**	que n. ayons cru
que v. croyiez	que v. ayez cru
qu'ils croient	qu'ils aient cru

Imparfait	Plus-que-parfait
que je **crusse**	que j'eusse cru
que tu crusses	que tu eusses cru
qu'il crût	qu'il eût cru
que n. crussions	que n. eussions cru
que v. crussiez	que v. eussiez cru
qu'ils crussent	qu'ils eussent cru

IMPÉRATIF

Présent	Passé
crois	aie cru
croyons	ayons cru
croyez	ayez cru

INFINITIF

Présent	Passé
croire	avoir cru

PARTICIPE

Présent	Passé
croyant	**cru**
	ayant cru

GÉRONDIF

Présent	Passé
en croyant	en ayant cru

330 Dire Troisième groupe

INDICATIF

Présent	Passé composé
je **dis**	j'ai dit
tu dis	tu as dit
il dit	il a dit
nous **disons**	nous avons dit
vous **dites**	vous avez dit
ils disent	ils ont dit

Imparfait	Plus-que-parfait
je **disais**	j'avais dit
tu disais	tu avais dit
il disait	il avait dit
nous disions	nous avions dit
vous disiez	vous aviez dit
ils disaient	ils avaient dit

Passé simple	Passé antérieur
je **dis**	j'eus dit
tu dis	tu eus dit
il dit	il eut dit
nous dîmes	nous eûmes dit
vous dîtes	vous eûtes dit
ils dirent	ils eurent dit

Futur simple	Futur antérieur
je **dirai**	j'aurai dit
tu diras	tu auras dit
il dira	il aura dit
nous dirons	nous aurons dit
vous direz	vous aurez dit
ils diront	ils auront dit

CONDITIONNEL

Présent	Passé
je **dirais**	j'aurais dit
tu dirais	tu aurais dit
il dirait	il aurait dit
nous dirions	nous aurions dit
vous diriez	vous auriez dit
ils diraient	ils auraient dit

SUBJONCTIF

Présent	Passé
que je **dise**	que j'aie dit
que tu dises	que tu aies dit
qu'il dise	qu'il ait dit
que n. **disions**	que n. ayons dit
que v. disiez	que v. ayez dit
qu'ils disent	qu'ils aient dit

Imparfait	Plus-que-parfait
que je **disse**	que j'eusse dit
que tu disses	que tu eusses dit
qu'il dît	qu'il eût dit
que n. dissions	que n. eussions dit
que v. dissiez	que v. eussiez dit
qu'ils dissent	qu'ils eussent dit

IMPÉRATIF

Présent	Passé
dis	aie dit
disons	ayons dit
dites	ayez dit

INFINITIF

Présent	Passé
dire	avoir dit

PARTICIPE

Présent	Passé
disant	**dit**
	ayant dit

GÉRONDIF

Présent	Passé
en disant	en ayant dit

331 Faire Troisième groupe

INDICATIF

Présent	**Passé composé**
je **fais**	j'ai fait
tu fais	tu as fait
il fait	il a fait
nous **faisons**	nous avons fait
vous **faites**	vous avez fait
ils font	ils ont fait

Imparfait	**Plus-que-parfait**
je **faisais**	j'avais fait
tu faisais	tu avais fait
il faisait	il avait fait
nous faisions	nous avions fait
vous faisiez	vous aviez fait
ils faisaient	ils avaient fait

Passé simple	**Passé antérieur**
je **fis**	j'eus fait
tu fis	tu eus fait
il fit	il eut fait
nous fîmes	nous eûmes fait
vous fîtes	vous eûtes fait
ils firent	ils eurent fait

Futur simple	**Futur antérieur**
je **ferai**	j'aurai fait
tu feras	tu auras fait
il fera	il aura fait
nous ferons	nous aurons fait
vous ferez	vous aurez fait
ils feront	ils auront fait

CONDITIONNEL

Présent	**Passé**
je **ferais**	j'aurais fait
tu ferais	tu aurais fait
il ferait	il aurait fait
nous ferions	nous aurions fait
vous feriez	vous auriez fait
ils feraient	ils auraient fait

SUBJONCTIF

Présent	**Passé**
que je **fasse**	que j'aie fait
que tu fasses	que tu aies fait
qu'il fasse	qu'il ait fait
que n. **fassions**	que n. ayons fait
que v. fassiez	que v. ayez fait
qu'ils fassent	qu'ils aient fait

Imparfait	**Plus-que-parfait**
que je **fisse**	que j'eusse fait
que tu fisses	que tu eusses fait
qu'il fît	qu'il eût fait
que n. fissions	que n. eussions fait
que v. fissiez	que v. eussiez fait
qu'ils fissent	qu'ils eussent fait

IMPÉRATIF

Présent	**Passé**
fais	aie fait
faisons	ayons fait
faites	ayez fait

INFINITIF

Présent	**Passé**
faire	avoir fait

PARTICIPE

Présent	**Passé**
faisant	fait
	ayant fait

GÉRONDIF

Présent	**Passé**
en faisant	en ayant fait

CONJUGAISON

2222111111111111111

111111111111111111111111111111

332 Peindre Troisième groupe

INDICATIF

Présent	Passé composé
je **peins**	j'ai peint
tu peins	tu as peint
il peint	il a peint
nous **peignons**	nous avons peint
vous peignez	vous avez peint
ils peignent	ils ont peint

Imparfait	Plus-que-parfait
je **peignais**	j'avais peint
tu peignais	tu avais peint
il peignait	il avait peint
nous peignions	nous avions peint
vous peigniez	vous aviez peint
ils peignaient	ils avaient peint

Passé simple	Passé antérieur
je **peignis**	j'eus peint
tu peignis	tu eus peint
il peignit	il eut peint
nous peignîmes	nous eûmes peint
vous peignîtes	vous eûtes peint
ils peignirent	ils eurent peint

Futur simple	Futur antérieur
je **peindrai**	j'aurai peint
tu peindras	tu auras peint
il peindra	il aura peint
nous peindrons	nous aurons peint
vous peindrez	vous aurez peint
ils peindront	ils auront peint

CONDITIONNEL

Présent	Passé
je **peindrais**	j'aurais peint
tu peindrais	tu aurais peint
il peindrait	il aurait peint
nous peindrions	nous aurions peint
vous peindriez	vous auriez peint
ils peindraient	ils auraient peint

SUBJONCTIF

Présent	Passé
que je **peigne**	que j'aie peint
que tu peignes	que tu aies peint
qu'il peigne	qu'il ait peint
que n. **peignions**	que n. ayons peint
que v. peigniez	que v. ayez peint
qu'ils peignent	qu'ils aient peint

Imparfait	Plus-que-parfait
que je **peignisse**	que j'eusse peint
que tu peignisses	que tu eusses peint
qu'il peignît	qu'il eût peint
que n. peignissions	que n. eussions peint
que v. peignissiez	que v. eussiez peint
qu'ils peignissent	qu'ils eussent peint

IMPÉRATIF

Présent	Passé
peins	aie peint
peignons	ayons peint
peignez	ayez peint

INFINITIF

Présent	Passé
peindre	avoir peint

PARTICIPE

Présent	Passé
peignant	**peint**
	ayant peint

GÉRONDIF

Présent	Passé
en peignant	en ayant peint

333 **Pouvoir** Troisième groupe

INDICATIF

Présent	Passé composé
je **peux/puis**	j'ai pu
tu peux	tu as pu
il peut	il a pu
nous **pouvons**	nous avons pu
vous pouvez	vous avez pu
ils peuvent	ils ont pu

Imparfait	Plus-que-parfait
je **pouvais**	j'avais pu
tu pouvais	tu avais pu
il pouvait	il avait pu
nous pouvions	nous avions pu
vous pouviez	vous aviez pu
ils pouvaient	ils avaient pu

Passé simple	Passé antérieur
je **pus**	j'eus pu
tu pus	tu eus pu
il put	il eut pu
nous pûmes	nous eûmes pu
vous pûtes	vous eûtes pu
ils purent	ils eurent pu

Futur simple	Futur antérieur
je **pourrai**	j'aurai pu
tu pourras	tu auras pu
il pourra	il aura pu
nous pourrons	nous aurons pu
vous pourrez	vous aurez pu
ils pourront	ils auront pu

CONDITIONNEL

Présent	Passé
je **pourrais**	j'aurais pu
tu pourrais	tu aurais pu
il pourrait	il aurait pu
nous pourrions	nous aurions pu
vous pourriez	vous auriez pu
ils pourraient	ils auraient pu

SUBJONCTIF

Présent	Passé
que je **puisse**	que j'aie pu
que tu puisses	que tu aies pu
qu'il puisse	qu'il ait pu
que n. **puissions**	que n. ayons pu
que v. puissiez	que v. ayez pu
qu'ils puissent	qu'ils aient pu

Imparfait	Plus-que-parfait
que je **pusse**	que j'eusse pu
que tu pusses	que tu eusses pu
qu'il pût	qu'il eût pu
que n. pussions	que n. eussions pu
que v. pussiez	que v. eussiez pu
qu'ils pussent	qu'ils eussent pu

IMPÉRATIF

Présent	Passé
•	•
•	•
•	•

INFINITIF

Présent	Passé
pouvoir	avoir pu

PARTICIPE

Présent	Passé
pouvant	**pu**
	ayant pu

GÉRONDIF

Présent	Passé
en pouvant	en ayant pu

334 Prendre Troisième groupe

INDICATIF	
Présent	**Passé composé**
je **prends**	j'ai pris
tu prends	tu as pris
il prend	il a pris
nous **prenons**	nous avons pris
vous prenez	vous avez pris
ils prennent	ils ont pris
Imparfait	**Plus-que-parfait**
je **prenais**	j'avais pris
tu prenais	tu avais pris
il prenait	il avait pris
nous prenions	nous avions pris
vous preniez	vous aviez pris
ils prenaient	ils avaient pris
Passé simple	**Passé antérieur**
je **pris**	j'eus pris
tu pris	tu eus pris
il prit	il eut pris
nous prîmes	nous eûmes pris
vous prîtes	vous eûtes pris
ils prirent	ils eurent pris
Futur simple	**Futur antérieur**
je **prendrai**	j'aurai pris
tu prendras	tu auras pris
il prendra	il aura pris
nous prendrons	nous aurons pris
vous prendrez	vous aurez pris
ils prendront	ils auront pris

CONDITIONNEL	
Présent	**Passé**
je **prendrais**	j'aurais pris
tu prendrais	tu aurais pris
il prendrait	il aurait pris
nous prendrions	nous aurions pris
vous prendriez	vous auriez pris
ils prendraient	ils auraient pris

SUBJONCTIF	
Présent	**Passé**
que je **prenne**	que j'aie pris
que tu prennes	que tu aies pris
qu'il prenne	qu'il ait pris
que n. **prenions**	que n. ayons pris
que v. preniez	que v. ayez pris
qu'ils prennent	qu'ils aient pris
Imparfait	**Plus-que-parfait**
que je **prisse**	que j'eusse pris
que tu prisses	que tu eusses pris
qu'il prît	qu'il eût pris
que n. prissions	que n. eussions pris
que v. prissiez	que v. eussiez pris
qu'ils prissent	qu'ils eussent pris

IMPÉRATIF	
Présent	**Passé**
prends	aie pris
prenons	ayons pris
prenez	ayez pris

INFINITIF	
Présent	**Passé**
prendre	avoir pris

PARTICIPE	
Présent	**Passé**
prenant	**pris**
	ayant pris

GÉRONDIF	
Présent	**Passé**
en prenant	en ayant pris

335 Savoir Troisième groupe

INDICATIF

Présent
je **sais**
tu sais
il sait
nous **savons**
vous savez
ils savent

Passé composé
j'ai su
tu as su
il a su
nous avons su
vous avez su
ils ont su

Imparfait
je **savais**
tu savais
il savait
nous savions
vous saviez
ils savaient

Plus-que-parfait
j'avais su
tu avais su
il avait su
nous avions su
vous aviez su
ils avaient su

Passé simple
je **sus**
tu sus
il sut
nous sûmes
vous sûtes
ils surent

Passé antérieur
j'eus su
tu eus su
il eut su
nous eûmes su
vous eûtes su
ils eurent su

Futur simple
je **saurai**
tu sauras
il saura
nous saurons
vous saurez
ils sauront

Futur antérieur
j'aurai su
tu auras su
il aura su
nous aurons su
vous aurez su
ils auront su

CONDITIONNEL

Présent
je **saurais**
tu saurais
il saurait
nous saurions
vous sauriez
ils sauraient

Passé
j'aurais su
tu aurais su
il aurait su
nous aurions su
vous auriez su
ils auraient su

SUBJONCTIF

Présent
que je **sache**
que tu saches
qu'il sache
que n. **sachions**
que v. sachiez
qu'ils sachent

Passé
que j'aie su
que tu aies su
qu'il ait su
que n. ayons su
que v. ayez su
qu'ils aient su

Imparfait
que je **susse**
que tu susses
qu'il sût
que n. sussions
que v. sussiez
qu'ils sussent

Plus-que-parfait
que j'eusse su
que tu eusses su
qu'il eût su
que n. eussions su
que v. eussiez su
qu'ils eussent su

IMPÉRATIF

Présent
sache
sachons
sachez

Passé
aie su
ayons su
ayez su

INFINITIF

Présent
savoir

Passé
avoir su

PARTICIPE

Présent
sachant

Passé
su
ayant su

GÉRONDIF

Présent
en sachant

Passé
en ayant su

336 Tenir Troisième groupe

INDICATIF

Présent	Passé composé
je **tiens**	j'ai tenu
tu tiens	tu as tenu
il tient	il a tenu
nous **tenons**	nous avons tenu
vous tenez	vous avez tenu
ils tiennent	ils ont tenu

Imparfait	Plus-que-parfait
je **tenais**	j'avais tenu
tu tenais	tu avais tenu
il tenait	il avait tenu
nous tenions	nous avions tenu
vous teniez	vous aviez tenu
ils tenaient	ils avaient tenu

Passé simple	Passé antérieur
je **tins**	j'eus tenu
tu tins	tu eus tenu
il tint	il eut tenu
nous tînmes	nous eûmes tenu
vous tîntes	vous eûtes tenu
ils tinrent	ils eurent tenu

Futur simple	Futur antérieur
je **tiendrai**	j'aurai tenu
tu tiendras	tu auras tenu
il tiendra	il aura tenu
nous tiendrons	nous aurons tenu
vous tiendrez	vous aurez tenu
ils tiendront	ils auront tenu

CONDITIONNEL

Présent	Passé
je **tiendrais**	j'aurais tenu
tu tiendrais	tu aurais tenu
il tiendrait	il aurait tenu
nous tiendrions	nous aurions tenu
vous tiendriez	vous auriez tenu
ils tiendraient	ils auraient tenu

SUBJONCTIF

Présent	Passé
que je **tienne**	que j'aie tenu
que tu tiennes	que tu aies tenu
qu'il tienne	qu'il ait tenu
que n. **tenions**	que n. ayons tenu
que v. teniez	que v. ayez tenu
qu'ils tiennent	qu'ils aient tenu

Imparfait	Plus-que-parfait
que je **tinsse**	que j'eusse tenu
que tu tinsses	que tu eusses tenu
qu'il tînt	qu'il eût tenu
que n. tinssions	que n. eussions tenu
que v. tinssiez	que v. eussiez tenu
qu'ils tinssent	qu'ils eussent tenu

IMPÉRATIF

Présent	Passé
tiens	aie tenu
tenons	ayons tenu
tenez	ayez tenu

INFINITIF

Présent	Passé
tenir	avoir tenu

PARTICIPE

Présent	Passé
tenant	**tenu**
	ayant tenu

GÉRONDIF

Présent	Passé
en tenant	en ayant tenu

337 Voir Troisième groupe

INDICATIF		SUBJONCTIF	

INDICATIF

Présent	Passé composé
je **vois**	j'ai vu
tu vois	tu as vu
il voit	il a vu
nous **voyons**	nous avons vu
vous voyez	vous avez vu
ils voient	ils ont vu

Imparfait	Plus-que-parfait
je **voyais**	j'avais vu
tu voyais	tu avais vu
il voyait	il avait vu
nous voy**i**ons	nous avions vu
vous voy**i**ez	vous aviez vu
ils voyaient	ils avaient vu

Passé simple	Passé antérieur
je **vis**	j'eus vu
tu vis	tu eus vu
il vit	il eut vu
nous vîmes	nous eûmes vu
vous vîtes	vous eûtes vu
ils virent	ils eurent vu

Futur simple	Futur antérieur
je **verrai**	j'aurai vu
tu ve**rr**as	tu auras vu
il ve**rr**a	il aura vu
nous ve**rr**ons	nous aurons vu
vous ve**rr**ez	vous aurez vu
ils ve**rr**ont	ils auront vu

CONDITIONNEL

Présent	Passé
je **verrais**	j'aurais su
tu ve**rr**ais	tu aurais su
il ve**rr**ait	il aurait su
nous ve**rr**ions	nous aurions su
vous ve**rr**iez	vous auriez su
ils ve**rr**aient	ils auraient su

SUBJONCTIF

Présent	Passé
que je **voie**	que j'aie vu
que tu voies	que tu aies vu
qu'il voie	qu'il ait vu
que n. **voyions**	que n. ayons vu
que v. voy**i**ez	que v. ayez vu
qu'ils voient	qu'ils aient vu

Imparfait	Plus-que-parfait
que je **visse**	que j'eusse vu
que tu visses	que tu eusses vu
qu'il vît	qu'il eût vu
que n. vissions	que n. eussions vu
que v. vissiez	que v. eussiez vu
qu'ils vissent	qu'ils eussent vu

IMPÉRATIF

Présent	Passé
vois	aie vu
voyons	ayons vu
voyez	ayez vu

INFINITIF

Présent	Passé
voir	avoir vu

PARTICIPE

Présent	Passé
voyant	**vu**
	ayant vu

GÉRONDIF

Présent	Passé
en voyant	en ayant vu

338 Vouloir Troisième groupe

INDICATIF

Présent	Passé composé
je **veux**	j'ai voulu
tu veux	tu as voulu
il veut	il a voulu
nous **voulons**	nous avons voulu
vous voulez	vous avez voulu
ils veulent	ils ont voulu

Imparfait	Plus-que-parfait
je **voulais**	j'avais voulu
tu voulais	tu avais voulu
il voulait	il avait voulu
nous voulions	nous avions voulu
vous vouliez	vous aviez voulu
ils voulaient	ils avaient voulu

Passé simple	Passé antérieur
je **voulus**	j'eus voulu
tu voulus	tu eus voulu
il voulut	il eut voulu
nous voulûmes	nous eûmes voulu
vous voulûtes	vous eûtes voulu
ils voulurent	ils eurent voulu

Futur simple	Futur antérieur
je **voudrai**	j'aurai voulu
tu voudras	tu auras voulu
il voudra	il aura voulu
nous voudrons	nous aurons voulu
vous voudrez	vous aurez voulu
ils voudront	ils auront voulu

CONDITIONNEL

Présent	Passé
je **voudrais**	j'aurais voulu
tu voudrais	tu aurais voulu
il voudrait	il aurait voulu
nous voudrions	nous aurions voulu
vous voudriez	vous auriez voulu
ils voudraient	ils auraient voulu

SUBJONCTIF

Présent	Passé
que je **veuille**	que j'aie voulu
que tu veuilles	que tu aies voulu
qu'il veuille	qu'il ait voulu
que n. **voulions**	que n. ayons voulu
que v. vouliez	que v. ayez voulu
qu'ils veuillent	qu'ils aient voulu

Imparfait	Plus-que-parfait
que je **voulusse**	que j'eusse voulu
que tu voulusses	que tu eusses voulu
qu'il voulût	qu'il eût voulu
que n. voulussions	que n. eussions voulu
que v. voulussiez	que v. eussiez voulu
qu'ils voulussent	qu'ils eussent voulu

IMPÉRATIF

Présent	Passé
veux (veuille)	aie voulu
voulons	ayons voulu
voulez (veuillez)	ayez voulu

INFINITIF

Présent	Passé
vouloir	avoir voulu

PARTICIPE

Présent	Passé
voulant	**voulu**
	ayant voulu

GÉRONDIF

Présent	Passé
en voulant	en ayant voulu

VOCABULAIRE

Avant de commencer

Testez vos connaissances en vocabulaire!

Besoin d'aide? Reportez-vous au(x) paragraphe(s) indiqué(s) à droite.

1. Associez les mots suivants à leur langue d'origine.

`342`

1. valse	a. arabe
2. pantalon	b. allemand
3. hasard	c. italien
4. camarade	d. espagnol

2. Lequel de ces mots n'appartient pas à la famille de *mer*?

`344`

☐ amerrir   ☐ amarrer   ☐ maritime

3. L'élément *-âtre* dans *jaunâtre* est:

`346`

☐ un préfixe   ☐ un suffixe   ☐ un radical

4. Complétez les mots suivants avec les préfixes *hippo-* ou *hypo-*.

`351`

a. ....thermie   b. ....potame   c. ....drome

5. Dans lequel de ces mots le préfixe *in-* n'a pas de sens négatif?

`352`

☐ inonder   ☐ insomniaque   ☐ inépuisable   ☐ inouï

6. Qu'est-ce qu'un néologisme?

`355`

☐ un mot vieilli   ☐ un mot nouveau   ☐ un mot familier

7. Dans la phrase *Il a mis du cœur à l'ouvrage*, le mot *cœur* est employé:

`357`

☐ au sens propre   ☐ au sens figuré

8. Que connote le mot *destrier*?

`360`

`361`

☐ l'Antiquité   ☐ un cheval   ☐ le Moyen Âge

9. Choisissez le mot qui convient pour compléter cette phrase : *La poule a mangé un ... de terre.* `362`

☐ vert   ☐ verre   ☐ ver

10. Choisissez le mot qui convient pour compléter cette phrase : *Le navigateur rentre au ... .* `362`

☐ pore   ☐ port   ☐ porc

11. Choisissez le mot qui convient pour compléter cette phrase : *Tu dois d'abord calculer l'... du rectangle.* `362`

☐ air   ☐ ère   ☐ aire

12. *Facile* et *difficile* sont : `365`

☐ des antonymes   ☐ des synonymes
☐ des paronymes   ☐ des homonymes

13. Laquelle de ces phrases appartient au registre familier ? `368`

☐ Viens-tu au cinéma avec nous ?
☐ Est-ce que tu viens au cinéma avec nous ?
☐ Tu viens au cinéma avec nous ?

14. Dans le mot *rêvasser*, *-asser* est un suffixe : `370`

☐ mélioratif   ☐ péjoratif

15. Trouvez l'intrus de ce champ lexical. `373`

☐ trompette   ☐ tambour   ☐ canon
☐ hautbois   ☐ fifre

Corrigés p. 479

L'origine des mots

Ysolt en sa chambre suspire
Pur Tristran qu'ele tant desire
Ne puet en sun cuer el penser
Fors ço sul que Tristran amer

▶ « Le Lai de Guiron », *Le Roman de Tristan et Iseut.*

Iseut dans sa chambre soupire pour Tristan qu'elle désire
si fort. En son cœur, elle ne peut penser à autre chose
qu'à son amour pour Tristan.

Les poèmes de la légende de Tristan et Iseut ont été écrits
en ancien français ; on voit ainsi que les mots ont une histoire.

339 Qu'est-ce que l'étymologie d'un mot ?

▶ L'étymologie est la science qui permet de connaître l'**histoire des mots** en remontant à leur forme et à leur sens premier. Rechercher l'étymologie d'un mot consiste à rechercher l'**origine du mot**. Le dictionnaire indique, pour chaque mot, son étymologie et sa date d'apparition.

> *Enfant : n. ; xɪᵉ ; lat.* infans *« qui ne parle pas ».*
> Le dictionnaire nous apprend que le nom *enfant* est apparu dans la langue française au xɪᵉ siècle et qu'il vient d'un mot latin qui signifiait : *qui ne parle pas.*

▶ Les mots français ont des origines variées. On distingue les mots **hérités**, les mots **empruntés à d'autres langues** et les mots **formés par le français** (mots dérivés ▶343 ; mots composés ▶347).

340 Les mots hérités ou le fonds primitif

▶ La langue française s'est formée à partir d'un **fonds primitif** constitué par les mots hérités du latin, du gaulois et des langues germaniques. Ces différents héritages ont donné naissance, au ɪxᵉ siècle, au **roman** ou **ancien français** qui, en évoluant, est devenu le français moderne à partir du xvɪᵉ siècle.

*Un jour, Renart qui, comme d'habitude, était toujours prêt
à jouer quelque tour de sa façon et à s'amuser aux dépens
d'autrui, se dirigeait vers un hameau situé dans un bois
et bien pourvu en poules, coqs, canes, canards, jars et oies.*

▶ *Le Roman de Renart.*

Cette phrase est une transcription en français moderne d'un extrait
du *Roman de Renart*, composé entre le XIIe et le XIIIe siècle et écrit
en ancien français :

*Il avint chose que Renars,
Qui tant par fu de males ars
Et qui tant sot toz jors de guile,
S'en vint traiant a une vile.
La vile seoit en un bos.
Molt i ot gelines et cos,
Anes et malarz, jars et oës.*

▶ La plupart des mots français viennent du **latin** : comme l'italien, l'espagnol ou le portugais, le français est une **langue romane**, c'est-à-dire issue du latin populaire. Introduit en Gaule avec la conquête romaine, le latin était transmis oralement par les soldats et les marchands romains ; les Gaulois, en le parlant, lui ont fait subir diverses transformations. Ainsi, au fil du temps, les mots latins ont évolué.

Caballum a donné *cheval*.

Pavorem a donné *peur*.

Aquam a donné *ewe*, qui a donné *eau*.

▶ Seuls quelques **mots gaulois** ont subsisté ; ils appartiennent le plus souvent au vocabulaire de la nature et de la vie agricole : *alouette, charrue, chemin, chêne*... En revanche, de nombreux **mots germaniques** ont été introduits par les Francs, lorsque ceux-ci se sont installés dans la Gaule romaine : *bourg, guerre, honte, riche, robe*...

341 Les emprunts au latin et au grec

◗ Au Moyen Âge et à la Renaissance, les savants et les écrivains ont emprunté des mots au **latin littéraire** et au **grec classique** de manière à enrichir le français. Ces mots, qui ont été francisés simplement par changement de terminaison, sont très proches du mot d'origine.

> *Liberté* vient du latin *libertas.*
> *Automate* vient du grec *automatos.*

◗ Les mots empruntés au latin littéraire sont des **formations savantes**. Ils se distinguent des mots d'origine latine du fonds primitif, qui sont des **formations populaires**. Il arrive parfois que deux mots français soient issus d'un même mot latin : l'un étant une formation populaire, l'autre une formation savante. On parle alors de **doublets**.

> *Hospitalem* a donné :   *hôtel* (formation populaire)
>   *hôpital* (formation savante)
> *Navigare* a donné :   *nager* (formation populaire)
>   *naviguer* (formation savante)
> *Strictum* a donné :   *étroit* (formation populaire)
>   *strict* (formation savante)
> *Potionem* a donné :   *poison* (formation populaire)
>   *potion* (formation savante)

◗ Depuis la Renaissance jusqu'à nos jours, le grec et le latin ont continué à enrichir le français, que ce soit par l'**emprunt direct** ou par l'utilisation de **radicaux**, de **préfixes** ou de **suffixes** issus de ces langues.

> ***album – agenda – memento***
> Ces mots latins sont passés sans modification en français.
>
> ***biographie***
> Ce mot est constitué à partir des radicaux grecs *bio-* (vie) et *-graph-* (l'écriture).
>
> ***hypersensible***
> Le préfixe grec *hyper-* signifie *au-delà.*
>
> ***postopératoire***
> Le préfixe latin *post-* signifie *après.*

342 Les emprunts aux langues vivantes

◗ Au cours de l'histoire, le français a également emprunté des mots aux différentes langues vivantes. Ces emprunts ont été favorisés par les relations politiques, commerciales, culturelles ou touristiques. Ainsi, de nombreux mots viennent de :

– l'arabe : *alcool, algèbre, chiffre, hasard, zéro...*

– l'italien : *balcon, banque, carnaval, pantalon, soldat...*

– l'allemand : *képi, trinquer, sabre, valse...*

– l'espagnol : *camarade, cigare, sieste, vanille...*

– l'anglais : *bifteck, match, sport, tee-shirt...*

◗ Les mots empruntés aux langues étrangères peuvent être francisés, mais ils peuvent également conserver leur orthographe d'origine, et même leur prononciation lorsqu'ils sont d'importation récente.

> *paquebot*
> Ce mot vient de l'anglais *packet-boat* (bateau qui transporte les paquets, c'est-à-dire le courrier).
>
> *week-end*
> Ce mot a conservé son orthographe et sa prononciation.

Résumé

◗ L'étymologie indique l'origine des mots.

◗ Le français s'est principalement constitué à partir de mots hérités du latin populaire ; c'est une langue romane.

◗ Au cours de son histoire, le français a également emprunté des mots à d'autres langues mortes ou vivantes.

Les mots dérivés et les familles de mots

FOLLAVOINE. — « Z'Hébrides... Z'Hébrides... » (Au public.) *C'est extraordinaire! je trouve* **zèbre, zébré, zébrure, zébu**! *Mais de* **Zhébrides**, *pas plus que dans mon œil! Si ça y était, ce serait entre zébré et zébrure. On ne trouve rien dans ce dictionnaire!*

▶ GEORGES FEYDEAU, *On purge Bébé*.

Si *zèbre*, *zébré* et *zébrure* appartiennent à la même famille de mots, ce n'est pas le cas de *zébu*. Quant à *Zhébrides*, Follavoine n'est pas près de le trouver dans le dictionnaire !

343 Les mots dérivés

▶ On appelle mots dérivés les **mots créés** par la langue française par dérivation, c'est-à-dire en ajoutant des préfixes ou des suffixes à un radical :

– le **radical** est l'élément de base qui exprime le sens principal du mot et qui ne peut être décomposé en unités plus petites *(at-terr-ir)* ;

– le **préfixe** est un élément qui se place devant le radical *(ex-porter)* ;

– le **suffixe** est un élément qui se place après le radical *(respect-able)*.

▶ Un mot dérivé peut être formé d'un seul préfixe ou d'un seul suffixe *(sembl-able)*, des deux à la fois *(dis-sembl-able)*, ou de la combinaison de plusieurs préfixes et suffixes *(sembl-able-ment)*.

344 Les familles de mots

▶ On appelle famille de mots l'ensemble des **mots formés sur le même radical**. La plupart des mots d'une même famille ont été formés par dérivation : ce sont les **mots dérivés**. Certains sont formés par composition : on les appelle des **mots composés** ▶ 347 .

passage, passer, passable, dépasser, dépassement,
insurpassable, passeport, passe-partout...

Tous ces mots appartiennent à la famille de *pas*; ils ont été formés par
dérivation, hormis *passeport* et *passe-partout* qui sont des mots composés.

◗ Il arrive que le radical d'une famille de mots prenne des formes
différentes. Ainsi, les mots *saler, salin, saupoudrer, saumure*
appartiennent tous à la famille du mot *sel*. On parle alors de
famille à radicaux multiples. Ces différences s'expliquent par
l'origine des mots : certains sont hérités du latin populaire, alors
que d'autres sont des formations savantes.

famille du mot **mer** : *amerrir,* **marée, marin, maritime**...

Mer- et mar- viennent du latin *mare* : la mer; le premier est
une formation populaire qui a évolué, le second est une formation
savante directement empruntée au mot latin.

⚠ Attention

Il ne faut pas confondre les radicaux homophones.

Certains mots ont un radical qui peut paraître identique, alors qu'ils
n'appartiennent pas à la même famille. Pour appartenir à une même
famille, les mots doivent avoir non seulement une ressemblance de
forme, mais aussi une ressemblance de sens.

terrible – *terrestre*

Ces mots sont tous deux formés sur le radical -terr-, mais le premier
appartient à la famille de *terreur* (du latin *terror*) et le second
à la famille de *terre* (du latin *terra*).

345 Les préfixes

◗ Les préfixes peuvent s'ajouter à des noms *(méconnaissance)*, à
des verbes *(refaire)*, à des adjectifs *(inégal)*, mais ils **ne modifient
pas la classe grammaticale** du mot auquel ils s'ajoutent : un
préfixe ajouté à un nom crée un autre nom.

◗ Les préfixes ont une signification qui modifie le sens des mots
auxquels ils s'ajoutent. Différents préfixes peuvent avoir une
même signification et un même préfixe peut avoir des sens
différents :

– **in-** et **a-** sont des préfixes privatifs qui ont le même sens
négatif : *impoli, anormal;*

– **re-** et **in-** peuvent avoir des sens différents.

refaire	*re :* à nouveau	*retirer*	*re :* en arrière
importer	*in :* à l'intérieur	*inaudible*	*in :* négation

🔵 La plupart des préfixes utilisés par le français sont d'origine grecque *(anti-, hyper-...)* ou latine *(post-, pré-...)* ▶ 351-352. Ils sont invariables, mais la dernière consonne d'un préfixe s'assimile souvent à la première consonne du mot auquel il s'adjoint.

indistinct, illisible, immature, irréalisable

adjoindre, accueillir, affaiblir, alléger

Les préfixes d'origine latine *in-* et *ad-* prennent différentes formes en s'assimilant au radical.

346 Les suffixes

🔵 À la différence des préfixes, les suffixes peuvent **modifier la classe grammaticale** des mots auxquels ils s'ajoutent. On peut former un nom à partir d'un autre nom *(ferme, fermier)*, mais on peut également former un nom à partir d'un verbe *(entasser, entassement)*, un adjectif à partir d'un nom *(orage, orageux)*, un adverbe à partir d'un adjectif *(incroyable, incroyablement)*...

Suffixes de noms	-age : *réglage* -esse : *étroitesse* -isme : *capitalisme* -(a)tion : *augmentation*	-ement : *redressement* -ier : *pâtissier* -té : *habileté*
Suffixes de verbes	-er : *filmer* -iser : *nationaliser* -oter : *siffloter*	-ifier : *clarifier* -onner : *chantonner*
Suffixes d'adjectifs	-able : *passable* -ais : *anglais* -ible : *possible* -ien : *italien*	-aire : *planétaire* -al : *amical* -eux : *heureux*
Suffixes d'adverbes	-ment : *froidement*	-ons : *à reculons*

🔵 Les suffixes ont des significations très variées. Un même suffixe peut avoir plusieurs significations : ainsi, le suffixe **-eur** peut former des noms de qualité *(blancheur, chaleur...)* comme des noms d'agent *(vendeur, assureur...)*. Certains ont une signification précise :

– suffixes de possibilité : **-able** *(potable)* ; **-ible** *(crédible)* ;

– suffixes péjoratifs : **-ard** *(faiblard)* ; **-asse** *(paperasse)* ; **-ace** *(populace)* ; **-âtre** *(verdâtre)* ;

– suffixes de diminutifs : **-et**, **-ette** *(jardinet, poulette)* ; **-on** *(chaton)* ; **-oter** *(vivoter)*.

● Des radicaux d'origine grecque ou latine sont souvent utilisés comme suffixes ▶ 351-352 .

> *carnivore, herbivore*
> Le radical latin *-vore* signifie *qui mange.*
>
> *photographe, géographe*
> Le radical grec *-graphe* signifie *qui écrit.*

Résumé

● Le français peut former des mots nouveaux par dérivation, en ajoutant à un radical des préfixes et des suffixes.

● Les mots dérivés à partir d'un même radical appartiennent à la même famille de mots.

● Le préfixe est un élément qui précède le radical ; il ne modifie pas la classe grammaticale du mot auquel il s'ajoute.

● Le suffixe est un élément qui suit le radical ; il peut modifier la classe grammaticale du mot auquel il s'ajoute.

Les mots composés et les mots abrégés

Dans ses *Exercices de style,* Raymond Queneau s'amuse à raconter une même histoire de différentes manières : avec des mots composés ou encore avec des mots abrégés.

Je plate-d'autobus-formais co-foultitudinairement dans un espace-temps lutécio-méridiennal [...]
Je mon dans un aut plein de voya.

▶ RAYMOND QUENEAU, *Exercices de style.*

347 Les mots composés

▶ On appelle mots composés les mots créés par la langue française en **réunissant plusieurs mots** ou **radicaux**. La composition s'opère par différents moyens et les mots ou radicaux qui forment les mots composés peuvent être :

– soudés : *télévision, portemanteau* ;
– reliés par un trait d'union : *timbre-poste, chef-d'œuvre* ;
– reliés par une préposition : *chemin de fer, machine à laver* ;
– juxtaposés : *chaise longue, compte rendu.*

▶ Les mots composés peuvent associer des radicaux d'origine grecque ou latine ▶ 351-352 . Ces **mots composés savants** sont très nombreux dans le vocabulaire technique et scientifique.

ethnologie
Ethno- (peuple) et *-logie* (étude) sont des radicaux d'origine grecque.

omnivore
Omni- (tout) et *-vore* (qui mange) sont des radicaux d'origine latine.

● Les mots composés sont de natures variées. Il s'agit le plus souvent :
– de **noms** : *chien-loup, cache-cache, beau-père, arrière-garde…*
– d'**adjectifs** : *aigre-doux, bleu marine, avant-dernier…*
– de **locutions** : locutions verbales *(avoir l'air)*, locutions adverbiales *(tout à coup)*, locutions prépositionnelles *(hors de)*, locutions conjonctives *(après que)*.

> **Pour aller plus loin**
>
> **Les noms composés peuvent associer des mots de différentes natures.**
>
> On distingue des noms composés :
> – de deux noms : *un portrait-robot, un chien-loup…*
> – d'un nom et d'un infinitif : *un fer à repasser, une machine à laver…*
> – d'un nom et d'un adjectif : *un beau-père, un court-circuit…*
> – d'un verbe et d'un nom : *un gratte-ciel, un tire-bouchon…*
> – d'une préposition et d'un nom : *un contretemps, une arrière-garde…*
> Tout groupe de mots peut se figer pour devenir un nom composé :
> *le qu'en-dira-t-on, le va-et-vient…*

348 Les mots abrégés et les sigles

● Les mots abrégés sont créés par la langue française en abrégeant, c'est-à-dire en **raccourcissant des mots**. Cette abréviation concerne surtout des mots composés savants et se produit dans la langue parlée. C'est généralement la fin du mot qui est supprimée, plus rarement le début.

cinématographe : cinéma	*photographie : photo*
vélocipède : vélo	*stylographe : stylo*
automobile : auto	*télévision : télé*
professeur : prof	*sympathique : sympa*
autobus : bus	*autocar : car*

● Dans la langue familière, il arrive que les mots abrégés aient leur radical modifié et se terminent par **-o**.

directeur : dirlo	*dictionnaire : dico*

▶ Les **sigles** sont une forme d'abréviation. Ils sont constitués par les **initiales** de mots composés désignant le plus souvent des organisations administratives, politiques ou internationales. Les initiales sont en lettres capitales.

SNCF　Société nationale des chemins de fer français

HLM　habitation à loyer modéré

ONU　Organisation des Nations unies

Certains sigles peuvent donner naissance à des dérivés.

ENA　École nationale d'administration

énarque　élève de cette école

SMIC　salaire minimum interprofessionnel de croissance

smicard　personne dont le salaire est le SMIC

349 Les mots qui changent de classe grammaticale

▶ Des mots nouveaux peuvent être créés par simple changement de classe grammaticale. On peut ainsi transformer :

– un nom en adjectif ;

*une noisette : des yeux **noisette***

*une rose : une robe **rose***

– un adjectif en nom ou en adverbe ;

*vrai, faux : distinguer le **vrai** du **faux*** (noms)

*fort : parler **fort*** (adverbe)

– un infinitif en nom ;

*dîner, se coucher : Le **dîner** lui était servi juste avant son **coucher**.*

– un participe en nom ou en adjectif ;

*reçu, étudiant : Il y a dix **reçus** parmi les **étudiants**.* (noms)

*étincelant : une bague **étincelante*** (adjectif)

– un adverbe en nom.

*ensemble : Cette chorale forme un **ensemble** harmonieux.*

*dessous : On ne connaît pas les **dessous** de l'affaire.*

🔹 On peut rattacher à ce procédé la formation de noms communs à partir de noms propres.

le brie (fromage de la Brie, région française)

une poubelle (de M. Poubelle, préfet de Paris qui en imposa l'usage)

un hercule (du héros Hercule, dans la mythologie gréco-romaine)

Résumé

🔹 En plus des mots dérivés, le français peut former :
– des mots composés ;
– des mots abrégés et des sigles.

🔹 Il peut également créer des mots nouveaux par changement de classe grammaticale.

VOCABULAIRE

Préfixes et radicaux d'origine grecque et latine

Il se trouve que le poumon, que nous appelons en latin armyan, *ayant communication avec le cerveau, que nous nommons en grec* nasmus, *par le moyen de la veine cave, que nous appelons en hébreu* cubile, *rencontre en son chemin lesdites vapeurs qui remplissent les ventricules de l'omoplate ; et parce que lesdites vapeurs… comprenez bien ce raisonnement, je vous prie.* ▶ MOLIÈRE, *Le Médecin malgré lui.*

Il n'est pas nécessaire d'inventer des mots grecs et latins comme le fait Sganarelle pour se donner l'air savant : la langue française en est remplie.

350 Les mots savants

▶ Le français a emprunté et continue d'emprunter au grec et au latin des préfixes et des radicaux qui lui servent à former des mots savants du vocabulaire scientifique, technique, politique…

> *télescope* (XVIIe siècle)   *cosmonaute* (XXe siècle)

▶ Il peut arriver qu'un élément grec soit associé à un élément latin.

> *automobile* (XIXe siècle)
> Auto- est un élément grec signifiant *de soi-même* ;
> -mobile est un élément latin signifiant *qui se meut.*

351 Les préfixes et les radicaux d'origine grecque

Les préfixes

a-, an-	négation – *anormal* (qui n'est pas normal)
anti-	opposition – *antidérapant* (contre le dérapage)

dys-	mal – *dysfonctionnement* (mauvais fonctionnement)
eu-	bien – *euthanasie* (mort qui se déroule bien)
hémi-	demi – *hémisphère* (demi-globe)
hyper-	au-delà – *hypertension* (tension au-delà de la normale)
hypo-	en dessous – *hypothermie* (chaleur en dessous de la normale)
mono-	seul – *monotone* (d'un seul ton)
para-	à côté de / contre – *paranormal* (à côté du normal) *parapluie* (contre la pluie)
péri-	autour – *périscope* (qui regarde autour)
sym-, syn-	avec, en union – *symphonie* (sons en union)

Les radicaux

aéro-	air – *aéronautique* (navigation dans l'air)
-algie	douleur – *névralgie* (douleur du nerf)
anthropo-	homme – *anthropologue* (qui étudie l'homme)
archéo-	ancien – *archéologie* (étude de ce qui est ancien)
-archie	commandement – *monarchie* (commandement d'un seul)
auto-	de soi-même – *autographe* (écrit par soi-même)
biblio-	livre – *bibliothèque* (coffre à livres)
bio-	vie – *biographe* (qui écrit la vie)
chrono-	temps – *chronomètre* (mesure du temps)
cosmo-	univers, monde – *cosmopolite* (citoyen du monde)
-cratie	pouvoir – *démocratie* (pouvoir du peuple)
géo-	terre – *géologie* (étude de la Terre)
grapho-	écriture – *graphologie* (étude de l'écriture)
hétéro-	autre – *hétérogène* (qui a une origine différente)
hippo-	cheval – *hippopotame* (cheval de fleuve)
homo-	semblable – *homogène* (qui a une origine semblable)
hydr-	eau – *déshydraté* (privé d'eau)
-logie	science, étude – *cardiologie* (étude du cœur)

méga-, *mégalo-*	grand – *mégalomanie* (folie des grandes choses)
micro-	petit – *microscope* (qui regarde le petit)
-morphe	forme – *amorphe* (qui n'a pas de forme)
-nome	loi – *autonome* (qui se donne sa propre loi)
-onyme	nom – *homonyme* (nom semblable)
ortho-	droit – *orthogonal* (à angle droit)
péd-	enfant – *pédagogue* (qui conduit un enfant)
-phage	qui mange – *anthropophage* (qui mange un homme)
philo-	qui aime – *philosophe* (qui aime la sagesse)
-phobe	qui craint – *claustrophobe* (qui craint l'enfermement)
-pole	ville – *mégalopole* (grande ville)
poly-	plusieurs – *polythéiste* (qui a plusieurs dieux)
psycho-	âme – *psychologie* (étude de l'âme)
télé-	loin – *téléphone* (voix au loin)
-thérapie	soin – *thalassothérapie* (soin par la mer)
théo-	dieu – *athée* (qui est sans dieu)
zoo-	animal – *zoologie* (étude des animaux)

352 Les préfixes et les radicaux d'origine latine

Les préfixes

ad-	vers – *attirer* (tirer vers)
ante-	avant – *antécédent* (qui va avant)
co-, com-, *con-...*	avec – *cohabiter* (habiter avec)
circon-	autour – *circonstance* (qui se tient autour)
e-, ex-	hors de – *expatrié* (hors de la patrie)
in-, im-...	en, dans / négation – *importer* (porter dans) *infidèle* (qui n'est pas fidèle)
post-	après – *post-scriptum* (écrit après)
pré-	devant, en avant – *préhistoire* (avant l'histoire)

r-, re-	en arrière / de nouveau – *recourber* (courber en arrière) *refaire* (faire à nouveau)
rétro-	en arrière – *rétrospectif* (qui regarde en arrière)
sub-	sous – *submerger* (plonger sous)
super-	au-dessus de, sur – *superposer* (poser au-dessus)
trans-	par-delà, à travers – *transatlantique* (qui traverse l'Atlantique)

Les radicaux

-ambule	qui marche – *somnambule* (qui marche dans le sommeil)
aqua-	eau – *aqueduc* (conduite d'eau)
bi-	deux – *bicéphale* (qui a deux têtes)
calor-	chaleur – *calorifère* (qui porte la chaleur)
-cide	qui tue – *insecticide* (qui tue les insectes)
-fère	qui porte – *somnifère* (qui porte le sommeil)
-fier	faire, rendre – *purifier* (rendre pur)
-fique	qui fait – *bénéfique* (qui fait du bien)
-fuge	qui fuit, qui fait fuir – *ignifuge* (qui fait fuir le feu)
-grade	qui marche – *rétrograde* (qui marche en arrière)
multi-	nombreux – *multicolore* (qui a de nombreuses couleurs)
omni-	tout – *omniscient* (qui sait tout)
péd-	pied – *pédicure* (soin des pieds)
quadr-	quatre – *quadrupède* (qui a quatre pieds)
quinqu-	cinq – *quinquennat* (cinq années)
radio-	rayon – *radiothérapie* (traitement par les rayons)
-vore	qui mange – *omnivore* (qui mange de tout)

Archaïsmes et néologismes

> [...] *viens ici que je* ***t'enpapouète***
> *et que je* ***t'enrime***
> *et que je* ***t'enrythme***
> *et que je* ***t'enlyre*** [...]

> ▶ RAYMOND QUENEAU, *L'Instant fatal.*

Certains mots changent de sens, d'autres disparaissent,
de nouveaux mots apparaissent. Parfois les mots n'existent
que le temps d'un poème.

353 L'évolution du sens des mots

▶ Le sens des mots évolue avec le temps. Un mot peut prendre
un nouveau sens parce que son sens premier s'est affaibli, ou
parce qu'il s'est restreint, ou encore parce qu'il s'est étendu.

> *Faut-il qu'un si grand* ***cœur*** *montre tant de faiblesse ?*
> *Voulez-vous qu'un dessein si beau, si généreux,*
> *Passe pour le* ***transport*** *d'un esprit amoureux ?*
> *Captive, toujours triste, importune à moi-même,*
> *Pouvez-vous souhaiter qu'Andromaque vous aime ?*
> *Quels* ***charmes*** *ont pour vous des yeux infortunés*
> *Qu'à des pleurs éternels vous avez condamnés ?*

> ▶ JEAN RACINE, *Andromaque.*

Au XVIIe siècle, *cœur* a le sens de *courage*, *transport* a le sens d'*impulsion*,
charmes a le sens d'*envoûtement*.

▶ Le sens d'un mot peut évoluer par **affaiblissement**. Ainsi,
certains mots avaient un sens très fort qui s'est affaibli.

> *Enfin, quand Ménélas disposa de sa fille*
> *En faveur de Pyrrhus, vengeur de sa famille,*
> *Tu vis mon désespoir ; et tu m'as vu depuis*
> *Traîner de mers en mers ma chaîne et mes* ***ennuis***.

> ▶ JEAN RACINE, *Andromaque.*

Au XVIIe siècle, *ennui* avait le sens fort de *tourment*, de *peine* ;
il a maintenant le sens affaibli de *désagrément*.

*En ce moment Vallombreuse, malgré sa beauté, avait
une tête plus horrible et **formidable** que celle de Méduse.*

> ❧ THÉOPHILE GAUTIER, *Le Capitaine Fracasse.*

Formidable a ici le sens ancien d'*effrayant, terrible.*

▶ Le sens d'un mot peut également évoluer par **restriction**. Ainsi, certains mots peuvent prendre un sens plus limité que celui qu'ils avaient dans le passé.

> *Quel est le **succès**? Aurons-nous Henriette?
> A-t-elle consenti? L'affaire est-elle faite?*

> ❧ MOLIÈRE, *Les Femmes savantes.*

Au XVIIe siècle, *succès* avait le sens large de *résultat* (bon ou mauvais).

*C'est peu de dire aimer, Elvire: je l'adore;
Ma passion s'oppose à mon ressentiment;
Dedans mon ennemi je trouve mon **amant**.*

> ❧ CORNEILLE, *Le Cid.*

Au XVIIe siècle, *amant* désigne celui qui aime et est aimé en retour.
Il a maintenant le sens plus limité d'homme qui a une relation adultère.

▶ Enfin, le sens d'un mot peut évoluer par **extension**. Dans ce cas, le mot prend des significations nouvelles qui s'ajoutent au sens premier.

Un cadre désigne la bordure entourant une glace ou un tableau; mais par métaphore (relation de ressemblance), il désigne aussi un salarié qui encadre et dirige d'autres salariés dans une entreprise.

Le bronze désigne un alliage de cuivre et d'étain; mais par métonymie (relation de proximité), un bronze désigne aussi une sculpture réalisée dans ce matériau.

354 Les archaïsmes

▶ Un archaïsme est un **mot**, une **forme** ou une **expression vieillis** qu'on emploie alors qu'ils ne sont plus en usage.

> *Il nous a raconté son aventure avec **moult** détails.*
> Moult est un mot vieilli qui signifie *beaucoup.*

▶ L'emploi de l'archaïsme constitue une **figure de style** qui permet de donner une tournure ancienne à l'énoncé. Il peut également s'agir d'un emploi humoristique.

*Et quand il les eut tous **occis**, d'autres chevreuils
se présentèrent, d'autres daims, d'autres blaireaux,
d'autres paons, et des merles, des geais, des putois,
des renards, des hérissons, des lynx, une infinité de bêtes,
à chaque pas plus nombreuses.*

▶ Gustave Flaubert, *La Légende de saint Julien l'Hospitalier*.

L'auteur, qui a voulu reconstituer l'univers du Moyen Âge dans son récit, a employé le vieux verbe *occire*, signifiant *tuer*.

*Il s'arma donc à la hâte, roula sur son dos la tente-abri
dont le gros manche montait d'un bon pied au-dessus
de sa tête, et, **roide** comme un pieu, descendit dans la rue.*

▶ Alphonse Daudet, *Tartarin de Tarascon*.

Pour décrire avec humour un personnage qui s'apprête à partir à la chasse au lion, l'auteur utilise l'archaïsme *roide* à la place de *raide*.

355 Les néologismes

▶ Un néologisme est un **mot nouveau** créé pour :

– désigner une réalité nouvelle ;

> *un blog* (journal personnel sur Internet)

– s'exprimer de manière poétique, originale ou humoristique.

> *Regarde donc la canne, vieille bique, et tu verras
> bien que tu as rapetissé. Tu as attrapé la **ratatinette**,
> l'épouvantable ratatinette !*

▶ Roald Dahl, *Les Deux Gredins*.

L'auteur invente le terme *ratatinette*, pour exprimer le rapetissement.

● Les néologismes peuvent s'installer dans la langue et entrer dans le dictionnaire. Ainsi, le mot *surréalisme*, qui fut inventé par le poète Guillaume Apollinaire, est désormais entré dans l'usage.

● Les néologismes peuvent se créer par :
– emprunt : *web* (emprunt à l'anglais signifiant *toile*) ;
– dérivation : *vidéaste* (suffixe *-aste* ajouté au radical de *vidéo*, sur le modèle de *cinéaste*) ;
– composition : *Abribus* ;
– raccourcissement : *techno* (raccourcissement du mot *technique* désignant la musique électronique) ;
– sigle : *SIDA* (syndrome d'immunodéficience acquise) ;
– mot-valise (mot composé d'éléments de plusieurs mots) : *modem* est formé avec le début des mots *modulateur* et *démodulateur*.

Pour aller plus loin

À l'époque actuelle, de nombreux néologismes sont des emprunts à l'anglais.

Aussi, pour éviter un emploi exagéré de ces anglicismes et lutter contre le franglais, des recommandations officielles invitent à employer des termes équivalents français.

Walkman : baladeur

mail : courriel (courrier électronique)

Résumé

● Le sens des mots évolue, que ce soit par affaiblissement, restriction ou extension.

● Un archaïsme est un mot vieilli qu'on emploie alors qu'il n'est plus en usage.

● Un néologisme est un mot inventé.

La polysémie des mots

Le mot *polysémie* vient du radical grec *poly-*, qui signifie *plusieurs*, et du radical grec *sémie*, qui signifie *sens, signe*.

356 Qu'est-ce qu'un mot polysémique ?

● On dit qu'un mot est polysémique quand il possède **plusieurs sens**.

Le mot *feuille*, par exemple, désigne à la fois la *feuille de l'arbre* et la *feuille de papier*.

> J'ai **embrassé** l'aube d'été.
>
> ▶ Arthur Rimbaud, « Aube », *Illuminations*.

Pour comprendre cette phrase de Rimbaud, il faut connaître les différents sens du verbe *embrasser*, mot polysémique. Ce verbe signifie *entourer de ses bras* et *donner un baiser*. C'est le premier sens qui est utilisé par Rimbaud dans son poème.

● Certains mots ne possèdent qu'un seul sens, le mot *kilogramme* par exemple.

357 Le sens propre et le sens figuré

● Un mot peut avoir **un sens propre** et **un ou plusieurs sens figurés**. Le sens propre est le sens **premier** et le plus concret du mot. Le sens figuré est un sens **secondaire**, dérivé du premier, c'est-à-dire qu'il découle du premier mais s'en écarte et va au-delà. Le verbe *bourgeonner* signifie, au sens propre, *pousser*, en parlant des plantes, sous forme de bourgeon. Au sens figuré, il désigne l'apparition de boutons rouges sur le visage d'un être humain, généralement à l'adolescence.

> Rodrigue, as-tu du **cœur** ?
>
> ▶ Pierre Corneille, *Le Cid*.

Le mot *cœur* est employé au sens figuré de *courage, vaillance*, et non au sens propre d'*organe vital*.

● Le sens figuré d'un mot est souvent lié à une **expression** couramment utilisée.

Le mot *arc*, au sens propre, désigne une arme constituée d'une pièce de bois (ou d'acier) et d'une corde. Dans l'expression *avoir plusieurs cordes à son arc*, le mot *arc* prend un sens figuré. L'expression signifie *disposer de plusieurs moyens pour atteindre un objectif.*

> [...] *Il ne faut jamais **battre la campagne** :*
> *on pourrait casser un nid et ses œufs.* [...]
>
> ▶ Claude Roy, *Enfantasques*.

L'expression *battre la campagne* signifie, au sens figuré, *divaguer, extravaguer* ; mais ici le poète prend le verbe *battre* au sens propre et imagine que l'on pourrait donner des coups à la campagne, la frapper.

358 Le champ sémantique

▶ Le champ sémantique d'un mot regroupe **l'ensemble de ses différents sens**. Il est donné par le dictionnaire. Plus un mot est **polysémique**, plus son champ sémantique est vaste.

▶ Les différents sens d'un mot dépendent du **contexte** dans lequel il est employé.
Le champ sémantique du mot *tour* (n. m., famille de *tourner*), par exemple, se répartit en quatre sens principaux. Le tour désigne :
1. une dimension qui forme un cercle ;
2. un mouvement de rotation ;
3. une manière ;
4. une étape, une succession.
Selon le contexte, tel ou tel sens du mot sera utilisé.

> *Ce voyageur a accompli le **tour** du monde.* (sens 1)
> *La danseuse a fait un **tour** sur elle-même.* (sens 2)
> *Cette affaire prend un **tour** inquiétant.* (sens 3)
> *C'est au **tour** du maire de parler.* (sens 4)

Résumé

▶ Un mot polysémique est un mot qui possède plusieurs sens.

▶ Un mot a un sens propre (premier et concret) et un ou plusieurs sens figurés (secondaires et dérivés).

▶ Le champ sémantique d'un mot désigne l'ensemble de ses significations.

Dénotation et connotation

*Comment était ce **Paris** ? Quel nom démesuré !*
Elle se le répétait à demi-voix pour se faire plaisir.

▶ GUSTAVE FLAUBERT, *Madame Bovary*.

Le mot *Paris* fait rêver Emma Bovary, car les mots disent
plus que leur simple sens. Par-delà leur *dénotation*, ils ont
de multiples *connotations*.

359 Qu'est-ce que la dénotation d'un mot ?

▶ Tous les mots ont une **dénotation**, c'est-à-dire un **sens qui
renvoie à ce que le mot désigne dans la réalité**.

▶ La dénotation d'un mot est **précise** et **permanente**. Elle est
donnée par le dictionnaire.

> *un char*
>
> Ce mot est défini par le dictionnaire comme une voiture à deux roues,
> ouverte à l'arrière et fermée sur le devant, pour les combats, les jeux.
> Il s'agit de la dénotation du mot *char*.

360 Qu'est-ce que la connotation d'un mot ?

▶ Tous les mots peuvent aussi avoir une (ou plusieurs)
connotation(s), c'est-à-dire un (ou des) **sens supplémentaire(s)**
selon le contexte et le locuteur (celui qui parle).

▶ La connotation d'un mot est **secondaire** et **variable**. Elle pro-
vient d'une association d'idées.

> *un char*
>
> Associé à la mythologie, le mot *char* peut faire penser par connotation
> au char d'Apollon, aux courses de chars de l'Antiquité ; associé
> aux vacances, il peut faire penser au char à voile sur la plage.

> *Le soleil avait achevé plus de la moitié de sa course*
> *et son **char**, ayant attrapé le penchant du monde,*
> *roulait plus vite qu'il ne voulait.*
>
> ▶ PAUL SCARRON, *Le Roman comique*.
>
> En associant le mot *char* au mot *soleil*, l'auteur utilise la connotation
> mythologique du mot *char*.

361 Les différentes origines des connotations

Les associations qui donnent à un mot ses connotations ont diverses origines. En voici quelques exemples.

La connotation d'origine sonore

▶ Les sons (ou phonèmes) qui composent un mot créent des impressions agréables ou désagréables, douces ou dures.

Des mots comme *sarcastique, cacophonique, triturer* ont des sonorités dures et assez désagréables.

Des mots comme *maman, airelle, doucement* ont des sonorités douces et agréables.

Ces **impressions sonores** apportent une connotation au mot.

> La dent de ton **Erard, râtelier osanore**,
> Et scie et **broie** à **cru**, sous son **tic-tac nerveux**,
> La gamme de tes dents, autre **clavier sonore**...
> Touches **qui** ne vont pas aux **cordes** des cheveux !
>
> ▶ Tristan Corbière, *Les Amours jaunes*.

Les sonorités [r] de *Erard, râtelier, osanore, broie, cru, nerveux, sonore* et [k] de *cru, tic-tac, clavier, qui, cordes* apportent une connotation négative aux mots employés, car il s'agit ici d'évoquer une demoiselle qui joue très mal du piano (Erard est une marque de piano).

La connotation d'origine historique

▶ Les mots ont une histoire. Les noms propres désignent une réalité unique, chargée d'histoire *(Paris, César, Versailles)*, les noms communs peuvent être associés à des événements historiques.

L'expression *Grande Guerre*, par exemple, est associée à la Première Guerre mondiale ; le mot *terreur* est associé à la Révolution française.

Ces **références historiques** apportent une connotation aux mots.

> Courtisans ! attablés dans la splendide orgie,
> La bouche par le rire et la soif élargie,
> Vous célébrez **César**, très-bon, très-grand, très-pur.
>
> ▶ Victor Hugo, « Chanson », *Les Châtiments*.

Le mot *César* est associé aux empereurs romains ; par connotation, il exprime une idée de grandeur et de pouvoir absolu.

La connotation d'origine culturelle

▶ Chaque société associe aux mots des significations symboliques. En Europe occidentale, le *noir* est associé au deuil, le *printemps* est associé au renouveau et à la gaieté, le *renard* est associé à la ruse. Ces **significations symboliques** apportent une connotation aux mots.

> *Carmen est maigre, – un trait de bistre*
> *Cerne son œil de gitana.*
> *Ses cheveux sont d'un **noir** sinistre,*
> *Sa peau, le **diable** la tanna.*

> ▶ Théophile Gautier, « Carmen », *Émaux et Camées.*
Le *noir*, dans la culture occidentale, est une couleur négative, le *diable* est le symbole du mal.

La connotation d'origine littéraire

▶ Les mots ont une histoire littéraire. Chaque écrivain, en employant tel ou tel mot, le charge d'une connotation supplémentaire.
L'adjectif *cruel* peut faire penser à l'univers tragique de Racine. Le nom *albatros*, depuis le poème que Baudelaire a consacré à cet animal, connote le mal-être des hommes incompris et victimes des autres hommes.
Ces **références littéraires** apportent des connotations aux mots.

> *Souvent, pour s'amuser, les hommes d'équipage*
> *Prennent des **albatros**, vastes oiseaux des mers,*
> *Qui suivent, indolents compagnons de voyage,*
> *Le navire glissant sur les gouffres amers.*

> ▶ Charles Baudelaire, « L'Albatros », *Les Fleurs du mal.*

▶ Lorsqu'un texte comporte de nombreux mots utilisés pour leurs connotations, on parle de **texte connotatif**.

> *Je m'en allais, les **poings** dans mes poches crevées ;*
> *Mon paletot aussi devenait **idéal** ;*
> *J'allais sous le ciel, **Muse** ! et j'étais ton **féal** ;*
> *Oh ! là là ! que d'amours splendides j'ai rêvées !*
>
> *Mon unique culotte avait un large trou.*
> *— **Petit-Poucet** rêveur, j'égrenais dans ma course*
> *Des rimes. Mon auberge était à la **Grande-Ourse**.*
> *— Mes étoiles au ciel avaient un doux **frou-frou***

> ▶ ARTHUR RIMBAUD, « Ma Bohème », *Poésies*.

Voici quelques exemples des nombreuses connotations dont est chargé ce texte.

• Les *poings* indiquent les mains serrées par dénotation ; ils évoquent le geste du combattant par connotation.

• L'adjectif *idéal* signifie « qui relève de la pensée et des idées » par dénotation ; il évoque l'immatérialité (ici du tissu très usé) par connotation littéraire et philosophique.

• La *Muse* est la divinité des arts par dénotation ; elle évoque l'inspiration poétique par connotation culturelle et littéraire.

• Le *féal* est un vassal soumis à l'autorité du souverain par dénotation ; ce mot évoque, par connotation, l'univers courtois de la littérature du Moyen Âge.

• Le *Petit-Poucet*, personnage d'un conte de Perrault, évoque, par connotation littéraire et culturelle, le monde de l'enfance, mais aussi celui de l'errance et de la pauvreté.

• La *Grande-Ourse* désigne une constellation par dénotation ; par connotation, elle évoque la nuit à la belle étoile de celui qui n'a pas de toit pour dormir.

• Le *frou-frou* est une onomatopée qui désigne le bruit d'un tissu ; par connotation sonore et culturelle, ce mot évoque les vêtements féminins, robes et jupons.

Résumé

▶ La dénotation est le sens précis et permanent d'un mot.

▶ La connotation est un sens secondaire et variable d'un mot. Elle dépend du contexte dans lequel le mot est employé et de son histoire culturelle.

Homonymes, paronymes, synonymes, antonymes

*Il y a le **vert** du cerfeuil*
*Et il y a le **ver** de terre.* ▶ Maurice Carême, *Le Mât de cocagne.*

Le *vert* et le *ver* sont deux homonymes.

362 Les homonymes

▶ Les homonymes sont des mots qui ont la **même prononciation**, mais qui n'ont **pas le même sens**.

le porc (le cochon)   *le port* (à bateaux)

le pain (grillé)   *le pin* (l'arbre)

l'air (qu'on respire)   *l'ère* (tertiaire)   *l'aire* (du triangle)

▶ Les homonymes ont parfois la même orthographe mais souvent un genre différent.

le tour, la tour
Le premier mot désigne un mouvement de rotation, le second la tour du château.

le vase, la vase
Le premier mot désigne le récipient pour les fleurs, le second la boue.

*Mignonnes, les petites matrones ! ce sont des **Thraces** qu'on aimerait suivre !*

▶ René Goscinny et Albert Uderzo, *La Grande Traversée.*

En utilisant l'homonymie entre le nom d'un peuple, les *Thraces*, et le nom commun *trace*, Obélix fait un savoureux jeu de mots.

Attention

L'homonymie est source de fautes d'orthographe.

Perrichon, lisant avec emphase. — « *Que l'homme est petit quand on le contemple du haut de la **mère** de Glace !* » [...]

Daniel, à part. — *Il a écrit **mère**, r e, re !*

▶ Eugène Labiche, *Le Voyage de Monsieur Perrichon.*

Monsieur Perrichon a fait une faute d'orthographe en confondant les homonymes *mer* et *mère*.

Parfois, seule l'étymologie permet de distinguer deux homonymes.

Le mot **mine**, qui désigne une carrière d'où on extrait du minerai, vient du gallo-roman *mina*. Le mot **mine**, qui signifie aspect extérieur, vient du breton *min*.

363 Les paronymes

▶ Les paronymes sont des mots qui ont une **orthographe** et une **prononciation proches**, mais qui n'ont **pas le même sens** : *conjecture, conjoncture* ; *allusion, illusion* ; *affliction, affection*.

> BÉLISE. — *Veux-tu toute ta vie offenser la **grammaire** ?*
> MARTINE. — *Qui parle d'offenser **grand-mère** ni grand-père ?*
>
> ▶ MOLIÈRE, *Les Femmes savantes.*

La servante Martine fait ici une confusion amusante entre les paronymes *grammaire* et *grand-mère*.

364 Les synonymes

▶ Les synonymes sont des **mots de même sens** ou de sens proche.

sompteux – magnifique – splendide – grandiose

inventer – créer – imaginer – trouver

catastrophe – désastre – tragédie – drame

La première liste donne des adjectifs synonymes, la deuxième des verbes synonymes, la troisième des noms synonymes.

▶ Les synonymes appartiennent à la **même classe grammaticale**. Ils peuvent donc, la plupart du temps, se substituer l'un à l'autre dans un même énoncé.

> Des **gens** arrivaient hors d'haleine ; des **barriques**, des câbles, des corbeilles de linge gênaient la circulation ; les **matelots** ne répondaient à personne ; on se heurtait : les colis montaient entre les deux tambours, et le tapage s'absorbait dans le bruissement de la vapeur.
>
> ▶ GUSTAVE FLAUBERT, *L'Éducation sentimentale*.

On pourrait remplacer *gens* par son synonyme *personnes*, *barriques* par son synonyme *tonneaux*, *matelots* par son synonyme *marins* et dire : *Des personnes arrivaient hors d'haleine ; des tonneaux, des câbles, des corbeilles de linge gênaient la circulation ; les marins ne répondaient à personne.*

▶ Les synonymes ne sont pas toujours interchangeables parce qu'ils n'ont pas exactement le même sens. Cela dépend du contexte dans lequel ils sont employés :

– certains ont des connotations différentes ;

> *père – papa*
>
> Ces mots sont des synonymes : le premier a une connotation neutre, le second a une connotation affective.

– certains n'appartiennent pas au même niveau de langue ;

> *livre – bouquin*
>
> Ces mots sont des synonymes : le premier est de niveau courant, le second est de niveau familier.

– certains ont des emplois plus ou moins spécialisés.

> *illustration – enluminure*
>
> Ces mots sont des synonymes : le premier s'emploie dans n'importe quel contexte, le second s'utilise à propos des livres du Moyen Âge.

365 Les antonymes

▶ Les antonymes sont des mots qui ont des **sens opposés**. Les antonymes sont donc des **contraires**.

> *beau – laid* *grand – petit*
> *bonté – méchanceté* *vieillesse – jeunesse*
> *manger – jeûner* *crier – chuchoter*

▶ Les antonymes sont parfois distingués par un **préfixe négatif**.

> *heureux – **mal**heureux*
> *illusion – **dé**sillusion*
> *symétrie – **a**symétrie*
>
> Dans ces exemples, les trois préfixes négatifs sont *mal-*, *dé-*, *a-*.
>
> *Tu me **haïssais** plus, je ne t'**aimais** pas moins.*
>
> ▶ JEAN RACINE, *Phèdre.*
>
> *Haïssais* et *aimais* sont deux antonymes.

Résumé

▶ Les homonymes ont une prononciation identique mais des sens différents.

▶ Les paronymes ont une prononciation proche mais des sens différents.

▶ Les synonymes ont des sens identiques ou proches.

▶ Les antonymes ont des sens opposés.

Les niveaux de langue

Voiture, véhicule, automobile, bagnole, caisse...

Ces différents mots désignent la même réalité mais ils appartiennent à des niveaux de langue différents.

366 Qu'est-ce qu'un niveau de langue ?

◗ Le niveau de langue (parfois appelé registre de langue) correspond à la **manière de s'exprimer plus ou moins recherchée** à l'oral ou à l'écrit.

Il varie souvent en fonction du niveau culturel et social des interlocuteurs. Il dépend des intentions de celui qui s'exprime et de la situation d'énonciation : qui parle ? à qui ? où ? quand ?

Un ministre prononçant un discours politique n'utilise pas le même niveau de langue qu'un élève discutant dans la cour de récréation.

◗ Le niveau de langue choisi doit donc être adapté à la fois au **destinataire** (la personne à laquelle s'adresse celui qui s'exprime), à la **relation** qu'entretiennent les interlocuteurs (amis proches, relations de voisinage...) et au **contexte**.

> — *Bonjour ! Comment vas-tu ?* (niveau de langue courant)
>
> — *Salut ! Alors ça boume ?* (niveau de langue familier)
>
> — *Mes hommages, Madame. Comment vous portez-vous ?* (niveau de langue soutenu)

◗ Le niveau de langue se reconnaît à quelques critères :

– le respect ou non des règles grammaticales ;

– le choix d'un vocabulaire particulier ;

– la construction des phrases ;

– la prononciation.

On distingue généralement trois niveaux de langue : **courant**, **familier**, **soutenu**.

367 Le niveau de langue courant

▶ Le niveau de langue courant se rencontre dans des **conversations** ou des **écrits de la vie quotidienne**. Il correspond à l'usage le plus commun de la langue.

▶ Le niveau de langue courant se caractérise par :
– un vocabulaire usuel, commun ;
– une langue correcte mais sans recherche ;
– des phrases souvent simples et plutôt courtes ;
– l'emploi du présent, du passé composé ou de l'imparfait ;
– une prononciation correcte.

> Knock. — *Ça vous fait mal quand j'enfonce mon doigt ?*
> Le Tambour. — *Oui, on dirait que ça me fait mal.*
> Knock. — *Ah ! ah !* (Il médite d'un air sombre.) *Est-ce que ça ne vous grattouille pas davantage quand vous avez mangé de la tête de veau à la vinaigrette ?*
> Le Tambour. — *Je n'en mange jamais. Mais il me semble que si j'en mangeais, effectivement, ça me grattouillerait plus.*
> Knock. — *Ah ! ah ! très important. Ah ! ah ! Quel âge avez-vous ?*
> Le Tambour. — *Cinquante et un, dans mes cinquante-deux.*
> ▶ Jules Romains, *Knock ou le Triomphe de la médecine.*

Le docteur Knock et son patient s'expriment correctement mais le vocabulaire n'est pas recherché, les verbes sont principalement au présent et à l'imparfait, et les phrases sont plutôt courtes.

368 Le niveau de langue familier

▶ Le niveau de langue familier se rencontre plus souvent à l'**oral**, dans des conversations entre proches ou amis. Il est parfois utilisé à l'**écrit** pour rendre le **texte plus vivant** ou dans le but de rapporter les paroles telles qu'elles furent prononcées.

▶ Le niveau de langue familier se caractérise par :
– un vocabulaire familier (que le dictionnaire signale par l'abréviation *fam.*) ;
– une langue parfois incorrecte ;
– des phrases courtes, parfois incomplètes et mal construites ;
– l'emploi du passé composé à la place du passé simple ;
– une prononciation relâchée où certaines lettres sont supprimées *(j'te l'dis)*.

> — *Ah ça, continua Gavroche, **pourquoi donc est-ce que** vous **pleuriez** ?*
> *Et montrant le petit à son frère :*
> — *Un **mioche** comme ça, je ne dis pas ; mais un grand comme toi, pleurer, c'est **crétin** ; **on a l'air** d'un veau.*
> — *Dame, fit l'enfant, nous n'avions plus du tout de logement où aller.*
> — ***Moutard** ! reprit Gavroche, on ne dit pas un logement, on dit une **piolle**.*

> ▶ Victor Hugo, *Les Misérables.*

Gavroche, enfant qui vit dans la rue, s'exprime, contrairement à son interlocuteur, dans un niveau de langue familier ; cela se remarque au vocabulaire *(mioche, crétin, moutard, piolle)*, aux incorrections *(pleuriez, on a l'air* utilisé à la place de *tu as l'air)*, à la construction des phrases *(pourquoi donc est-ce que)*.

369 Le niveau de langue soutenu

▶ Le niveau de langue soutenu se rencontre dans les **textes littéraires**, dans les **discours officiels**, dans les milieux sociaux élevés.

▶ Le niveau de langue soutenu se caractérise par :
– un vocabulaire recherché et élégant ;
– une langue correcte ;
– des phrases souvent complexes ;

– l'emploi plus fréquent du subjonctif et du passé simple ;
– une prononciation correcte et claire à l'oral, insistant sur les liaisons.

> *Et l'on **galopa** encore pendant deux heures, quoique les chevaux **fussent** si fatigués qu'il était à craindre qu'ils ne **refusassent** bientôt le **service**.*
>
> *Les voyageurs avaient pris la **traverse**, espérant de cette façon être moins inquiétés ; mais, à Crèvecœur, Aramis **déclara** qu'il ne pouvait aller plus loin.*

▶ ALEXANDRE DUMAS, *Les Trois Mousquetaires.*

Le niveau de langue soutenu se remarque à travers le vocabulaire (*le service, la traverse*), les temps et modes (passé simple et subjonctif), les phrases complexes.

Résumé

▶ Il existe trois niveaux de langue : courant, familier, soutenu.

▶ Le niveau de langue utilisé dépend des interlocuteurs et du contexte.

▶ Le vocabulaire, la prononciation, la correction de la langue varient selon le niveau de langue.

Le vocabulaire mélioratif et péjoratif

> *En revanche, une personne **bonne** et **généreuse** ne peut en aucun cas être **laide**. Vous pouvez avoir un **nez en pied de marmite**, une **bouche en accordéon**, un **triple menton**, des **dents de lapin**, mais si vous êtes **bon** et **généreux**, votre visage **rayonnera** et tout le monde vous trouvera **beau**.*
>
> ▶ ROALD DAHL, *Les Deux Gredins.*

Cet extrait mêle le positif et le négatif : du vocabulaire mélioratif et du vocabulaire péjoratif.

370 Le vocabulaire évaluatif

▶ Le vocabulaire employé dans un discours oral ou écrit peut être révélateur d'un **jugement personnel** de la part de celui qui parle. On parle alors de **vocabulaire évaluatif**.

Le jugement personnel peut être **positif** ou **négatif** : dans le vocabulaire évaluatif, on distingue le **vocabulaire mélioratif** et le **vocabulaire péjoratif**.

▶ Dans le vocabulaire évaluatif, on peut trouver des mots de différentes classes grammaticales.

magnifique – horrible (adjectifs)

beauté – laideur (noms)

admirer – mépriser (verbes)

joyeusement – tristement (adverbes)

▶ Le choix d'un suffixe ou d'un niveau de langue permet parfois d'apporter un jugement.

*Auriane **rêve**.*

*Auriane **rêvasse**.*

Dans la deuxième phrase, le suffixe *-asse* apporte un jugement péjoratif.

*As-tu vu comment elle est **vêtue** ?*

***T'as** vu comment elle est **ficelée** !*

La deuxième phrase exprime, par le recours à un niveau de langue familier, un jugement péjoratif.

371 Le vocabulaire mélioratif

▶ Le vocabulaire mélioratif (appelé aussi valorisant) est utilisé pour **valoriser** ce dont on parle, le mettre en valeur, exprimer un avis positif.

> *Je vois un visage pétri de* **grâces**, *de* **beaux** *yeux bleus* **pleins de douceur**, *un teint* **éblouissant**, *le contour d'une gorge* **enchanteresse**.
>
> ▶ JEAN-JACQUES ROUSSEAU, *Les Confessions*.

Le vocabulaire mélioratif est utilisé pour dresser un portrait très élogieux de la femme décrite, Mme de Warens.

372 Le vocabulaire péjoratif

▶ Le vocabulaire péjoratif (appelé aussi dévalorisant) est utilisé pour **dévaloriser** ce dont on parle, le critiquer, exprimer un avis négatif.

> *Bientôt la veuve se montre,* **attifée** *de son bonnet de tulle sous lequel* **pend** *un tour de* **faux** *cheveux* **mal mis**, *elle marche en* **traînassant** *ses pantoufles* **grimacées**.
>
> ▶ HONORÉ DE BALZAC, *Le Père Goriot*.

Le vocabulaire péjoratif est utilisé pour mettre en évidence l'allure peu élégante, voire repoussante, de la femme décrite, Mme Vauquer.

Résumé

▶ On emploie le vocabulaire mélioratif pour exprimer un jugement positif sur ce dont on parle.

▶ On emploie le vocabulaire péjoratif pour exprimer un jugement négatif sur ce dont on parle.

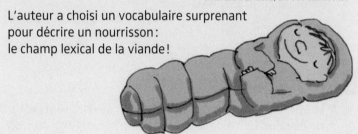

Le champ lexical

*C'est gros comme un **rôti** de famille nombreuse, rouge **viande** tout comme, soigneusement **saucissonné** dans l'épaisse **couenne** de ses langes, c'est luisant, c'est replet de partout, c'est un bébé, c'est l'innocence.*

▶ DANIEL PENNAC, *La Fée carabine.*

L'auteur a choisi un vocabulaire surprenant pour décrire un nourrisson : le champ lexical de la viande !

373 Qu'est-ce qu'un champ lexical ?

▶ Un **champ lexical** désigne un ensemble de mots ou d'expressions qui, dans un texte, se rapportent à un **même thème**. Il ne faut pas le confondre avec le **champ sémantique** qui regroupe les différents sens d'un seul mot.

> *ballon – mettre un panier – jouer – courir – athlète – médaillé*
> Ces mots appartiennent au champ lexical du sport.
>
> *peur – effrayé – trembler – angoisse – terrorisé*
> Ces mots appartiennent au champ lexical de la peur.
>
> *pétale – faner – jacinthe – bouquet – parfumée*
> Ces mots appartiennent au champ lexical de la fleur.

Le champ lexical donne une unité thématique au texte et participe à sa cohérence.

▶ Un texte comporte souvent plusieurs champs lexicaux : repérer les relations qu'ils ont entre eux (opposition, association, complémentarité) permet de **mieux comprendre le sens du texte** et de mettre en évidence les différents thèmes abordés ainsi que les caractéristiques principales d'une situation, d'un personnage, d'un lieu.

*Et comme il ne se lavait jamais, les restes de ses **repas**
se collaient à sa barbe. Soyons justes, il s'agissait de petits
restes, car, **en mangeant**, il s'essuyait la barbe du revers
de la manche ou du plat de la main. Mais si l'on y <u>regardait</u>
de plus près (ce qui n'avait rien d'agréable !), on découvrait
de petites taches **d'œufs brouillés**, **d'épinards**, **de ketchup**,
de poisson, **de hachis de foie de volaille**. Bref, de toutes
les choses dégoûtantes que Compère Gredin aimait
ingurgiter.*

*Si l'on s'approchait encore plus près (attention ! attention !
mesdames et messieurs, <u>bouchez-vous le nez</u> !) et si l'on
<u>examinait</u> bien sa moustache en bataille, on <u>apercevait</u>
des rogatons plus consistants qui avaient échappé au revers
de sa manche depuis des mois et des mois : du fromage
vert grouillant de vers, un vieux **cornflake** moisi et même
la queue <u>visqueuse</u> d'une **sardine à l'huile**.*

*Avec cette barbe dégoûtante, Compère Gredin n'était jamais
mort de **faim**. Il lui suffisait d'explorer sa jungle poilue
d'<u>un coup de langue</u> pour trouver de quoi **grignoter** çà
et là un morceau de choix.*

▶ ROALD DAHL, *Les Deux Gredins*.

• *Repas, en mangeant, d'œufs brouillés, d'épinards, de ketchup,
de poisson, de hachis de foie de volaille, ingurgiter, fromage, cornflake,
sardine à l'huile, faim, grignoter,* constituent le champ lexical du repas.

• *Ne se lavait jamais, se collaient à sa barbe, rien d'agréable, taches,
dégoûtantes, moustache en bataille, fromage vert grouillant de vers, vieux,
moisi, dégoûtante* constituent le champ lexical de la saleté répugnante.

• *Se collaient, regardait, bouchez-vous le nez, examinait, apercevait,
visqueuse, un coup de langue* constituent le champ lexical des
perceptions sensorielles (le toucher, la vue, l'odorat).

Ces trois champs lexicaux s'associent pour permettre au lecteur
d'imaginer avec précision un personnage répugnant et d'en ressentir du
dégoût. Ils mettent également en évidence des thèmes qui reviendront
souvent dans la suite du récit : le manque d'hygiène et la nourriture.

374 Les mots qui composent un champ lexical

▶ Un champ lexical peut comporter des mots appartenant à différentes classes grammaticales.

Par exemple, dans l'extrait de Roald Dahl ▶373, les champs lexicaux contiennent des noms *(fromage, poisson...)*, des verbes *(ingurgiter, examinait...)*, des adjectifs *(dégoûtantes, moisi...)*.

▶ Un même mot peut appartenir à des champs lexicaux différents selon qu'il est employé dans son sens dénoté (sens premier) ou dans un sens connoté (sens qui varie selon le contexte).

Le mot *rouge*, par exemple, peut, selon le texte, faire partie du champ lexical des couleurs (sens dénoté), de la chaleur, de la honte, de la colère, de la timidité, de l'amour (sens connotés).

▶ Les mots qui appartiennent à un champ lexical peuvent être des noms spécifiques liés à un nom générique.

> *La cargaison des navires consisterait surtout en **produits de pâtisserie** : cannelle, clous de girofle, vanille, gingembre, raisins secs, anis, fleurs d'oranger et jujube. Tout un navire était réservé aux **fruits** – séchés ou confits – mangues, bananes, ananas, mandarines, noix de coco et de cajou, citrons verts, figues et grenades.*
>
> ▶ MICHEL TOURNIER, *Les Rois mages.*

Les *produits de pâtisserie* et les *fruits* (noms génériques), ainsi que les deux listes de noms spécifiques qui les suivent, s'associent pour composer le champ lexical de la nourriture.

● Les mots qui appartiennent à un champ lexical peuvent aussi être:
– des synonymes;
> *épuisé, fourbu, éreinté* (champ lexical de la fatigue)
– des antonymes;
> *été, chaleur, hiver, froid* (champ lexical des saisons)
– des mots de la même famille.
> *joyeux, joyeusement, se réjouir, joie* (champ lexical du bonheur)

Résumé

● Un champ lexical est un ensemble de mots ou d'expressions se rapportant à un même thème.

● Le repérage des champs lexicaux dans un texte permet de comprendre plus précisément le sens de celui-ci.

LITTÉRATURE

ET IMAGE

Avant de commencer

Testez vos connaissances en littérature et en lecture d'image !

Besoin d'aide ? Reportez-vous au(x) paragraphe(s) indiqué(s) à droite. Dans certains cas, plusieurs réponses sont possibles.

1. Comment appelle-t-on celui qui raconte une histoire ? **377**

☐ le protagoniste ☐ le narrateur ☐ le metteur en scène

2. Associez chaque genre littéraire à son époque. **383**

1. l'épopée   a. l'Antiquité **393**
2. le roman réaliste   b. la Renaissance
3. la farce   c. le XIXe siècle **416**
4. le sonnet   d. le Moyen Âge **425**

3. Complétez cette phrase avec le type de récit qui convient. **386**

On trouve des personnages de fées dans les ...., des **394**
commissaires dans les ...., et des extraterrestres
dans les **395**

4. Dans ce passage soulignez les didascalies : **412**

PERRICHON, *relisant lentement la dernière phrase.* — « *Les gens de cœur de tous les pays nous sauront gré de leur signaler un pareil trait !* » (*À Daniel, très ému.*) *Mon ami... mon enfant ! embrassez-moi !* (*Ils s'embrassent.*)

5. Comment appelle-t-on le moment où l'intrigue d'une pièce de théâtre s'achève ? **413**

☐ le dénouement   ☐ le coup de théâtre   ☐ l'aparté

6. Complétez les phrases suivantes. **426**

a. Un poème exprimant des sentiments personnels est un **433**
poème ....

b. Un vers de douze syllabes est un **434**

c. Un quatrain est une strophe de .... vers. **435**

d. Des rimes qui ont deux sons en commun sont ....

▶ Jeff Widener, *L'Homme de Tian'anmen (Tank Man)*, Pékin, Chine, 5 juin 1989.

7. Le vers *Je fais souvent ce rêve étrange et pénétrant* contient : **436**

☐ une assonance ☐ deux assonances ☐ une allitération

---

8. Qu'est-ce qu'un oxymore ? **439**

☐ une faute d'orthographe grave ☐ une exagération

☐ une opposition de termes au sein d'une même expression

---

9. Quelle(s) figure(s) de style contiennent ces deux vers ? **440** à **442**

Mon bras, qu'avec respect toute l'Espagne admire,

Mon bras, qui tant de fois a sauvé cet empire.

☐ une métonymie   ☐ une anaphore

☐ une hyperbole   ☐ une personnification

---

10. À partir de la photographie ci-dessus, complétez les phrases suivantes. **451** **461**

a. Cette photographie appartient au genre de la photographie .... **b.** Les lignes blanches sur le sol .... à la file de tanks accentuent l'impression de .... vers l'homme. **c.** Cette photographie est un plan ...., ce qui a pour effet de rendre la disproportion entre la taille de .... et des .... **d.** La couleur .... de .... peut symboliser la paix face à la force.

Corrigés p. 479

Le récit

Gervaise avait attendu Lantier jusqu'à deux heures du matin. Puis, toute frissonnante d'être restée en camisole à l'air vif de la fenêtre, elle s'était assoupie, jetée en travers du lit, fiévreuse, les joues trempées de larmes. Depuis huit jours, au sortir du Veau à deux têtes, où ils mangeaient, il l'envoyait se coucher avec les enfants et ne reparaissait que tard dans la nuit, en racontant qu'il cherchait du travail.

▶ ÉMILE ZOLA, *L'Assommoir.*

375 Qu'est-ce qu'un récit ?

▶ Un récit est une **histoire réelle ou inventée** que l'on raconte à l'écrit ou à l'oral. Lorsque l'histoire est inventée, on parle de récit de **fiction**. Un roman ou une nouvelle sont des récits de fiction.

▶ Un récit est écrit en prose ou en vers, au passé ou au présent. Il existe une grande variété de récits : conte, nouvelle, épopée, roman...

▶ Un récit comporte un **cadre spatio-temporel**, c'est-à-dire des repères dans le temps et dans l'espace qui précisent à quelle époque et dans quels lieux se déroule l'histoire.

▶ Les **personnages** d'un récit peuvent être des personnes ou des animaux, réels ou imaginaires. Le personnage le plus important de l'histoire est appelé personnage principal.

▶ Un récit comprend une ou plusieurs **intrigues**. L'intrigue désigne la succession des actions qui se déroulent dans le récit. Il peut y avoir une intrigue principale et des intrigues secondaires.

376 Le schéma narratif

▶ Le **schéma narratif** permet de mettre en évidence les moments clés de l'histoire racontée. Il est composé de cinq étapes :
– **la situation initiale** : la situation des personnages au début de l'histoire, les informations sur l'époque et sur le lieu de l'action ;

– **l'élément perturbateur** : un événement inattendu qui perturbe et vient bouleverser la situation initiale (rencontre, découverte…) ;

– **les péripéties** : des rebondissements, des épreuves ;

– **la résolution** : l'événement qui met fin aux péripéties ;

– **la situation finale** : la situation heureuse ou malheureuse des personnages à la fin du récit.

377 L'auteur et le narrateur

▶ L'**auteur** d'un récit est la personne réelle qui crée une œuvre. Pour l'identifier, on se pose la question : **qui a écrit ce texte ?**

▶ Le **narrateur** est celui qui raconte le récit. Pour l'identifier, on se pose la question : **qui raconte l'histoire ?**

▶ L'auteur choisit la position du narrateur dans le récit, c'est-à-dire la **voix narrative** ou le **mode de narration** :

– soit le narrateur est **extérieur à l'histoire** et ne fait donc pas partie de l'histoire, qui est alors racontée à la troisième personne (c'est le cas dans *L'Assommoir*) ;

– soit le narrateur est un **personnage de l'histoire**, qui est alors racontée à la première personne.

378 Qu'est-ce qu'un point de vue narratif ?

▶ Dans un récit, l'auteur choisit un **point de vue** pour raconter l'histoire et décrire les personnages, les lieux…

▶ Un point de vue est l'angle sous lequel le narrateur (celui qui raconte) présente les choses et les êtres dont il parle. On parle aussi de **focalisation**, terme emprunté à la photographie. La focalisation désigne le foyer à partir duquel une photographie est prise.

▶ Pour savoir quel est le point de vue adopté, il faut se demander à travers quel regard le narrateur nous fait voir les personnages, les lieux et les faits du récit. On peut simplifier cette question ainsi : **qui voit ?** Est-ce un observateur extérieur, un personnage ou un narrateur qui sait tout ?

▶ Il existe trois points de vue narratifs possibles : externe, interne, omniscient.

379 Le point de vue ou la focalisation externe

▶ Quand la scène est décrite à travers le regard d'un **observateur** neutre et **extérieur** à l'histoire, le point de vue est externe.

▶ Le narrateur ne nous présente que les faits, les lieux et les êtres qui peuvent être vus et donc filmés par une caméra. La perception est donc **objective**, c'est-à-dire neutre.

▶ Le point de vue externe est souvent associé au vocabulaire de l'apparence extérieure.

> *Les hommes avaient **la barbe longue et sale**,*
> ***des uniformes en guenilles**, et ils avançaient*
> *d'une **allure molle**, sans drapeau, sans régiment.*
> ▶ GUY DE MAUPASSANT, *Boule-de-Suif.*

Les éléments en gras sont des indications de forme (*barbe, uniformes*), de dimension (*longue*), d'état (*sale, en guenilles*), de vitesse (*allure molle*), qui sont visibles à l'œil nu par n'importe quel observateur.

380 Le point de vue ou la focalisation interne

▶ Quand la scène est décrite à travers le regard d'un **personnage de l'histoire**, le point de vue est **interne**.

▶ Le narrateur nous présente les faits, les lieux et les êtres comme les voit et les ressent un personnage. La perception est donc **subjective**, c'est-à-dire limitée et propre à un individu, le personnage.

▶ Le point de vue interne est souvent annoncé par un verbe de perception et nuancé par des **indices de la subjectivité** et des **modalisateurs** ▶ 162-163 .

> *Aussi Robinson fut-il bien **étonné** en **apercevant***
> *à une centaine de pas la silhouette d'un bouc sauvage*
> *au poil très long qui se dressait immobile, et qui **paraissait***
> *l'observer.* ▶ MICHEL TOURNIER, *Vendredi ou la Vie sauvage.*

Le verbe *apercevant* annonce la perception visuelle d'un fait (*la silhouette d'un bouc qui se dressait immobile*) par un personnage (*Robinson*). Le modalisateur *paraissait* montre que la perception est subjective. Il indique que la vision est celle de Robinson qui, ici, n'est pas très sûr de ce qu'il perçoit et dont on sait qu'il est *étonné*.

▶ Dans un récit dont le narrateur est le **personnage principal qui nous raconte sa vie**, le point de vue est interne et subjectif :

le lecteur voit les faits à travers le regard, les émotions et les jugements de ce narrateur-personnage. On parle de récit à la première personne.

> *J'y trouvai Manon. C'était elle mais **plus aimable**
> **et plus brillante** que je ne l'avais jamais vue.*
>
> ▶ ABBÉ PRÉVOST, *Manon Lescaut.*

Le narrateur (représenté par le pronom *je*) est le chevalier des Grieux, qui raconte son histoire d'amour pour une jeune fille nommée Manon. On comprend pourquoi il emploie un vocabulaire mélioratif (positif) pour la décrire : *plus aimable et plus brillante.*

381 Le point de vue omniscient ou la focalisation zéro

▶ Quand la scène est décrite par un **narrateur qui sait tout** sur les personnages, les lieux, l'époque et les faits du récit, le point de vue est **omniscient**. On parle aussi de **focalisation zéro**.

▶ Le narrateur connaît des informations impossibles à deviner par un observateur extérieur, par exemple les sentiments des personnages, leur passé, leur avenir, mais aussi l'aspect des lieux, la situation historique du récit, etc.

> *Madame Vauquer, **née de Conflans**, est une vieille femme*
> *qui, **depuis quarante ans**, tient à **Paris** une pension*
> *bourgeoise établie **rue Neuve-Sainte-Geneviève**, entre*
> *le **quartier latin** et le **faubourg Saint-Marceau**.*
>
> ▶ HONORÉ DE BALZAC, *Le Père Goriot.*

Les renseignements sont précis, impossibles à deviner par un observateur extérieur, et concernent à la fois le personnage (nom de jeune fille, durée de la carrière) et le lieu (ville, rue, quartier) de l'action.

⚠ Attention

Il ne faut pas confondre « qui voit ? » et « qui raconte ? ».

■ Avec la question « qui voit ? », on se demande **comment le narrateur nous présente les faits**, à travers quel regard. Il s'agit du point de vue narratif.

■ Avec la question « qui raconte ? », on se demande **qui est le narrateur** et s'il se manifeste ou non dans son récit. Il s'agit de la voix narrative.

L'épopée

Comme au cœur de la nuit s'avance, au milieu des étoiles,
Vesper, l'astre le plus brillant qui soit au firmament :
Tel flamboyait l'épieu pointu qu'Achille brandissait
De sa main droite. Il voulait tuer le divin Hector
Et cherchait sur sa belle peau l'endroit le plus fragile.

▶ HOMÈRE, *Iliade*.

382 Qu'est-ce qu'une épopée ?

▶ Une épopée est un récit en vers ou en prose qui raconte les **exploits d'un héros** ou les grands épisodes de l'histoire d'un peuple.

▶ L'épopée célèbre un **passé légendaire** et des **héros exemplaires** aux qualités hors du commun. Elle diffuse ainsi les valeurs morales, religieuses ou politiques d'une nation.

▶ Pour provoquer l'admiration, l'épopée **amplifie** les qualités et les actions des personnages. Elle utilise des **hyperboles** (termes exagérés) et le **merveilleux** (personnages surnaturels, dieux, monstres et créatures fabuleuses...).

*D'abord tu rencontreras les **Sirènes** qui ensorcellent*
tous les hommes, quiconque arrive en leurs parages.
L'imprudent qui s'approche et prête l'oreille à la voix
de ces Sirènes, son épouse et ses enfants ne pourront
l'entourer ni fêter son retour chez lui.

▶ HOMÈRE, *Odyssée*.

La magicienne Circé enseigne à Ulysse qui sont les *Sirènes*,
ces monstres qui attirent les marins par leur chant pour les dévorer.

383 L'épopée antique

▶ L'épopée antique, aussi appelée **poésie épique**, est **le plus ancien des genres littéraires**. Composée en vers, elle s'est transmise oralement avant d'être fixée par écrit. Elle est **récitée** par le poète (l'aède en Grèce antique), dont le travail de mémorisation est facilité par l'emploi de **répétitions**.

🔴 La première épopée que nous connaissons est l'***Épopée de Gilgamesh***. Composée au troisième millénaire avant J.-C. en Mésopotamie, elle célèbre le roi de la cité sumérienne d'Uruk.

> *Tel était Gilgamesh, fils de Lugalbanda et de Ninsuna la Bufflesse, être éblouissant à la force supérieure.*
> *Devenu le jeune prince d'Uruk, il abusa de sa puissance.*
>
> 🔴 *Épopée de Gilgamesh.*

🔴 L'***Iliade*** et l'***Odyssée*** ont été composées en Grèce au VIIIᵉ siècle avant J.-C. On les attribue à Homère. Elles racontent les exploits de héros liés à la légende de Troie : Achille, Hector, Ulysse…

🔴 Sous le règne de l'empereur romain Auguste, le poète latin Virgile s'est inspiré d'Homère pour écrire l'***Énéide*** qui raconte les origines lointaines de Rome. Ovide, son contemporain, a rassemblé les récits de la mythologie grecque et latine dans un long poème épique : les ***Métamorphoses***.

> *Après avoir triomphé du monstre à chevelure de serpents, Persée, mû par ses sandales ailées, planait au-dessus des déserts de Lybie.*
>
> 🔴 OVIDE, *Métamorphoses.*

384 Les chansons de geste

🔴 Au Moyen Âge, les premières œuvres de la littérature française sont des épopées appelées **chansons de geste** (du latin *gesta* : exploits). Elles sont chantées par des **jongleurs** qui s'accompagnent d'une vielle, un instrument de musique à cordes.

🔴 Composées au XIᵉ siècle, ces épopées en vers chantent les exploits des chevaliers chrétiens de l'époque de Charlemagne (VIIIᵉ siècle) dans leurs combats contre les Sarrasins (musulmans).

🔴 La plus célèbre chanson de geste est ***La Chanson de Roland*** qui raconte la résistance héroïque du comte Roland lors de l'attaque de l'armée de Charlemagne à Roncevaux (dans les Pyrénées) par les Sarrasins.

> *Ami Roland, sonnez donc de votre cor.*
> *Charlemagne l'entendra et l'armée reviendra.*
>
> 🔴 *La Chanson de Roland.*

Le conte

Il était une fois une reine qui accoucha d'un fils, si laid et si mal fait, qu'on douta longtemps s'il avait forme humaine.
▶ CHARLES PERRAULT,
Riquet à la houppe.

385 Qu'est-ce qu'un conte ?

▶ Le conte est à l'origine un **récit oral** fait par un conteur devant un **auditoire populaire**, lors de réunions familiales ou villageoises.

▶ Transmis de bouche à oreille de génération en génération, le conte populaire est destiné à **divertir**, mais aussi à **éduquer** les adultes et les enfants. Il comporte un **enseignement moral** où le mal est puni et le bien récompensé.

386 Les caractéristiques du conte

▶ Le conte est un **récit fictif** qui ne cherche pas à imiter le monde réel. L'action est située dans **un espace et un temps indéfinis** ; les personnages sont peu décrits.

▶ On parle de **conte merveilleux** lorsque le surnaturel est présent. Il apparaît sous la forme de **métamorphoses**, d'éléments **magiques** ou d'êtres **féeriques** (fées, sorcières, lutins, ogres, génies...).

▶ Le conte est construit selon un **schéma narratif** ▶ 376 : une **situation initiale** souvent introduite par la formule « il était une fois... », un **élément perturbateur** qui déclenche l'action, des **péripéties**, un élément de **résolution** et une **situation finale**.

▶ On y reconnaît aussi un **schéma actanciel**, c'est-à-dire des **fonctions** toujours identiques remplies par des personnages, des objets ou des sentiments ▶ page 456 .

destinateurs
adjuvant
objet de la quête
destinataires
héros
opposant

387 Les contes littéraires

● Au XVIIe siècle, le conte devient un genre littéraire. **Charles Perrault**, qui s'inspire de contes populaires, fait paraître les *Contes de ma mère l'Oye* (*La Belle au bois dormant*, *Le Petit Chaperon rouge*, *Le Petit Poucet*...). Au XVIIIe siècle, les contes orientaux des *Mille et Une Nuits* sont traduits de l'arabe.

● Au XIXe siècle, les **frères Grimm** rassemblent et publient des contes populaires, et **Hans Christian Andersen** écrit des contes poétiques. Au XXe siècle, **Walt Disney** adapte des contes littéraires dans ses dessins animés.

388 Le conte philosophique

● Au XVIIIe siècle, **Voltaire**, philosophe des **Lumières**, invente le conte philosophique pour diffuser ses idées à un large public en évitant la censure (*Zadig*, *Candide*, *Micromégas*...).

● Ce récit plaisant reprend les caractéristiques du conte en les caricaturant. Il a pour intention de **faire réfléchir le lecteur** sur les mœurs de son temps, sur la politique, la religion, le bien et le mal, ou encore la destinée humaine. L'**humour** et l'**ironie** y dominent.

> *Zadig voulut se consoler, par la philosophie et par l'amitié, des maux que lui avait faits la fortune.*

> ● VOLTAIRE, *Zadig*.

Le roman

Son imagination se remplit de tout ce qu'il avait lu dans les livres, enchantements, querelles, défis, batailles, blessures, galanteries, amours, tempêtes et extravagances impossibles ; et il se fourra si bien dans la tête que tout ce magasin d'inventions rêvées était la vérité pure qu'il n'y eut pour lui nulle autre histoire plus certaine dans le monde.

▶ CERVANTÈS, *Don Quichotte de la Manche.*

389 Qu'est-ce qu'un roman ?

▶ Un roman est un récit de **fiction**, c'est-à-dire une histoire inventée par un auteur. Les aventures qu'il raconte sont imaginaires.

> Don Quichotte, par exemple, est le personnage principal du roman de Cervantès. Il est si passionné par les histoires imaginaires qu'il lit, qu'il finit par prendre pour vraies ces « inventions rêvées ».

390 Les caractéristiques du roman

▶ Le roman est un récit généralement long car son **intrigue**, c'est-à-dire l'histoire qu'il raconte, peut être **complexe**, peut comprendre de **nombreux personnages** et peut s'étendre sur **plusieurs années**.

> *Les Misérables* de Victor Hugo raconte la vie de Jean Valjean, mais aussi de Fantine, de Cosette et de Marius, sur presque vingt ans.

▶ Dans un roman, l'histoire est racontée par un **narrateur**. Celui-ci peut être **extérieur à l'histoire** ou l'**un des personnages de l'histoire** ▶377 .

> Les romans d'Honoré de Balzac, comme *Le Père Goriot*, sont pour la plupart racontés par un narrateur extérieur à l'histoire. Plusieurs romans de Daniel Pennac sont racontés par le personnage de Malaussène, à la première personne : *Au bonheur des ogres, La Fée carabine, La Petite Marchande de prose…*

On distingue **différents types de romans**: le roman de chevalerie, le roman d'aventures, le roman d'amour, le roman réaliste, le roman historique, le roman policier, le roman de science-fiction...

391 Le roman de chevalerie

Le roman de chevalerie est le plus ancien type de roman. Il est né au **Moyen Âge**. Il est alors écrit en vers.

Le personnage principal du roman de chevalerie est un **chevalier** qui doit respecter des **règles morales** très précises : sens de l'honneur, courage, fidélité, défense des faibles et des innocents, dévouement à la femme aimée et à son seigneur.

Ce type de roman raconte la **quête d'un chevalier**, qui part à la recherche d'une personne ou d'une chose particulières. Il vit alors des **aventures extraordinaires** et surmonte de nombreux **obstacles**.

L'univers des romans de chevalerie est souvent **merveilleux**. On y rencontre des magiciens et des fées.

> Comme Don Quichotte, on y découvre des « enchantements », des « extravagances impossibles », c'est-à-dire des événements extraordinaires et parfois même bizarres.

Les romans dits de la **Table ronde**, comme *Lancelot* ou *Yvain*, sont des romans de chevalerie qui relatent les aventures des chevaliers de la cour légendaire du roi Arthur.

*Mon seigneur Yvain, **une fois armé**, ne s'attarda pas*
*ni peu ni prou, mais **chevaucha**, chaque jour, **par monts***
et par vaux**, par d'immenses forêts, par **des lieux hostiles
***et sauvages**, allant par **de traîtres passages** et franchissant*
***maint défilé périlleux**.*

❱ CHRÉTIEN DE TROYES, *Yvain ou le Chevalier au lion.*

Yvain est un chevalier type : il a un cheval (*chevaucha*) et une armure
(*une fois armé*), il poursuit sa quête (*par monts et par vaux*), et fait
preuve de courage car il affronte *des lieux hostiles et sauvages,*
de traîtres passages et *maint défilé périlleux.*

392 Le roman d'aventures

❱ Le roman d'aventures raconte une **histoire trépidante** dont
les actions sont nombreuses et mouvementées : voyages,
découvertes de lieux inconnus, combats, mystères à éclaircir,
amours compliquées.

❱ Les personnages principaux sont des **héros modernes** : ce ne
sont pas des demi-dieux comme les héros de l'Antiquité, mais ils
sont valeureux comme eux et multiplient les rencontres et les
défis.

Les romans d'Alexandre Dumas comme *Le Comte*
de Monte-Cristo*, ceux de Jules Verne comme *Le Tour
***du monde en quatre-vingts jours* et *Michel Strogoff* sont**
des romans d'aventures.

En vérité, si un homme pouvait mener à bien ce voyage
de Moscou à Irkoutsk, à travers une contrée envahie,
surmonter les obstacles et braver les périls de toutes sortes,
*c'était, entre tous, **Michel Strogoff**.*

❱ JULES VERNE, *Michel Strogoff.*

Michel Strogoff est le héros du roman, comme le montre le suspense
sur son nom, qui n'est révélé qu'à la fin de la phrase. Il représente
un type d'homme qui fait rêver le lecteur en lui permettant de s'évader
de son quotidien.

393 Le roman réaliste

▶ Le roman réaliste raconte des histoires qui ressemblent à la **réalité quotidienne des lecteurs**.

▶ Le romancier réaliste cherche à **représenter fidèlement la réalité**, mais aussi à expliquer certains faits de société, comme les inégalités sociales, les relations familiales, le pouvoir, la place de l'argent...

▶ Même s'il s'inspire de la réalité et se documente beaucoup, le romancier réaliste **invente ses personnages et ses intrigues**.

▶ L'histoire se passe très souvent à l'époque de l'auteur du roman : le temps, les lieux et les personnages sont alors **contemporains** de cette époque. Les faits, les lieux, les objets, les habitudes de vie sont **détaillés avec précision**.

▶ Le roman réaliste a vraiment commencé à se développer en France au XIXᵉ siècle avec des auteurs comme Honoré de **Balzac**, Gustave **Flaubert**, Guy de **Maupassant** ou Émile **Zola**.

> Balzac a étudié la société bourgeoise de son temps : dans *Le Père Goriot*, il montre comment un jeune provincial peut monter à Paris pour faire fortune et comment un père, dévoué à ses filles, finit ruiné et abandonné.

> Zola a voulu parler de toutes les classes sociales de son temps : les commerçants dans *Au Bonheur des Dames*, les banquiers dans *L'Argent*, les ouvriers mineurs dans *Germinal*...

> *Les quatre **haveurs**[1] venaient de s'allonger les uns au-dessus des autres, sur toute la montée du front de taille[2]. Séparés par les **planches à crochets** qui retenaient le charbon abattu, ils occupaient chacun quatre mètres environ de la **veine**.*

> ▶ ÉMILE ZOLA, *Germinal*.

1. haveurs : ouvriers qui abattent la roche.
2. front de taille : ligne le long de laquelle les ouvriers taillent la roche.

Zola raconte avec précision les conditions de travail des mineurs qui extraient le charbon sous la terre à travers ce que vit son personnage principal Étienne Lantier. Le romancier emploie un vocabulaire technique parfaitement adapté à la situation : *haveurs*, *planches à crochets*, *veine*.

394 Le roman policier

● Le roman policier (tout comme la nouvelle policière) se caractérise par une intrigue, c'est-à-dire une histoire, pleine de **suspense**.

● L'intrigue consiste en une **enquête**, qui s'appuie sur des **indices** et des **hypothèses**. Il s'agit de trouver le coupable d'un ou de plusieurs crimes. On parle d'**élucidation du crime**.

● L'un des personnages principaux est un **enquêteur**, policier ou détective privé. Il comprend les comportements humains (on dit qu'il est fin psychologue) et il a un grand esprit de déduction. Lorsqu'il apparaît dans plusieurs romans du même auteur, on dit qu'il est récurrent.

> **Le commissaire Maigret est un personnage récurrent dans les romans policiers de Georges Simenon.**

● Le romancier joue avec les **points de vue** ▶378 : parfois, le coupable est dévoilé au lecteur, mais pas à l'enquêteur ; certains chapitres sont consacrés à l'enquêteur, d'autres au criminel.

● Le roman policier se passe souvent à une époque contemporaine de l'auteur. Il la décrit avec réalisme. Mais l'intrigue peut transporter le lecteur dans des époques passées.

● Le roman policier a vraiment commencé à se développer au XIXe siècle avec des auteurs comme Arthur Conan Doyle et son personnage détective, **Sherlock Holmes**.

> *Il se mit à quatre pattes, le visage contre terre,*
> *ou plutôt collé à la **loupe** qu'il promenait sur le plancher.*
> *Il examina avec le plus grand soin les interstices entre*
> *les lames.*
>
> ▶ ARTHUR CONAN DOYLE, *Le Ruban moucheté.*

La figure de Sherlock Holmes qui examine les plus petits indices avec sa *loupe* grossissante est célèbre. Ce sont ces petits détails qui lui permettent de comprendre et de résoudre l'énigme policière.

395 Le roman d'anticipation ou de science-fiction

▶ Le roman d'anticipation projette le lecteur dans un avenir plus ou moins proche. Le romancier **imagine ce que sera le monde dans le futur**.

▶ Pour nourrir son imagination, le romancier s'appuie sur le **développement des sciences et des techniques**. Il amplifie les progrès techniques et **invente** des technologies irréalisables à son époque (machine à voyager dans le temps ou dans l'espace, robots ou machines qui pourraient dominer les hommes, homme génétiquement modifié...). C'est pourquoi on parle également de roman de **science-fiction**.

▶ Les origines du roman de science-fiction remontent au XIXe siècle. À cette époque, les rapides **progrès de la science** (électricité, motorisation des transports, découvertes médicales et biologiques) inspirent certains auteurs.

> **Jules Verne et H. G. Wells, par exemple, créent des univers où les progrès technologiques transforment l'existence des hommes.**
>
> *Il est un **agent** puissant, obéissant, rapide, facile, qui se plie à tous les usages et qui règne en maître à mon bord. Tout se fait par lui. Il m'éclaire, il m'échauffe, il est l'**âme** de mes appareils mécaniques. Cet agent, c'est l'**électricité**.*
>
> ▶ JULES VERNE, *Vingt mille lieues sous les mers.*
>
> Le capitaine Nemo voyage sous les mers dans son vaisseau *le Nautilus* grâce à cet *agent*, *âme* de son vaisseau, l'*électricité*. Si, à l'époque de Jules Verne, l'électricité a bien été découverte, le romancier imagine une utilisation de cette énergie sous les mers, dans des conditions impossibles à l'époque de l'écriture.

▶ Le roman d'anticipation ou de science-fiction est un genre littéraire qui s'est surtout développé au XXe siècle et qui s'est considérablement diversifié.

La nouvelle

— C'est bien ; je commence. J'ai été informé personnellement, et en très-haut lieu, qu'un certain document de la plus grande importance avait été soustrait dans les appartements royaux. On sait quel est l'individu qui l'a volé ; cela est hors de doute ; on l'a vu s'en emparer. On sait aussi que ce document est toujours en sa possession.

▶ Edgar Poe, « La Lettre volée », *Histoires extraordinaires.*

396 Qu'est-ce qu'une nouvelle ?

▶ Une nouvelle est un **récit de fiction**, c'est-à-dire une histoire inventée par son auteur. Ce récit est généralement **bref** car son **intrigue** (l'histoire qu'il raconte) est resserrée autour d'**un seul événement**, est **limitée dans le temps et dans l'espace**, et comprend **peu de personnages**.

Dans *La Ronde* de J.-M. G. Le Clézio, deux jeunes amies roulent à vélomoteur dans les rues presque vides d'une petite ville. Au bout de cette course, la mort les attend.

397 Les caractéristiques de la nouvelle

▶ L'action unique est tendue, **sans temps mort**. L'intrigue est réduite aux éléments essentiels : le lecteur a donc peu d'informations.

> Dans *La Lettre volée*, l'intrigue se résume en trois points : un document a été volé, on connaît le voleur, l'objet volé « est toujours en sa possession ». Le nouvelliste ne s'attarde pas sur la nature du document, sur la raison du vol, ni sur les conséquences de ce vol. Il crée un mystère que la nouvelle devra dévoiler.

▶ La fin de la nouvelle est souvent inattendue : on parle d'**effet de chute**.

> Dans *Double Assassinat dans la rue Morgue* d'Edgar Poe, tout est fait pour que l'information finale soit inattendue : l'assassin mystérieux était en fait… un orang-outan.

▶ Le nouvelliste établit souvent une **relation de complicité avec le lecteur**. Tout au long du récit, il lui donne des indices pour qu'il comprenne les subtilités de l'action, avant les personnages eux-mêmes.

> Dans *Le Crime au père Boniface*, Guy de Maupassant insiste sur la crédulité et la grande imagination du personnage qui adore lire les faits divers. Le lecteur saura avant lui que le « crime » auquel il croyait avoir assisté n'en était pas un.

▶ Le **récit** est quelquefois **inséré dans un autre récit**. Un premier récit commence et un personnage vient raconter une deuxième histoire, remarquable, à un autre personnage. Cette deuxième histoire est en fait le cœur de la nouvelle.

> Dans *Carmen* de Prosper Mérimée, un premier narrateur explique qu'un jour il a rencontré en Espagne un homme, Don José, qui lui a raconté la tragique histoire d'amour qu'il a vécue avec la belle Carmen.

▶ Il existe **plusieurs types de nouvelles** : la nouvelle réaliste, la nouvelle historique, la nouvelle fantastique, la nouvelle policière…

398 La nouvelle réaliste

▶ L'action, les lieux, les personnages de la nouvelle réaliste reflètent la **vie de tous les jours** des lecteurs de l'**époque d'écriture de la nouvelle**.

▶ Pourtant, dans cet univers familier, le nouvelliste crée une histoire capable de toucher, d'étonner, de faire sourire ou pleurer le lecteur. Le nouvelliste décrit, en peu de pages, les petits bonheurs ou les petites misères de notre quotidien.

> Dans ses nouvelles, Maupassant évoque la vie parisienne
> ou la vie à la campagne du dernier tiers du XIXᵉ siècle :
> des bourgeois parisiens qui cherchent à fréquenter
> le beau monde dans *La Parure* ; des paysannes
> normandes qui gardent leurs vaches dans *L'Aveu*.
> En partant de situations banales, Maupassant crée
> une intrigue, un petit drame : une jeune bourgeoise s'est
> fait voler le beau collier qu'on lui avait prêté ; une jeune
> paysanne est enceinte, comment va réagir sa mère ?
>
> *Je demandai au médecin : « Qu'est-ce que celui-là ? »*
> *Il me répondit : « Oh ! celui-là n'est pas intéressant.*
> *C'est un cocher, nommé François, devenu fou après avoir*
> *noyé son chien. »*
> *J'insistai : « Dites-moi donc son **histoire**. **Les choses***
> ***les plus simples, les plus humbles**, sont parfois celles*
> ***qui nous mordent le plus au cœur**. »*
>
> ▶ GUY DE MAUPASSANT, *Mademoiselle Cocotte.*
>
> Dans cet extrait, Maupassant lui-même nous donne une définition de
> la nouvelle réaliste, une *histoire* qui raconte *les choses les plus simples,*
> *les plus humbles*, mais *qui nous mordent le plus au cœur.*

399 La nouvelle fantastique

● La nouvelle fantastique raconte une histoire **ancrée dans la réalité** : les lieux, les personnages sont familiers, et souvent contemporains du lecteur. Il n'y a pas de merveilleux.

● Pourtant, l'intrigue créée doit faire **douter** le lecteur. Ce qui se produit semble ne pas avoir d'explication rationnelle. Les personnages, et le lecteur, croient qu'il y a une **intervention surnaturelle, voire diabolique**. Il est souvent question de morts qui reviendraient hanter les vivants.

> Dans *La Vénus d'Ille* de Mérimée, une statue de Vénus semble vivante et maudite puisque des hommes meurent à cause d'elle.

● La nouvelle fantastique suscite un **trouble** plus ou moins grand chez le lecteur : sentiment de curiosité, de malaise, d'angoisse, voire de peur.

> Dans *Véra* de Villiers de l'Isle-Adam, le personnage principal touche le lecteur par l'énorme chagrin qu'il ressent à la mort de sa femme. Ce chagrin le conduit à croire que sa femme est toujours vivante et le récit tend de plus en plus à le faire croire également au lecteur.

● À la fin de la nouvelle fantastique, soit le doute reste, le mystère n'est pas résolu ; soit ce qu'on prenait pour un phénomène irrationnel trouve une explication rationnelle, scientifique.

> Dans *La Morte amoureuse* de Théophile Gautier, le personnage qui raconte l'histoire croit que, toutes les nuits, la femme qu'il aimait, mais qui est morte, lui rend visite. À la fin de la nouvelle, le lecteur ne sait pas exactement si le narrateur a rêvé tout ce qu'il a raconté ou si cela lui est réellement arrivé.

L'utopie et la contre-utopie

> « *Quel est donc ce pays, disaient-ils l'un et l'autre, inconnu à tout le reste de la terre, et où toute la nature est d'une espèce si différente de la nôtre ? C'est probablement **le pays où tout va bien**.* »
>
> ▶ Voltaire, *Candide*.

Candide découvre l'Eldorado, qu'il décrit comme *le pays où tout va bien*, une véritable utopie.

400 Qu'est-ce qu'une utopie ?

▶ Une utopie (du grec *ou topos*, qui signifie « lieu qui n'existe pas ») est un récit qui représente la réalité en l'améliorant à tous points de vue. Il s'agit d'une **idéalisation du monde réel** où tous les hommes ont la possibilité de vivre **heureux**.

> **Dans *Gargantua*, de François Rabelais, les habitants de l'abbaye de Thélème vivent dans une société idéale, qui n'existe pas dans la réalité.**
>
> *Toute leur vie était régie non par des lois, des **statuts** ou des **règles**, mais selon leur volonté et leur libre arbitre. Ils sortaient du lit quand **bon leur semblait**, buvaient, mangeaient, travaillaient, dormaient quand le désir leur en venait. Nul ne les éveillait, nul ne les obligeait à boire ni à manger, ni à faire quoi que ce soit. Ainsi en avait décidé Gargantua.*
>
> ▶ François Rabelais, *Gargantua*.

Le chapitre de *Gargantua* consacré à la fondation de l'abbaye de Thélème est une utopie puisque ses habitants y vivent comme *bon leur semblait*, sans *lois*, *statuts* ni *règles*.

▶ Le but de l'utopie est philosophique : en inventant un nouveau monde, l'écrivain **critique** celui dans lequel il vit et propose une autre manière de vivre pour **faire réfléchir** le lecteur.

▶ Le mot *utopie* a été inventé au XVIe siècle par l'écrivain anglais Thomas More qui a nommé ainsi l'un de ses livres.

▶ L'utopie peut faire l'objet de **tout un récit** ou constituer **un ou plusieurs chapitres** d'un livre.

Dans *Utopia* de Thomas More, l'utopie occupe tout le récit, alors que dans *Gargantua* de Rabelais seul le chapitre sur l'abbaye de Thélème donne un exemple d'utopie.

401 Qu'est-ce qu'une contre-utopie ?

▶ Une contre-utopie ou **dystopie** (du grec *dus topos*, qui signifie « lieu mauvais ») est un récit qui représente la réalité en la rendant **pire** qu'elle n'est. C'est le contraire d'une utopie.

▶ La contre-utopie a un but philosophique: elle invente un **monde repoussant**, plus injuste et plus dur que celui dans lequel vit l'écrivain, afin de **critiquer** les évolutions inquiétantes du monde réel.

▶ La contre-utopie accentue les traits les plus **négatifs** de la société réelle: exploitation de l'homme par l'homme, rôle autoritaire de l'État, luttes entre classes sociales, modes de vie de plus en plus organisés au détriment de la liberté des individus...

▶ La contre-utopie est souvent un roman de **science-fiction** lorsqu'elle imagine un monde transformé par une évolution dangereuse des progrès scientifiques.

> — *Tout cela, dit-il, est notre faute. Les hommes ont libéré les forces terribles que la nature tenait enfermées avec précaution. Ils ont cru s'en rendre maîtres. Ils ont nommé cela le Progrès.*
>
> ▶ RENÉ BARJAVEL, *Ravage.*

En 2052, les hommes de ce roman vivent dans un chaos causé par les excès du progrès technologique.

L'écriture autobiographique

Je veux montrer à mes semblables un homme dans toute la vérité de la nature ; et cet homme ce sera moi.
> Jean-Jacques Rousseau, *Les Confessions.*

Rousseau met en évidence ici, au début des *Confessions*, une caractéristique essentielle de l'écriture autobiographique : l'auteur parle de lui-même.

402 Qu'est-ce que l'écriture autobiographique ?

▶ L'écriture autobiographique est une manière d'**écrire** (du grec *graphein*) pour **se raconter**, pour **parler de soi** (*auto*), de **sa vie** (*bio*).

▶ Elle peut prendre différentes formes : autobiographie, mémoires, journal intime, récit de voyage, roman autobiographique, correspondance...

403 L'autobiographie

▶ Une autobiographie est un récit dans lequel un auteur raconte l'**histoire de sa vie**, il ne s'agit donc pas d'un récit de fiction. On dit que c'est un **récit rétrospectif** parce que l'auteur fait un retour en arrière vers le passé.

▶ L'**auteur** d'une autobiographie (celui dont le nom est sur la couverture) est aussi le **narrateur** (celui qui raconte) et le **personnage principal** de son livre. Il s'engage vis-à-vis de son lecteur à être sincère, à dire toute la vérité. En respectant ces règles, il établit un **pacte autobiographique** avec son lecteur.

> Dès les premières lignes des *Confessions*, Rousseau fait ce pacte avec son lecteur : il s'engage à parler de lui-même avec sincérité.

● L'auteur d'une autobiographie n'a plus le même âge qu'à l'époque des faits racontés. C'est un **adulte** qui s'exprime à la **première personne**. Il dit « **je** » et raconte ses **souvenirs** dans un **ordre chronologique** : le **récit de l'enfance** est généralement suivi du **récit de l'adolescence**.

● Mais l'écrivain ne peut pas tout raconter. Il est obligé de sélectionner certains faits, sa mémoire peut lui jouer des tours, et il a parfois du mal à trouver les mots justes.

> *Mais peut-on raconter ? [...] Seul l'artifice d'un récit maîtrisé parviendra à transmettre partiellement la vérité du témoignage.*
>
> ▶ JORGE SEMPRUN, *L'Écriture ou la Vie.*

Jorge Semprun se demande s'il est possible de se raconter lorsqu'on a vécu dans un camp de concentration.

● Les temps employés pour raconter les souvenirs sont principalement les **temps du passé**. Parfois, l'auteur utilise le **présent historique** pour montrer que des faits anciens sont encore très présents dans son esprit ▶ 310 .

● L'écrivain emploie aussi le **présent d'énonciation**, qui correspond au moment de l'écriture, s'il a besoin d'expliquer, de commenter sa propre vie ou ce qu'il ressent quand il écrit.

> *Je **sens** en écrivant ceci que mon pouls **s'élève** encore ; ces moments me seront toujours présents quand je vivrais cent mille ans.*
>
> ▶ JEAN-JACQUES ROUSSEAU, *Les Confessions.*

L'autobiographie se caractérise ainsi par une **alternance de récit** (souvent au passé) **et d'analyse** (souvent au présent).

404 Les mémoires

● Lorsqu'un auteur écrit ses mémoires, il ne se contente pas de raconter l'histoire de sa vie. Il met l'accent sur les **événements historiques** dont il a été le témoin ou auxquels il a participé.

> *Comparée à des mémoires, une autobiographie est une entreprise franchement égocentrique. Dans une autobiographie on parle de soi, dans des mémoires on parle d'autrui.* ▶ NINA BERBEROVA, *C'est moi qui souligne.*

● Les mémoires sont écrits par des hommes ou des femmes célèbres : **politiques**, **savants** ou **artistes** qui mêlent leur propre destin à celui de leur pays.

> **Dans les *Mémoires d'outre-tombe*, Chateaubriand rattache ses souvenirs personnels aux événements historiques dont il a été témoin. Il fait aussi le portrait de grands hommes comme Napoléon Bonaparte, dont il a croisé le chemin.**

405 Le journal intime

● Dans un journal intime, l'auteur rapporte les événements de sa vie **au jour le jour**, de façon quasi quotidienne. Les faits sont accompagnés d'indications précises de dates et de lieux, et sont souvent commentés.

● Il s'écoule peu de temps entre les événements et le moment où ils sont racontés, contrairement à l'autobiographie.

● **L'auteur n'écrit pas pour un lecteur** ; mais lorsqu'un journal est publié, il devient un témoignage précieux sur une époque.

> **Le *Journal d'Anne Frank*, rédigé par une adolescente juive pendant l'occupation nazie entre 1942 et 1944, montre la peur et les conditions de vie difficiles de la jeune fille.**

406 Le récit de voyage

● Dans un récit de voyage, le voyageur raconte ce qu'il a vu. Il rapporte les événements auxquels il a assisté et invite le lecteur à découvrir des lieux qu'il ne connaît pas. Ce type de récit constitue un **témoignage** à la fois géographique, historique et culturel.

> *Vous tous qui voulez connaître les différentes races d'hommes, et la variété des diverses régions du monde [...] nous présenterons les choses vues pour vues et les choses entendues pour entendues, en sorte que notre livre soit sincère et véritable.*
>
> ❱ Marco Polo, *Le Livre des merveilles*.
>
> Dans *Le Livre des merveilles*, Marco Polo renseigne ses lecteurs sur les pays qu'il a découverts comme la Perse, l'Inde, la Chine.

407 Le roman autobiographique

▶ Le roman autobiographique a une particularité : c'est un **récit de fiction**, mais l'histoire qu'il raconte comporte beaucoup de **ressemblances avec la vie de l'auteur**. Ainsi, le roman autobiographique mélange des **événements réellement vécus** et des **faits imaginés**.

▶ Le personnage principal n'est pas toujours l'auteur, mais il présente de nombreux points communs avec lui.

> Dans *L'Enfant* de Jules Vallès, le personnage principal s'appelle Jacques Vingtras. Ce garçon, dont les initiales sont les mêmes que celles de l'auteur, a vécu une enfance très proche de celle de Vallès.

408 La correspondance

▶ Une correspondance est un **ensemble de lettres** réellement envoyées par un auteur à ses proches. L'auteur des lettres y exprime ses sentiments et ses réactions face à certains événements de sa vie.

▶ Ce type de texte ne révèle cependant qu'une petite partie de la vie de l'auteur.

> Les *Lettres* que Mme de Sévigné envoya à sa fille ou les lettres de soldats publiées après leur disparition sont des exemples, parmi les plus connus, de correspondances.

Le théâtre

SCAPIN. — *Je ne sais pas, Monsieur, et voici une étrange affaire. Je tremble pour vous depuis les pieds jusqu'à la tête, et... Attendez.* (Il se retourne, et fait semblant d'aller voir au bout du théâtre s'il n'y a personne.)
GÉRONTE, en tremblant. — *Eh ?*
SCAPIN, en revenant. — *Non, non, non, ce n'est rien.*
GÉRONTE. — *Ne saurais-tu trouver quelque moyen pour me tirer de peine ?*
SCAPIN. — *J'en imagine bien un ; mais je courrais risque, moi, de me faire assommer.*

❱ MOLIÈRE, *Les Fourberies de Scapin.*

409 Qu'est-ce que le théâtre ?

◗ Le théâtre est à la fois un **genre littéraire**, un **spectacle** et un **lieu** où se produit ce type de spectacle. Il présente aux spectateurs une action fictive, c'est-à-dire inventée, dans laquelle interviennent des personnages.

◗ En tant que **genre littéraire**, le théâtre est un texte composé de **dialogues** et de **didascalies** (les didascalies sont les indications de prise de parole et de mise en scène). Le tout est créé par un auteur appelé **dramaturge**.

◗ En tant que **spectacle**, le théâtre comprend des décors, des costumes, des éclairages, éventuellement de la musique. Il fait aussi appel à des acteurs qui interprètent le texte de la pièce. L'ensemble est dirigé par un **metteur en scène**.

◗ En tant que **lieu**, le théâtre comprend une scène où jouent les acteurs, un espace pour accueillir les spectateurs et des coulisses.

> Dans l'extrait ci-dessus des *Fourberies de Scapin*, le mot *théâtre* désigne la scène réelle où le spectacle a lieu.

◗ Il faut distinguer la **pièce de théâtre**, œuvre écrite, définitive et sa **représentation**, spectacle qui varie selon les choix du metteur en scène et le jeu des acteurs.

410 L'organisation d'une pièce de théâtre

◗ En France, du xvıe siècle au xıxe siècle inclus, une pièce de théâtre était organisée en **actes** et en **scènes** :
– les actes sont des ensembles de scènes qui font progresser l'action ;
– les scènes sont délimitées par l'entrée ou la sortie d'un personnage sur scène.

◗ À partir du xxe siècle, l'organisation d'une pièce de théâtre est devenue très **libre et variée**. On peut trouver :
– un découpage traditionnel en actes et en scènes, comme dans *Électre* de Jean Giraudoux ;
– une succession de « tableaux » (moments présentant une unité de temps, de lieu et d'action) comme dans *Les Mouches* de Jean-Paul Sartre ;
– ou encore une absence totale de découpage, comme dans *Antigone* de Jean Anouilh.

411 Le dialogue théâtral

◗ Dans une pièce de théâtre, l'action passe essentiellement par les **dialogues**.

◗ Un dialogue théâtral est fait d'une succession de **répliques**, c'est-à-dire de propos tenus à tour de rôle par les personnages.

L'extrait des *Fourberies de Scapin* comporte cinq répliques.

◗ Les dialogues, selon les époques et les genres, sont écrits en **vers** ou en **prose**.

Don Diègue

Ô rage ! ô désespoir ! ô vieillesse ennemie !
N'ai-je donc tant vécu que pour cette infamie ?

◗ Pierre Corneille, *Le Cid*.

Le Cid de Corneille est écrit en vers.

> Monsieur Jourdain. — *Quoi ? quand je dis : « Nicole, apportez-moi mes pantoufles et me donnez mon bonnet de nuit », c'est de la prose ?*
>
> ▶ Molière, *Le Bourgeois gentilhomme.*
>
> Le Bourgeois gentilhomme de Molière est écrit en prose.

▶ Quand une réplique est longue (plus de dix lignes ou vers), on parle de **tirade**.

▶ Quand des répliques courtes, de même longueur (une ou deux lignes ou vers) et de même forme syntaxique, se succèdent, on parle de **stichomythie**. On a alors souvent une situation très vive de lutte verbale entre les personnages.

> Harpagon. — *Comment, pendard ? c'est toi qui t'abandonnes à ces coupables extrémités ?*
>
> Cléante. — *Comment, mon père ? c'est vous qui vous portez à ces honteuses actions ?*
>
> Harpagon. — *C'est toi qui te veux ruiner par des emprunts si condamnables ?*
>
> Cléante. — *C'est vous qui cherchez à vous enrichir par des usures si criminelles ?*
>
> ▶ Molière, *L'Avare.*
>
> Cette stichomythie montre la rivalité entre Harpagon et son fils qui ne sont pas du tout d'accord sur la façon d'utiliser l'argent.

▶ Quand un personnage parle seul sur scène, on parle de **monologue**.

▶ Quand un personnage baisse la voix pour se parler à lui-même ou pour parler à un autre personnage de façon à ne pas être entendu par les autres personnages présents sur scène, on parle d'**aparté**.

> Machut, **à part**. — *Je parie que c'est du latin ou du grec.*
>
> ▶ Eugène Labiche, *La Grammaire.*
>
> La didascalie à part indique que le personnage se parle à lui-même dans un aparté.

412 Les didascalies (ou indications scéniques)

▶ Les didascalies indiquent quel personnage prend la parole : Scapin puis Géronte dans l'extrait des *Fourberies de Scapin*.

▶ Les didascalies peuvent préciser à l'acteur comment jouer le personnage en donnant notamment des indications d'**intonation**, de **gestuelle**, de **déplacement**.

> LUI, **furieux**. — *Non mais dis donc ! Qu'est-ce que c'est que ces manières ?* (intonation)
>
> ▶ PIERRE GRIPARI, *Le Bourricot.*

> MADAME, **elle sonne, sonne en vain ; elle se lève et appelle.**
> — *Irma !... Irma, voyons !* (gestuelle et intonation)
>
> ▶ JEAN TARDIEU, *Un mot pour un autre.*

> DANIEL. — *Eh bien, c'est drôle de voyager comme cela !*
> **(Voyant Armand qui se lève.)** (déplacement)
> *Où allez-vous donc ?*
> ARMAND. — *Je ne tiens plus en place, j'ai envie d'aller au-devant de ces dames.*
> DANIEL. — *Et le café ?*
> ARMAND. — *Je n'en prendrai pas... au revoir !* **(Il sort vivement par le fond.)** (déplacement et gestuelle)
>
> ▶ EUGÈNE LABICHE, *Le Voyage de Monsieur Perrichon.*

413 La structure de l'action théâtrale

▶ Une pièce de théâtre commence par une **exposition**. Celle-ci renseigne le spectateur sur la situation initiale de l'action, sur le temps, le lieu et sur les personnages. Elle se déroule au cours des premières scènes de la pièce.

▶ Une pièce de théâtre comporte un **nœud**, un problème à résoudre, qu'on appelle aussi la **crise dramatique**. Les personnages s'affrontent en raison de leurs intérêts divergents. Des **obstacles** surgissent.

> **Dans *Le Cid* de Corneille, Rodrigue et Chimène s'aiment et devraient se marier. Pourtant leurs pères s'opposent. Le père de Chimène humilie le père de Rodrigue. Ce dernier doit alors venger l'honneur de son père en se battant en duel avec le père de sa bien-aimée. C'est la crise dramatique.**

● Des **péripéties** (changements soudains de situation) peuvent venir perturber les projets des uns et des autres ou au contraire résoudre leurs problèmes. On parle de **coup de théâtre** quand une péripétie a un caractère imprévu et un peu invraisemblable.

● Le **dénouement** défait le nœud, met progressivement un terme à la crise, au cours des dernières scènes de la pièce. Selon le genre théâtral, ce dénouement sera **heureux** (comédie), ou **malheureux** (tragédie, drame).

> *Les Fourberies de Scapin* de Molière se terminent sur un double mariage. *Andromaque* de Racine se termine par une série d'événements funestes : Pyrrhus meurt assassiné, Hermione se suicide, Oreste devient fou.

414 Le lieu théâtral

● Dans l'Antiquité, le théâtre se jouait **en plein air** dans de grands théâtres aux gradins de pierre, disposés en arc de cercle autour de la scène.

▶ Théâtre antique d'Épidaure, en Grèce, IVe-IIIe siècle av. J.-C.

● Au Moyen Âge, le théâtre se jouait sur les **places publiques**, sur des scènes élevées en bois, appelées **tréteaux**.

● À partir du XVIIe siècle, le théâtre a lieu dans des salles et utilise des éclairages. Jusqu'au XXe siècle, la **salle à l'italienne** est la plus courante : les sièges des spectateurs y sont disposés en demi-cercle autour de la scène, au niveau du sol, et sur des balcons de plus en plus élevés.

▶ Théâtre à l'italienne du Palais-Royal (Comédie-Française), à Paris, XVIIIᵉ siècle.

▶ À partir de la deuxième moitié du XXᵉ siècle, on a construit des **salles dites « modernes »**, rectangulaires et inclinées, sur le modèle des salles de cinéma. La visibilité a été grandement améliorée pour tous les spectateurs.

415 La mise en scène

▶ Chaque nouvelle représentation d'un texte théâtral suppose des **choix de mise en scène** : quels acteurs ? quels décors ? quels costumes ? quels éclairages ? quels sons ? quelles intonations pour dire les répliques ? quels gestes ? quels déplacements ? quelles mimiques (expressions du visage) ?

▶ C'est le **metteur en scène** qui répond à ces questions. Il se demande également s'il doit respecter l'époque à laquelle se passe l'action, ou bien s'il doit moderniser la représentation de cette pièce.

Lire l'image

Photographies tirées de deux mises en scène du *Cid* de Pierre Corneille

Présentation

▶ La même scène du *Cid* de Corneille (acte III, scène IV) apparaît sur les deux photographies (ci-dessous et ci-contre). L'action se passe au Moyen Âge en Espagne. Rodrigue se présente à Chimène avec l'épée avec laquelle il a tué le père de la jeune fille. Il lui demande de le tuer avec cette même épée.

▶ Le texte de Corneille ne donne aucune didascalie sur le décor, les costumes, l'intonation ou sur la gestuelle pour jouer cette pièce. On sait seulement que la scène se passe dans la maison de Chimène.

Analyse

▶ Mise en scène Thomas Le Douarec, mai 2009, théâtre Comédia, Paris.

▶ Le **décor**, dans la première mise en scène, évoque l'Espagne du Moyen Âge avec une fenêtre en arcade (au fond) et un moucharabieh (grillage de bois permettant de ventiler la pièce et de voir sans être vu) typiques de l'architecture arabo-andalouse.

▶ Les **costumes** de Chimène et de Rodrigue sont modernes, mais gardent une certaine noblesse. Le contraste entre **le blanc et le noir** rappelle le conflit entre les deux jeunes gens. Le **metteur en scène** a imaginé que Chimène est tentée de tuer Rodrigue qui s'offre à elle. Mais son **visage** trahit sa douleur.

▶ Mise en scène Sandrine Anglade, avril 2013, théâtre Olympia, Arcachon.

▶ Le **décor**, dans la seconde mise en scène, est très simple et n'indique pas une époque précise : un fond noir, un sol recouvert de copeaux de bois ou de cuir qui font penser à des cendres, un barreau (à gauche) d'une grille qui organise l'espace.

▶ Les **costumes** sont complètement modernes et décalés par rapport au contexte de la pièce : la veste et le bonnet de Rodrigue, le gilet de Chimène ne pourraient être portés par des nobles espagnols du Moyen Âge. Les couleurs sont assez similaires et ternes. Le geste de Rodrigue qui tend l'épée à Chimène correspond bien à certains vers du texte. Le **metteur en scène** a également imaginé que Chimène est tentée de prendre cette épée qu'elle **regarde** avec une certaine tension. Mais son attitude est moins décidée que dans la première mise en scène.

Comparaison

▶ Ces deux mises en scène présentent donc des décors et des costumes très différents, mais ont en commun de mettre en évidence les doutes de l'héroïne. La première mise en scène met en relief le côté espagnol et médiéval de l'intrigue, la seconde transporte les personnages dans une époque et un espace indéterminés qui pourraient être les nôtres.

La farce et la comédie

> BÉLISE. — *Veux-tu toute ta vie offenser la grammaire ?*
> MARTINE. — *Qui parle d'offenser grand-mère ni grand-père ?*
> PHILAMINTE. — *Ô ciel !*
> BÉLISE. — Grammaire *est prise à contresens par toi,*
> *Et je t'ai déjà dit d'où vient ce mot.*
>
> ▶ MOLIÈRE, *Les Femmes savantes.*

416 Qu'est-ce que la farce ?

▶ La farce est une courte **pièce de théâtre** qui s'est développée au Moyen Âge. L'intrigue, c'est-à-dire l'histoire, est très simple et rapporte les **problèmes de la vie quotidienne** : tromperies entre un mari et sa femme, conflits familiaux, problèmes d'argent...

Dans *La Farce du cuvier*, les époux ne cessent de se disputer.

▶ La farce **fait rire** grâce à un comique grossier, des jeux de scène (des coups, des chutes), un langage souvent familier.

▶ Les **personnages** de la farce, peu nombreux, sont issus du **peuple** (paysans, bergers, marchands...) et sont souvent ridicules et peu honnêtes (le curé gourmand, le mari trompé...).

Dans *La Farce de Maître Pathelin*, l'avocat n'hésite pas à conseiller à son client de passer pour un idiot en répondant « bêê » à toutes les questions qu'on lui posera lors de son procès.

▶ Au cours des siècles suivants, la farce a inspiré plusieurs écrivains. Lorsque Scapin, dans *Les Fourberies de Scapin* de Molière, réussit à enfermer dans un sac et à rouer de **coups** Géronte, dont il veut se venger, nous assistons à une **scène de farce**.

417 Qu'est-ce que la comédie ?

▶ La comédie est une **pièce de théâtre** en prose ou en vers dont l'intrigue repose sur des **conflits** entre des maîtres et leurs valets ou des pères et leurs enfants. Les thèmes principaux sont l'amour et l'argent.

◗ Le **dénouement** de la comédie est **heureux**. La comédie se termine généralement par un mariage. Un **coup de théâtre** permet souvent la résolution de l'intrigue.

> On apprend seulement à la fin des *Fourberies de Scapin* qu'Hyacinthe, femme qu'Octave avait épousée en secret, n'est autre que celle que son père avait prévue pour lui !

◗ La comédie devient **comédie-ballet** lorsqu'elle associe le théâtre à la danse et à la musique, comme dans *Le Bourgeois gentilhomme* de Molière.

418 Les personnages, les lieux et le temps de la comédie

◗ Les **protagonistes** (personnages principaux) sont des personnages qui ressemblent aux spectateurs. Ils sont issus de la petite noblesse ou de la bourgeoisie. Leurs soucis concernent la vie de tous les jours.

◗ Les **personnages secondaires** sont des valets ou des servantes qui souvent s'opposent à leurs vieux maîtres et expriment leur désaccord. Ils sont soit rusés et habiles pour aider leurs jeunes maîtres comme Scapin, soit comiques par leur naïveté comme Martine dans *Les Femmes savantes*.

◗ Certains personnages de la comédie sont inspirés de la *commedia dell'arte* (comédie italienne) comme Arlequin, Pierrot.

◗ Le **niveau de langue** des personnages est **courant ou familier**.

◗ La comédie se déroule à l'époque des spectateurs et dans des lieux qui leur sont familiers : intérieur d'une maison ou place publique.

419 Les effets de la comédie sur le spectateur

◗ La comédie **provoque le rire** chez le spectateur, elle le divertit. On y trouve du comique de gestes, de mots, de situation, de caractère, de répétition.

◗ La comédie a également un **rôle critique et moralisateur** car elle dénonce les excès de la société et les défauts humains, comme l'avarice dans *L'Avare* de Molière.

La tragédie

Mon mal vient de plus loin. À peine au fils d'Égée
Sous les lois de l'hymen je m'étais engagée,
Mon repos, mon bonheur semblait être affermi,
Athènes me montra mon superbe ennemi.

▶ JEAN RACINE, *Phèdre.*

420 Qu'est-ce qu'une tragédie ?

● Une tragédie est une **pièce de théâtre** dont l'intrigue repose sur un **conflit insoluble**, puisque impossible à résoudre, et **funeste**, puisqu'il cause de terribles malheurs. Le conflit peut opposer un individu et les autres hommes représentant la collectivité, ou encore un individu et des valeurs (l'amour, la fidélité, l'honneur...) qui le dépassent.

● Dans la tragédie, l'action est marquée par le poids de la **fatalité**. D'origine divine ou sociale, elle pèse sur le héros et sur sa volonté d'être libre.

> Phèdre aime son beau-fils Hippolyte, qu'elle nomme
> « mon superbe ennemi ». Cet amour, adultère
> et incestueux, inspiré par une malédiction divine,
> est impossible.

● Le héros tragique est confronté à un choix toujours très difficile à faire. On appelle ce choix le **dilemme tragique**.

> Dans *Horace*, de Pierre Corneille, le héros doit-il obéir
> à son devoir de Romain et tuer son ami et beau-frère
> Curiace qui appartient à une cité ennemie contre laquelle
> Rome est en guerre ?

● Le **dénouement** de la tragédie est **malheureux** pour la plupart des protagonistes. Souvent, ces derniers meurent ou survivent dans une grande douleur.

> Phèdre s'empoisonne car elle se sent trop coupable. Dans
> *Bérénice*, de Jean Racine, Titus, parce qu'il est empereur
> de Rome, ne peut épouser une reine étrangère. Malgré
> leur amour, Bérénice et Titus se séparent.

● Il existe des **tragi-comédies**, c'est-à-dire des tragédies dont le dénouement n'est pas malheureux, comme *Le Cid* de Corneille.

> Rodrigue, le Cid, qui avait dû sacrifier son amour à son honneur, peut, à la fin de la pièce, espérer épouser Chimène, la femme qu'il aime, bien qu'il ait tué le père de celle-ci.

421 Les personnages, les lieux et le temps de la tragédie

● Les **protagonistes** (personnages principaux) de la tragédie sont des personnages qui ne ressemblent pas aux spectateurs ordinaires. Ils sont d'une **origine sociale très élevée**.

> Ces personnages sont des héros de la mythologie grecque comme dans *Antigone* de Sophocle et dans *Iphigénie* de Racine, ou des individus de haute noblesse ou à haute fonction politique comme l'empereur romain Auguste dans *Cinna* de Corneille.

● Les **personnages secondaires** sont les **confidents** des protagonistes : compagnons d'armes, dames de compagnie... Ils ne sont pas touchés par l'action mais écoutent, soutiennent et parfois conseillent les protagonistes.

● Le **niveau de langue** des personnages est **élevé**.

● La tragédie se déroule dans un univers éloigné des spectateurs : la Grèce mythologique, la Rome antique, l'histoire biblique.

422 Les effets de la tragédie sur le spectateur

● La tragédie suscite **terreur, admiration et pitié**.

– Le spectateur est **effrayé** par la monstruosité de certains personnages comme Médée (dans la pièce de Sénèque), qui tue ses enfants.

– Il **admire** la grandeur d'âme des héros comme Auguste (dans *Cinna*), qui pardonne aux hommes qui ont comploté contre lui.

– Il est **ému** par la souffrance ou le triste sort des personnages qui subissent les dures lois de leur destin comme Antigone (l'héroïne des pièces de Sophocle ou de Jean Anouilh), qui meurt alors qu'elle voulait donner une digne sépulture à son frère.

La poésie

Bien placés bien choisis
quelques mots font une poésie
les mots il suffit qu'on les aime
pour écrire un poème
on sait pas toujours ce qu'on dit
lorsque naît la poésie
faut ensuite rechercher le thème
pour intituler le poème
mais d'autres fois on pleure on rit
en écrivant la poésie
ça a toujours kékchose d'extrême
un poème

❭ Raymond Queneau, « Bien placés bien choisis », *L'Instant fatal*.

423 Qu'est-ce que la poésie ?

❭ La poésie est un **art du langage**. Elle utilise toutes les possibilités du langage pour raconter, décrire, exprimer ou suggérer.

❭ Le mot *poésie* vient du grec *poiein* qui signifie « fabriquer », « créer ». Le poète est à la fois un artisan et un créateur qui travaille le langage comme un matériau. Il utilise des mots simples ou rares qu'il dispose de manière originale en jouant sur leur sens, leur forme, leurs sonorités.

❭ Avant l'invention de l'écriture, la poésie a servi à **fixer la mémoire** des peuples ; le rythme et la musicalité des vers facilitaient la mémorisation : prières aux dieux, récits mythologiques, formules de droit étaient en vers. La poésie était alors considérée comme un **langage sacré**.

❭ Pendant longtemps, la poésie a été composée en vers et s'opposait donc à la prose de la communication courante. Elle obéissait alors aux règles strictes de la **versification** ▶ 433 . Mais au XIXᵉ siècle, elle s'est libérée de ces contraintes et a pris des formes variées, en vers comme en prose.

424 Le langage poétique

▶ Le langage poétique est **musical**. Le poète crée des **effets sonores et rythmiques** au moyen du vers et de la rime, mais aussi en jouant sur les sonorités et la disposition des mots.

> *Je fais souvent ce rêve étrange et pénétrant*
> *D'une femme inconnue, et que j'aime, et qui m'aime,*
> *Et qui n'est, chaque fois, ni tout à fait la même*
> *Ni tout à fait une autre, et m'aime et me comprend.*
>
> ▶ Paul Verlaine, « Mon rêve familier », *Poèmes saturniens*.

Par la répétition des mots et des sons, ces quatre vers créent un effet de bercement.

▶ Le langage poétique s'adresse à **l'imagination**. Pour évoquer, suggérer ou représenter, le poète utilise de nombreuses **images** : des comparaisons et des métaphores, mais aussi des personnifications, des allégories et des symboles ▶ 441.

> *Les vieilles **maisons** sont toutes voûtées,*
> *Elles sont **comme des grands-mères***
> *Qui se tiennent assises, les mains sur les genoux,*
> *Parce qu'elles ont trop travaillé dans leur vie ;*
>
> ▶ Charles Ferdinand Ramuz, *Vers*.

La comparaison des *maisons* avec des *grands-mères* est ici très évocatrice.

▶ Le langage poétique est un véritable **jeu sur le langage**. Le poète donne libre cours à sa fantaisie en jouant sur les mots ou en inventant des mots.

> [...] *si tu t'imagines*
> *xa va xa va xa*
> *va durer toujours*
> *la saison des za*
> *la saison des za*
> *saison des amours* [...]
>
> ▶ Raymond Queneau,
> « Si tu t'imagines... », *L'Instant fatal*.

Le poète joue avec les mots en traduisant à l'écrit le langage parlé de manière humoristique.

425 Les formes poétiques

▶ Il existe une grande variété de formes poétiques. On parle de **formes fixes** quand elles obéissent à des règles précises. C'est le cas de la **ballade** et du **rondeau** en usage au Moyen Âge ou du **sonnet**, apparu à la Renaissance.

▶ Au xixᵉ siècle, les poètes cherchent à renouveler le langage poétique. Ils inventent le **poème en prose** ainsi que les **vers libres**, vers de longueur variable et qui ne sont pas toujours rimés.

> *Laisse-moi respirer longtemps, longtemps, l'odeur de tes cheveux, y plonger tout mon visage, comme un homme altéré dans l'eau d'une source, et les agiter avec ma main comme un mouchoir odorant, pour secouer des souvenirs dans l'air.*

▶ Charles Baudelaire, « Un hémisphère dans une chevelure », *Le Spleen de Paris*.

Ce paragraphe est le début d'un poème en prose ; les comparaisons, les répétitions et le rythme harmonieux de la phrase contribuent à lui donner son caractère poétique.

▶ Au xxᵉ siècle, Guillaume Apollinaire supprime la ponctuation des poèmes de son recueil *Alcools*. Il écrit aussi des **calligrammes**, poèmes dont le texte forme un dessin.

▶ Guillaume Apollinaire, « Reconnais-toi », *Poèmes à Lou*.

*Sous le pont Mirabeau **coule** la Seine*
*Et **nos amours***
Faut-il qu'il m'en souvienne
La joie venait toujours après la peine [...]

> GUILLAUME APOLLINAIRE, « Le pont Mirabeau », *Alcools*.

L'absence de ponctuation crée un effet d'ambiguïté : *nos amours* peut s'entendre à l'oreille comme le sujet du verbe *coule*.

● La poésie étrangère présente également des formes particulières, comme le **haïku**, forme brève de la poésie traditionnelle japonaise. Composé d'une phrase unique au vocabulaire simple, il suggère une émotion passagère, souvent liée au spectacle de la nature.

Sur une pierre
la libellule
rêve en plein jour

> TANEDA SANTÔKA, « Sur une pierre », *Haïku*.

● La **chanson** se rattache à la poésie. À toutes les époques, des poèmes ont été mis en musique. D'ailleurs, certains prennent la forme d'une chanson avec **couplets** et **refrains**. De nos jours, la chanson est la forme d'expression poétique la plus répandue.

La poésie lyrique et la poésie engagée

[...] Toi que j'aime à jamais toi qui m'as inventé
Tu ne supportais pas l'oppression ni l'injure
Tu chantais en rêvant le bonheur sur la terre

Tu rêvais d'être libre et je te continue.
> PAUL ELUARD, « Dit de la Force de l'Amour », *Poèmes politiques*.

Dans ce poème écrit à la mort de sa femme, le poète dit
à la fois son amour et son engagement politique.

426 Qu'est-ce que la poésie lyrique ?

La poésie lyrique est, à l'origine, la poésie que le poète récite en
s'accompagnant d'un instrument de musique, la **lyre**. Ainsi, selon
la mythologie grecque, le poète **Orphée** charmait les bêtes
sauvages et les rochers par la beauté de son chant.

La poésie lyrique exprime **les émotions et les sentiments
personnels** du poète : la passion amoureuse, la plainte, le regret,
la colère, la joie, l'enthousiasme...

> *Je vis, je meurs ; je me brûle et me noie.*
> *J'ai chaud extrême en endurant froidure ;*
> *La vie m'est et trop molle et trop dure.*
> *J'ai grands ennuis entremêlés de joie.*
>> LOUISE LABÉ, *Élégies et Sonnets*.

Ici, la poétesse exprime les sensations et sentiments contradictoires
de la passion amoureuse.

Cependant, la poésie lyrique a aussi une dimension **universelle**
car le poète lyrique est l'interprète de tous les hommes. Les
sentiments qu'il évoque sont communs à tous les hommes.

> *Quand je parle de moi, je vous parle de vous !*
>> VICTOR HUGO, *Les Contemplations*, Préface.

La poésie lyrique s'est écrite à toutes les époques : la poésie
courtoise des troubadours du Moyen Âge, la poésie des poètes
de la Pléiade comme Pierre de Ronsard et Joachim du Bellay à la
Renaissance, la poésie des romantiques comme Victor Hugo et

Alfred de Musset au xixe siècle, ou encore la poésie des surréalistes, au xxe siècle, lorsque ces derniers célèbrent la femme aimée.

> *Tu es venue le feu s'est alors ranimé*
> *L'ombre a cédé le froid d'en bas s'est étoilé*
> *Et la terre s'est recouverte*
> *De ta chair claire et je me suis senti léger*

> ▶ Paul Eluard, « La mort l'amour la vie », *Le Phénix*.

427 Les caractéristiques de la poésie lyrique

▶ La poésie lyrique se caractérise par :

– l'emploi de la **première personne** : *je, moi, mon, nous, notre…* ;

– le **vocabulaire** des sensations, des émotions et des sentiments ;

– une **ponctuation expressive** : point d'exclamation, point d'interrogation, points de suspension ;

– la **musicalité** : assonances, allitérations, effets de rythme ▶436-437 ;

– les **thèmes** de l'amour, la mort, la solitude, la nostalgie, la fuite du temps, la communion avec la nature.

> « *Ô Temps, suspends ton vol ! et vous, heures propices,*
> *Suspendez votre cours !*
> *Laissez-nous savourer les rapides délices*
> *Des plus beaux de nos jours !* »

> ▶ Alphonse de Lamartine, « Le Lac », *Méditations poétiques*.

Lamartine, poète romantique, évoque ici la fuite du temps et la menace de la mort.

428 Qu'est-ce que la poésie engagée ?

▶ Lorsque la poésie est **au service d'une cause**, on parle de poésie engagée. Le poète engagé utilise la poésie comme **une arme** qu'il met au service d'un combat politique, religieux ou social.

> *C'était un très bon nègre,*
> *la misère lui avait blessé poitrine et dos et on avait fourré*
> *dans sa pauvre cervelle qu'une fatalité pesait sur lui qu'on*
> *ne prend pas au collet ; qu'il n'avait pas puissance sur son*
> *propre destin ; [...]*

▶ AIMÉ CÉSAIRE, « C'était un très bon nègre », *Cahier d'un retour au pays natal.*
Dans un long poème en vers libres, le poète antillais Aimé Césaire défend la cause des Noirs et condamne avec une ironie mordante l'esclavagisme.

▶ La poésie engagée exprime l'indignation et la révolte du poète face à des injustices, des abus, des crimes qu'il **dénonce**. Elle veut susciter une prise de conscience chez le lecteur et le pousser à agir.

> *Où vont tous ces enfants dont pas un seul ne rit ?*
> *Ces doux êtres pensifs que la fièvre maigrit ?*
> *Ces filles de huit ans qu'on voit cheminer seules ?*
> *Ils s'en vont travailler quinze heures sous des meules ;*
> *Ils vont, de l'aube au soir, faire éternellement*
> *Dans la même prison le même mouvement.*

▶ VICTOR HUGO, « Melancholia », *Les Contemplations.*
Victor Hugo dénonce le travail des enfants et cherche à éveiller pitié et indignation chez son lecteur.

▶ La poésie engagée est ancrée dans l'**Histoire**. Le poète se veut un témoin et un acteur de l'actualité de son temps.

> *Paris a froid Paris a faim*
> *Paris ne mange plus de marrons dans la rue*
> *Paris a mis de vieux vêtements de vieille*
> *Paris dort tout debout sans air dans le métro*

▶ PAUL ELUARD, « Courage », *Au rendez-vous allemand.*
Ces vers, publiés clandestinement en 1943, dénoncent les conditions de vie à Paris sous l'occupation allemande.

▶ La poésie engagée peut adopter un **ton satirique**. Elle se moque alors des hommes, des institutions ou des mœurs pour mieux les dénoncer.

Un jour, maigre et sentant un royal appétit,
*Un **singe** d'une peau de tigre se vêtit.*
*Le **tigre** avait été méchant ; lui, fut atroce.*

> Victor Hugo, « Fable ou histoire », *Les Châtiments.*

Victor Hugo dénonce ici le coup d'État de Louis-Napoléon Bonaparte, futur Napoléon III. Il dépeint le nouvel empereur sous les traits d'un *singe* cherchant à imiter le *tigre* que fut Napoléon Ier.

429 Les caractéristiques de la poésie engagée

▶ La poésie engagée se caractérise par :

– des références à l'**actualité** : dates, noms propres de lieux, de personnes ;

– le **vocabulaire** de la violence ou de l'oppression ;

– l'**adresse au lecteur**, pour l'interpeller et le pousser à la révolte ou pour lui délivrer un message d'espoir : impératif, emploi de la deuxième personne… ;

– des **figures de style** pour convaincre le lecteur : anaphores (reprise de la même expression en début de phrase), répétitions, énumérations… ;

– une **dénonciation** de la guerre, de la dictature, de l'intolérance religieuse, du colonialisme, de la misère sociale, des inégalités…

Ce cœur qui haïssait la guerre voilà qu'il bat pour
le combat et la bataille ! [...]

> Robert Desnos, « Ce cœur qui haïssait la guerre », *Destinée arbitraire.*

La fable

Rien ne sert de courir ; il faut partir à point :
Le Lièvre et la Tortue en sont un témoignage.

▶ JEAN DE LA FONTAINE, *Le Lièvre et la Tortue.*

430 Qu'est-ce qu'une fable ?

▶ Une fable est un **court récit** de fiction, en vers ou en prose, qui sert d'exemple à une leçon de **morale**.

▶ La fable appartient au **genre didactique** : elle cherche à **instruire** en délivrant une leçon de sagesse. Mais cet enseignement passe par un récit plaisant dont les personnages sont le plus souvent des **animaux**. Ainsi la fable vise aussi à **divertir**.

▶ L'enseignement de la fable porte sur la **nature humaine**. À travers ses personnages, le **fabuliste** représente de manière **symbolique** les défauts humains comme l'avarice, l'orgueil, l'hypocrisie ou la vanité ; il met en garde contre la méchanceté et la sottise des hommes et invite au bon sens et à la prudence.

431 Les caractéristiques de la fable

▶ La fable se présente le plus souvent sous la forme d'un récit suivi d'une **moralité** : leçon, conseil ou vérité générale. Il arrive que la moralité soit au début de la fable ou qu'elle soit **implicite** (sous-entendue). C'est alors au lecteur de la formuler.

▶ Le récit est simple et vivant. Le décor et les personnages sont rapidement décrits. L'intrigue oppose souvent un fort et un faible, un trompeur et un trompé. Elle est construite sur un **retournement de situation** qui amène un dénouement inattendu.

▶ Lorsque les personnages de la fable sont des animaux, des végétaux ou des objets, ceux-ci sont **personnifiés** : ils parlent et agissent comme des hommes.

◗ Pour animer son récit, le fabuliste utilise des **dialogues** et des **effets comiques**. Quand la fable est versifiée, l'alternance de vers longs et de vers courts permet d'obtenir des **effets de rythme**. Enfin, les interventions du fabuliste créent une **complicité** avec le lecteur.

> « *Va-t'en, chétif insecte, excrément de la terre!* »
> **C'est en ces mots** *que le Lion*
> *Parlait un jour au Moucheron.*
>
> ◗ JEAN DE LA FONTAINE, *Le Lion et le Moucheron.*

L'exemple illustre l'alternance des mètres (un alexandrin, deux octosyllabes), le dialogue, l'opposition comique des personnages. L'intervention du narrateur se marque avec l'emploi des démonstratifs : *C'est en ces mots.*

432 Petite histoire de la fable

◗ La fable est un genre qui remonte à l'Antiquité. Le Grec **Ésope** écrit au vᵉ siècle avant J.-C. des fables en prose qui sont de très courts récits, comme *Le Corbeau et le Renard*, *Le Lièvre et la Tortue*. Il est imité au Iᵉʳ siècle après J.-C. par le fabuliste **Phèdre** qui écrit ses fables en latin et en vers.

◗ C'est **Jean de La Fontaine** qui, au xviiᵉ siècle, donne à la fable tout son éclat. Il s'inspire des fabulistes de l'Antiquité, mais accorde une place privilégiée au récit. Ses fables sont de véritables **petites comédies** où il exprime une **vision pessimiste** de l'Homme et de la société et invite à chercher le bonheur dans la sagesse et la modération.

◗ Au xxᵉ siècle, des auteurs comme Jean Anouilh, Raymond Queneau ou Pierre Gamarra ont écrit des fables qui sont une **parodie** (imitation humoristique) des fables de La Fontaine.

> *Le chêne un jour dit au roseau :*
> « *N'êtes-vous pas lassé d'écouter cette fable ?*
> *La morale en est détestable ;*
> *Les hommes bien légers de l'apprendre aux marmots.* »
>
> ◗ JEAN ANOUILH, *Fables.*

La dernière phrase signifie que les hommes sont inconscients d'enseigner aux enfants la fable de La Fontaine *Le Chêne et le Roseau.*

La versification

Elle a passé, la jeune fille
Vive et preste comme un oiseau :
À la main une fleur qui brille,
À la bouche un refrain nouveau.

> GÉRARD DE NERVAL, « Une allée du Luxembourg »,
> *Odelettes rythmiques et lyriques.*

433 Les vers

▶ La **versification** regroupe l'ensemble des règles qui caractérisent l'écriture du texte poétique en vers.

▶ Un **vers** commence par une majuscule et se distingue par un passage à la ligne, même si la phrase n'est pas terminée.

**L'extrait du poème de Nerval comporte quatre vers
et une seule phrase.**

▶ La **mesure** (ou le **mètre**) d'un vers correspond au nombre de syllabes prononcées. Il faut tenir compte du cas du **e** muet :
– **à l'intérieur d'un vers**, lorsque la dernière syllabe d'un mot se termine par **e**, on compte cette syllabe si le mot suivant commence par une consonne, mais on ne la compte pas s'il commence par une voyelle ;
– **en fin de vers**, le **e** ne compte jamais ; on parle de **e muet**.

Ell/(e) a / pa/ssé, / la /jeu/ne / fill(e)
Vi/v(e) et / pres/te / comm/(e) un / oi/seau :
À / la / main / u/ne /fleur / qui / brill(e),
À / la / bou/ch(e) un / re/frain/ nou/veau.

▶ Le nombre de syllabes prononcées dans le vers donne son nom au type de vers :
– un vers de **huit** syllabes est un **octosyllabe** (extrait de Nerval) ;
– un vers de **dix** syllabes est un **décasyllabe** ;

La / gi/ra/f(e) est / be/ll(e), ell/(e) est / un(e) / é/chell(e)

> MARC ALYN, *L'Arche enchantée.*

– un vers de **douze** syllabes est un **alexandrin**.

> *J'é/tais / si / près / de / toi / que / j'ai / froid / près / des /*
> *autres.* 〉 Paul Eluard, *Le Temps déborde.*

434 Les strophes

● Les vers sont regroupés en **strophes**. Une strophe de trois vers est un **tercet**. Une strophe de quatre vers est un **quatrain**, comme la strophe de Nerval.

● Certaines formes de poème se définissent par leur organisation en strophes : un **sonnet** comporte deux quatrains suivis de deux tercets ; une **ballade** comprend trois strophes s'achevant sur un refrain et suivies d'une demi-strophe. On parle de **formes fixes**.

435 Les rimes

● Les **rimes** sont des répétitions sonores situées **à la fin des vers**.

● La **disposition** des rimes est variable, il existe :

– les **rimes plates ou suivies**, schématisées par AABB ;

> *Je ne te dis plus rien. Venge-moi, venge-toi ;* A
> *Montre-toi digne fils d'un père tel que moi.* A
> *Accablé des malheurs où le destin me range,* B
> *Je vais les déplorer : va, cours, vole et nous venge.* B
> 〉 Pierre Corneille, *Le Cid.*

– les **rimes croisées**, schématisées par ABAB ;

> *Le rire est notre meilleure aile ;* A
> *Il nous soutient quand nous tombons.* B
> *Le philosophe indulgent mêle* A
> *Les hommes gais aux hommes bons.* B
> 〉 Victor Hugo, « Hilaritas », *Les Chansons des rues et des bois.*

– les **rimes embrassées**, schématisées par ABBA.

> *La rue assourdissante autour de moi hurlait.* A
> *Longue, mince, en grand deuil, douleur majestueuse,* B
> *Une femme passa, d'une main fastueuse* B
> *Soulevant, balançant le feston et l'ourlet ;* A
> 〉 Charles Baudelaire, « À une passante », *Les Fleurs du mal.*

▶ La **qualité** d'une rime correspond au nombre de sons identiques. Les rimes concernent les sons et non les lettres qui composent les mots :

– la rime est **pauvre** lorsqu'elle est constituée de la répétition d'**un seul son** ;

> **Dans l'extrait de Nerval,** *oiseau* **et** *nouveau* **n'ont que le son [o] en commun.**

– la rime est **suffisante** lorsqu'elle est constituée de la répétition de **deux sons** ;

> *Hé ! Bonjour, Monsieur du Cor**beau**,*
> *Que vous êtes joli ! Que vous me semblez **beau** !*
>
> ▶ JEAN DE LA FONTAINE, *Le Corbeau et le Renard.*
>
> Les sons [b] et [o] sont répétés.

– la rime est **riche** lorsqu'elle est constituée de la répétition de **trois sons ou plus**.

> *Les petites ailes b**lanches***
> *Sur les eaux et les si**llons***
> *S'abattent en ava**lanches** ;*
> *Il neige des papi**llons**.*
>
> ▶ VICTOR HUGO, « À Grandville, en 1836 », *Les Contemplations.*
>
> Toutes les rimes de cette strophe sont riches car elles comportent trois sons identiques : [l], [ɑ̃], [ʃ] pour *blanches* et *avalanches* ; [i], [j], [ɔ̃] pour *sillons* et *papillons*.

436 Assonance, allitération, harmonie imitative

▶ L'assonance, l'allitération et l'harmonie imitative sont des jeux sur les sonorités qui se produisent **à l'intérieur des vers**.

▶ L'**assonance** est la répétition d'un même « son voyelle » dans les vers.

▶ L'**allitération** est la répétition d'un même « son consonne » dans les vers.

> *Un **f**rais par**f**um **s**ortait des touffes d'a**s**phodè**l**e ;*
> *Les **s**ou**ff**les de **l**a nuit **f**lottaient sur Ga**lg**a**l**a.*
>
> ▶ VICTOR HUGO, « Booz endormi », *La Légende des siècles.*
>
> Ces vers comportent une allitération en [s], en [l] et en [f].
> Ils comportent aussi une assonance en [ɛ].

● L'**harmonie imitative** est une répétition de sonorités qui donne au lecteur l'impression d'entendre ce dont parle le texte.

> Les vers de Victor Hugo (page précédente) laissent entendre le souffle du vent.

437 Le rythme : pause, enjambement, rejet

● Certaines syllabes sont prononcées avec plus d'intensité que les autres. Ces **syllabes accentuées** sont suivies d'une **pause**, plus forte si l'accent est suivi d'un signe de ponctuation.
La succession des accents et des pauses donne un rythme au vers, comme dans une phrase musicale.

> *J'irai / par la forêt, // j'irai / par la montagne.*
> ▶ VICTOR HUGO, « Demain, dès l'aube… », *Les Contemplations.*
> Les syllabes accentuées (en gras) créent le rythme 2 / 4 // 2 / 4 si l'on compte le nombre de syllabes entre chaque pause. La pause après *forêt*, signalée par //, est plus forte.

● À la fin de chaque vers, on marque généralement une pause, mais il y a des exceptions.
Il arrive que la phrase se prolonge d'un vers à l'autre sans signe de ponctuation et nous oblige à lire sans faire de pause en fin de vers ; on parle alors d'**enjambement**.

> *Je fais souvent ce rêve étrange et pénétrant*
> *D'une femme inconnue, et que j'aime, et qui m'aime.*
> ▶ PAUL VERLAINE, « Mon rêve familier », *Poèmes saturniens.*
> Il faut lire les deux vers sans faire de pause : il s'agit d'un enjambement.

● Lorsqu'un court élément de la phrase est rejeté au vers suivant sans pause d'un vers à l'autre, on parle de **rejet**.

> *Bienheureux, j'allongeai les jambes sous la table*
> *Verte : je contemplai les sujets très naïfs*
> *De la tapisserie. — Et ce fut adorable,*
> ▶ ARTHUR RIMBAUD,
> « Au Cabaret-Vert », *Poésies.*
> L'adjectif *verte* est rejeté au début du vers suivant.

415

Les principales figures de style

Il est têtu comme une mule !
Je suis mort de fatigue !
Tu as un appétit d'oiseau !

Toutes ces expressions
courantes contiennent
une figure de style.

438 Qu'est-ce qu'une figure de style ?

▶ Une figure de style, appelée aussi figure de rhétorique, est un procédé qui consiste à utiliser un mot de façon particulière pour créer un **effet de style et d'originalité** dans un texte.

▶ Certaines expressions contenant une figure de style sont entrées dans le langage courant. On parle d'**expressions figées**.
*Je **meurs de faim**.*
*Elle est **bavarde comme une pie**.*

▶ Il existe de nombreuses figures de style, parmi lesquelles on retiendra les douze plus fréquentes. Il est possible de les regrouper selon l'effet qu'elles créent. On distingue :
– les figures d'**opposition** : l'antithèse, l'oxymore ;
– les figures d'**insistance** : l'accumulation, l'anaphore, la gradation, l'hyperbole ;
– les figures d'**analogie** : l'allégorie, la comparaison, la métaphore, la personnification ;
– les figures de **substitution** : la métonymie, la périphrase.

439 Les figures d'opposition

Les figures d'opposition rapprochent des termes opposés et mettent ainsi en relief une contradiction.

L'antithèse

◗ L'antithèse consiste à employer dans un même énoncé deux mots ou expressions qui s'opposent.

> DANIEL. — *Je me suis toujours demandé pourquoi les Français, **si spirituels chez eux**, sont **si bêtes en voyage**!*
>
> ◗ EUGÈNE LABICHE, *Le Voyage de Monsieur Perrichon.*
>
> La double antithèse (*spirituels / bêtes* et *chez eux / en voyage*) rend la fin de la phrase frappante et permet de mettre en relief avec force une contradiction dans l'attitude des Français.

L'oxymore

◗ L'oxymore consiste à rapprocher dans un même groupe de mots deux termes dont les significations sont contradictoires. À la différence de l'antithèse, les deux termes contradictoires portent sur le même objet.

> *Cette **obscure clarté** qui tombe des étoiles*
>
> ◗ PIERRE CORNEILLE, *Le Cid.*

440 Les figures d'insistance

Les figures d'insistance insistent sur un fait, une réalité et en renforcent l'intensité par une répétition ou une exagération.

L'accumulation

◗ L'accumulation consiste à énumérer plusieurs termes.

> SGANARELLE. — […] *tu vois en Don Juan, mon maître, le plus grand scélérat que la terre ait jamais porté, **un enragé, un chien, un diable, un Turc, un hérétique**, qui ne croit ni Ciel, ni Enfer, ni loup-garou, qui passe cette vie en véritable bête brute, un pourceau d'Épicure.*
>
> ◗ MOLIÈRE, *Dom Juan.*
>
> Sganarelle, qui fait ici le portrait de Don Juan, emploie une accumulation pour insister sur un fait : son maître est un être peu recommandable, prêt à tous les sacrilèges.

L'anaphore

◗ L'anaphore consiste à répéter un même mot ou une même expression en début de proposition, de phrase ou de vers.

Condamné à mort!
Voilà cinq semaines que j'habite avec cette pensée,
toujours *seul avec elle,* ***toujours*** *glacé de sa présence,*
toujours *courbé sous son poids!*

> VICTOR HUGO, *Le Dernier Jour d'un condamné.*

L'anaphore de *toujours* insiste sur le fait que le personnage est obsédé par la même idée.

La gradation

◗ La gradation consiste à énumérer plusieurs termes ou expressions, selon une progression croissante ou décroissante.

C'est un ***roc****!... c'est un* ***pic****!... c'est un* ***cap****!*
Que dis-je, c'est un cap?... C'est une ***péninsule****!*

> EDMOND ROSTAND, *Cyrano de Bergerac.*

Cyrano utilise une gradation en comparant son nez à des réalités de plus en plus grandes pour insister avec humour sur sa taille exceptionnelle.

L'hyperbole

◗ L'hyperbole consiste à employer des termes très forts, exagérés, comme lorsqu'on dit: *Je meurs de faim.*

La bande descendait avec un élan superbe, ***irrésistible.***
Rien de plus terriblement grandiose *que l'irruption*
de ces quelques milliers d'hommes dans la paix morte
et glacée de l'horizon. La route, ***devenue torrent****, roulait*
des flots vivants qui ***semblaient ne pas devoir s'épuiser.***

> ÉMILE ZOLA, *La Fortune des Rougon.*

Les hyperboles donnent l'idée d'un mouvement de foule ininterrompu et accentuent l'impression de multitude.

441 Les figures d'analogie

Les figures d'analogie permettent, à partir d'un ou de plusieurs points communs, de rapprocher des éléments afin de créer des images.

L'allégorie

◗ L'allégorie est une image qui consiste à représenter quelque chose d'abstrait (sentiment, idée) de façon concrète, sous l'apparence d'un personnage.

> La justice, par exemple, est souvent représentée de façon allégorique par une femme aux yeux bandés tenant une épée dans une main et une balance dans l'autre.

◗ Une allégorie est permanente et souvent connue, à la différence de la personnification et de la métaphore qui sont liées à des situations particulières, à des créations d'un auteur et qui sont donc temporaires.

> *Je vis cette **faucheuse**. Elle était en son champ.*
> *Elle allait à grands pas moissonnant et fauchant.*
>
> ◗ Victor Hugo, « Mors », *Les Contemplations.*

Victor Hugo désigne la mort par l'allégorie bien connue de la *faucheuse* ; il poursuit l'image sur les deux vers, ce qui crée un effet poétique et atténue l'aspect lugubre de la mort.

La comparaison

◗ La comparaison est une image qui consiste à rapprocher deux réalités grâce à un **outil de comparaison**. Ces deux réalités ont donc un ou plusieurs points communs. La comparaison est composée d'un comparé (ce qui est comparé) et d'un comparant (ce à quoi on compare).

Dans *Elle est bavarde comme une pie*, « elle » est comparée à une pie, oiseau qui jacasse beaucoup.

> *Je vais te ratatiner **comme une ratatouille** ! Te tartiner*
> ***comme une citrouille** ! Te gratiner **comme une andouille** !*
>
> ◗ Roald Dahl, *Les Deux Gredins.*

Commère Gredin utilise trois comparaisons en s'adressant à son époux : le comparé est à chaque fois l'époux (représenté par le pronom *te*) et les comparants sont *une ratatouille*, *une citrouille* et *une andouille*. Commère Gredin trouve un point commun entre son mari et de la nourriture ; elle manifeste ainsi, de façon imagée et drôle, son mépris.

◗ L'outil de comparaison peut être :

– une conjonction ou une locution conjonctive : *comme, tel que...*

– un adjectif : *semblable à, identique à, pareil à...*

– un nom : *ressemblance, similitude...*

– un verbe ou une locution verbale : *sembler, ressembler à, avoir l'air de...*

*Les rocs tombés **semblaient** les ruines d'une grande cité disparue qui regardait autrefois l'océan.*

> GUY DE MAUPASSANT, *Pierre et Jean.*

L'outil de comparaison est un verbe *(semblaient)* qui rapproche les rocs des ruines d'une cité.

La métaphore

▶ La métaphore est une image qui consiste à rapprocher deux réalités **sans outil de comparaison**; il s'agit donc d'une comparaison implicite. Il arrive que le comparé ne soit pas exprimé, mais sous-entendu.

*Des **perles** glissaient sur ses joues.*

Les larmes (non citées) sont comparées à des *perles*.

▶ Lorsque la métaphore se poursuit dans le texte à travers plusieurs expressions, on parle de **métaphore filée**.

Au petit jour naît la petite aube, la microaube
*puis c'est le soleil **bien à plat sur sa tartine***
*il finit **par s'étaler**, on le **bat avec le blanc** des nuages*
*et **la farine** des fumées de la nuit*
*et le soir meurt, **la toute petite crêpe**, la crépuscule*

> RAYMOND QUENEAU, « Le Début et la Fin », *Le Chien à la mandoline.*

De manière implicite, le *soleil* est comparé à du beurre, les *nuages* au *blanc* des œufs battu en neige, les *fumées de la nuit* à de la *farine*, le *crépuscule* à une *crêpe* (ici s'ajoute un jeu de mots). Les couleurs sont principalement les points communs entre ces réalités rapprochées. Il s'agit d'une métaphore filée puisque tous les éléments naturels sont comparés à des ingrédients culinaires. Cela permet au poète de décrire de façon poétique les mouvements du soleil.

La personnification

▶ La personnification est une image qui consiste à attribuer des caractéristiques humaines à un objet, un animal, une idée.

*La Lune, qui est le caprice même, **regarda** par la fenêtre pendant que tu dormais dans ton berceau, et **se dit**:*
« Cette enfant me plaît. »

> CHARLES BAUDELAIRE, « Les Bienfaits de la lune », *Le Spleen de Paris.*

La lune est ici personnifiée (elle regarde, parle, a des sentiments), ce qui rend la scène attendrissante et crée un lien entre la nature et les êtres humains.

442 Les figures de substitution

Les figures de substitution évoquent une réalité de façon indirecte pour créer un effet de surprise ou mettre en relief un aspect particulier.

La métonymie

▶ La métonymie consiste à désigner une réalité par un élément qui a avec elle un **rapport logique**.

▶ On peut ainsi désigner :
– une œuvre par le nom de son auteur : *J'ai vu le dernier Spielberg* ;
– un contenu par son contenant : *Viens boire un verre* ;
– des personnes par le lieu où elles se trouvent : *Matignon a démenti cette information* ;
– une fonction par le lieu où réside celui qui l'occupe : *Il est candidat à l'Élysée.*

> RUY BLAS. — *Je le dis, vous pouvez vous confier, madame,*
> *À mon **bras** comme reine, à mon **cœur** comme femme !*
>
> ▶ VICTOR HUGO, *Ruy Blas.*

Les métonymies du *bras* pour la puissance et du *cœur* pour l'amour donnent à l'expression des sentiments de Ruy Blas un caractère plus frappant : le personnage se met entièrement à la disposition de celle qu'il aime.

La périphrase

▶ La périphrase consiste à remplacer un mot par un groupe de mots qui expriment les caractéristiques de la réalité désignée.

> *Tous deux furent menés séparément dans **des appartements***
> ***d'une extrême fraîcheur, dans lesquels on n'était jamais***
> ***incommodé du soleil.***   ▶ VOLTAIRE, *Candide.*

Désigner par une telle périphrase ce qui n'est en fait qu'une prison permet à Voltaire de dire avec ironie que ces lieux sont agréables alors que, bien sûr, il n'en est rien !

L'image fixe

▶ Panneau des chevaux (détail), grotte Chauvet-Pont d'Arc,
en Ardèche, IVe millénaire av. J.-C.

443 Qu'est-ce qu'une image fixe ?

On distingue l'**image fixe** de l'**image mobile** ou animée (cinéma, vidéo).

▶ Une image fixe est la **représentation** d'un être ou d'une chose par les arts plastiques (dessin, peinture, sculpture...) ou la photographie.

▶ L'image peut être réalisée par différentes **techniques** : dessin, peinture, gravure, mosaïque, photographie... On parle d'**image de synthèse** quand l'image est réalisée au moyen d'un ordinateur.

▶ Les **supports** (papier, bois, pierre, plâtre, verre, céramique, toile...) et les **formats** de l'image (miniature, grand format...) sont multiples.

444 L'image et ses significations

▶ L'image est un **message visuel** qui permet de communiquer. On parle du **langage de l'image**.

▶ Il faut donc savoir **lire une image** pour en interpréter le sens. Après avoir observé ce qu'elle représente, sa **dénotation**, il faut s'interroger sur ce qu'elle suggère, ses **connotations**. Les différents éléments qui la composent sont porteurs de significations qu'il faut décoder.

▶ L'image remplit diverses fonctions qui peuvent se combiner entre elles :

– une **fonction narrative** (l'image raconte une histoire) : une scène d'action, de combat...

– une **fonction descriptive** (l'image décrit quelque chose) : un portrait, une nature morte...

– une **fonction informative** (l'image donne des informations) : une photographie de presse, un dessin d'anatomie...

– une **fonction argumentative** (l'image défend un point de vue) : une publicité, une caricature...

– une **fonction esthétique** (l'image cherche à plaire) : toute image à caractère artistique.

445 Texte et image

▶ L'image peut être associée à un **texte**, qu'il s'agisse d'un titre, ou d'une légende. Elle peut également **illustrer** un texte.

> Les *Fables* de La Fontaine ont été illustrées
> par Honoré Daumier.

▶ L'image peut aussi **inclure un texte**, comme le font la bande dessinée ou l'affiche publicitaire.

▶ Le texte peut enfin **devenir** lui-même **image** : c'est le cas du calligramme ▶ 425, de la lettrine d'enluminure (lettre de l'alphabet ornée d'un dessin)...

La peinture

▶ Nicolas Poussin, *L'Enlèvement des Sabines,* 159 x 206 cm, vers 1637-1638.

446 Qu'est-ce que la peinture ?

▶ La peinture est un art qui consiste à appliquer de la couleur sur une surface plane. La peinture fait partie des **beaux-arts**, tout comme la sculpture, la gravure et l'architecture.

▶ Les **techniques de peinture** sont très variées : peinture à l'huile, aquarelle (couleur diluée à l'eau), gouache, acrylique (couleur synthétique)... La peinture peut être appliquée de diverses manières : par aplats, par touches, au couteau...

▶ On distingue la **peinture figurative**, qui représente le monde extérieur de manière fidèle ou imaginaire, de la **peinture abstraite** ou **non figurative**, où les formes, les lignes, les couleurs ne représentent rien du monde extérieur.

447 La composition en peinture

La **composition** d'un tableau fait intervenir différents éléments : plans, lignes de force, lignes de fuite, lumière, couleurs...

Les plans

▶ Les **plans** permettent de créer un effet de perspective (c'est-à-dire l'impression de volume) :
– le bas du tableau correspond au **premier plan**, on y voit ce qui doit apparaître comme le plus proche du spectateur ;
– le milieu du tableau correspond au **second plan** ou aux **plans intermédiaires** ;
– le haut du tableau correspond à l'**arrière-plan**, on y voit ce qui doit apparaître comme le plus éloigné.

Les lignes de force et les lignes de fuite

▶ Les **lignes de force** sont les lignes qui organisent l'espace. Elles permettent d'ordonner les éléments du tableau selon une construction symétrique, pyramidale, linéaire ou diagonale :
– les **lignes droites verticales** et **horizontales** donnent une impression de rigueur ;
– les **diagonales** apportent du dynamisme ;
– les **lignes courbes** contribuent à donner du mouvement, de la fluidité ou de la douceur.

▶ Les **lignes de fuite** convergent vers un **point de fuite**, selon les règles de la **perspective linéaire ou géométrique**. Elles contribuent à donner une illusion de profondeur. La taille des objets ou des personnages représentés sur ces lignes est décroissante.

Lumière et couleurs

▶ La **lumière** peut être directe ou indirecte, naturelle ou artificielle. La technique du **clair-obscur** éclaire un objet sur un fond d'ombre pour le mettre en relief.

▶ Les **couleurs** créent des effets de **contraste** ou d'**harmonie**. On distingue les **couleurs chaudes** (rouge, orangé, jaune) des **couleurs froides** (vert, bleu, violet). La luminosité de la couleur peut varier; on parle alors de **tons** clairs ou foncés. Un dégradé de couleurs ou de tons diminuant d'intensité avec la distance permet de créer un effet de perspective, appelée **perspective atmosphérique**.

448 Les genres et l'histoire de la peinture

De la Renaissance au xixe siècle, les tableaux sont classés par genres en fonction des **sujets** traités. Il existe alors une **hiérarchie des genres** qui distingue, du plus élevé au moins élevé :

– la **peinture d'histoire** (tableaux de grand format représentant des scènes historiques, mythologiques, religieuses...) ;

– le **portrait** (portrait officiel, portrait de proches...) ;

– le **paysage** (campagne, montagne, villes, jardins...) ;

– la **scène de genre** (scènes de la vie quotidienne) ;

– la **nature morte** (bouquets de fleurs, fruits, gibier, livres, instruments de musique...).

À l'intérieur des genres traditionnels, il existe des thèmes particuliers fréquemment illustrés, comme le **nu** (représentation d'un corps nu), l'**autoportrait** (portrait du peintre par lui-même), la **marine** (paysage de mer), la **vanité** (nature morte qui évoque la brièveté de la vie).

Différents **courants ou mouvements artistiques** ont marqué l'histoire de la peinture. Ils regroupent les artistes d'une même époque ayant des goûts esthétiques ou un projet artistique communs. On distingue notamment la Renaissance, le baroque, le classicisme, le romantisme, le réalisme, l'impressionnisme, le cubisme, le surréalisme, l'art abstrait, le pop art...

Pour interpréter un tableau, il est important de connaître le contexte artistique, historique et culturel dans lequel il a été réalisé. Il convient aussi de savoir s'il s'agit d'une œuvre **académique**, c'est-à-dire qui obéit aux règles du genre sans chercher à innover, ou au contraire d'une œuvre **en rupture avec la tradition**.

Lire l'image

Tableau de Nicolas Poussin,
L'Enlèvement des Sabines (→ p. 424)

Présentation

▌Ce tableau, peint vers 1637-1638, représente une scène de l'histoire légendaire de Rome, l'enlèvement par les Romains des femmes du peuple voisin, les Sabins. Il est l'œuvre du peintre **classique** français Nicolas Poussin. Il utilise la technique de la **peinture à l'huile** et appartient au genre de la **peinture d'histoire**.

Analyse

▌Au signal de Romulus, mis en évidence par sa tunique rouge vif et sa position dominante, en haut à gauche du tableau, les Romains s'emparent des Sabines qui cherchent à fuir. Le peintre a soigné l'**expressivité** des visages et des gestes pour traduire violence et sentiment de panique.

▌La foule des personnages est contenue par deux **lignes** obliques qui convergent vers l'arc central, **point de fuite** du tableau, créant ainsi un effet de profondeur. Les lignes courbes dessinées par les bras, les jambes, les chevaux ou les vêtements renforcent l'illusion du mouvement. L'arrière-plan est organisé par les lignes horizontales et verticales des bâtiments, dont certains sont en construction. Ce décor architectural contribue à représenter la grandeur à venir de Rome.

▌Le contraste des **couleurs** vives, chaudes (orangé, rouge) et froides (bleu, vert), intensifie la violence de la scène.

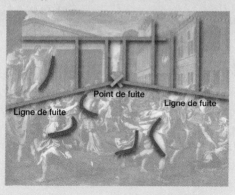

La photographie

❱ Henri Cartier-Bresson, *New York, Manhattan, Downtown,* 1947.

449 Qu'est-ce que la photographie ?

◗ Une photographie est une image qui enregistre ce que l'on voit à un instant donné. On distingue :

– la **photographie argentique**, qui est obtenue avec une pellicule qui fixe (*graphein* en grec), mécaniquement et chimiquement, la lumière (*photos* en grec) ;

– la **photographie numérique**, qui est obtenue par un procédé informatique qui traduit une image en pixels (petits carrés de couleur qui composent une image numérique).

◗ L'appareil photographique est muni d'un **objectif** qui est le relais de l'œil du photographe.

◗ Le mot *photographie* désigne également l'art de réaliser ces images.

450 La composition de l'image photographique

◗ La **composition** d'une photographie fait intervenir différents éléments : le cadrage, l'angle de prise de vue, la profondeur de champ, les lignes de fuite, les lignes de force...

◗ Le **cadrage** correspond à la manière de placer l'objectif de l'appareil photographique pour saisir ce que l'on veut montrer (le sujet) à l'intérieur du cadre constitué par l'image photographique. Le sujet peut être pris de façon plus ou moins rapprochée selon l'**échelle des plans** ▶461 . Il peut être centré ou décentré par rapport à l'objectif.

◗ L'**angle de prise de vue** correspond au point de vue de l'œil du photographe, il varie selon la position de l'objectif par rapport au sujet photographié. Celui-ci peut être vu de face, en plongée (vu d'en haut), ou en contre-plongée (vu d'en bas).

Plongée

Contre-plongée

◗ Sur une image photographique, l'impression de profondeur est liée à la netteté de l'image. On parle de **profondeur de champ** et de **zone de netteté**. Selon la mise au point de l'objectif, son réglage, le spectateur verra plus ou moins de choses en profondeur, certaines seront nettes, d'autres floues.

◗ La photographie peut être en noir et blanc ou en couleurs et créer des effets de contrastes entre **couleurs** et **lumière**. Elle peut jouer sur les parties à l'ombre ou à la lumière, sur le contraste entre les couleurs chaudes (rouge, orangé, jaune) et les couleurs froides (vert, bleu, violet).

◗ Les **lignes de force** et les **lignes de fuite** structurent l'image, comme dans la peinture ▶447 .

◗ Une photographie est un moment de vie instantanée figée par l'objectif de l'appareil. Le **choix de ce moment** est l'une des marques du talent du photographe.

451 Les différents genres photographiques

◗ La **photographie reportage** (ou **photojournalisme**) est un moyen d'utiliser la photographie pour témoigner de l'actualité et informer le public. Elle est utilisée dans la presse quotidienne ou hebdomadaire sous la forme de reportages, c'est-à-dire d'enquêtes menées par des journalistes.

◗ La **photographie d'art** est une forme d'art, au même titre que la peinture. Elle recherche la beauté et l'émotion, et présente les mêmes genres que la peinture : scène de la vie quotidienne, portrait, paysage, nature morte ▶448 ... Pour être considérée comme un objet d'art, la photographie doit être « tirée » (développée) à un nombre limité d'exemplaires et signée par son auteur.

◗ La photographie est également utilisée dans la publicité à des fins commerciales. On parle de **photographie commerciale**.

Lire l'image

Photographie d'Henri Cartier-Bresson,
New York, Manhattan, Downtown (→ p. 428)

Présentation

▌ Henri Cartier-Bresson est un photographe français du XXᵉ siècle. Il est célèbre tant pour ses reportages retraçant de grands moments de l'histoire du XXᵉ siècle (en Inde et en Chine, par exemple) que pour ses photographies dites « humanistes » qui saisissent la réalité quotidienne des hommes.

▌ La photographie étudiée est une **photographie d'art**, qui capte une rencontre inattendue dans une grande ville.

Analyse

▌ Le **plan** est général. Un fort contraste entre les **lignes** verticales des immeubles et les lignes horizontales de la rue donne une impression d'enfermement. Le regard est guidé par cette vision au centre du chat et de l'homme, qui font deux taches plus sombres au milieu de l'image, tout **en noir et blanc**. La **profondeur de champ** est grande : l'image est nette jusqu'au fond de la deuxième ruelle qui prolonge la ruelle du premier plan ; à l'arrière-plan, en flou, se distingue un gratte-ciel.

▌ Le photographe crée une opposition entre l'absence de vie (les immeubles, la rue) et la vie (le chat et l'homme). Il laisse imaginer au spectateur ce qui se passe entre le chat et l'homme.

Le dessin de presse

HUMPFF !... CH'EST QUOI UN ÉCOCHYCHTÈME ?

▶ Dessin de PLANTU, publié dans *Le Monde*, 1er avril 2005.

452 Qu'est-ce que le dessin de presse ?

▶ Le dessin de presse est un dessin publié dans un journal ou une revue. Il fait généralement référence à l'**actualité**.

▶ Pour Plantu, le dessinateur de presse est « un journaliste qui écrit en images ».

453 La composition du dessin de presse

▶ Le dessin de presse peut avoir un **titre**, être accompagné d'un **commentaire** et comporter des **paroles** prononcées par les personnages représentés ; celles-ci constituent souvent une figure de style ou un jeu de mots.

▶ Souvent **en noir et blanc**, le dessin de presse est caractérisé par des traits plus ou moins épais et précis selon le dessinateur.

▶ La composition du dessin a souvent un **sens** : opposition entre le premier plan et l'arrière-plan, jeu sur la taille des personnages, contraste des couleurs...

▶ Pour être facilement compris par tous, le dessin de presse utilise des **clichés** et des **symboles** (par exemple, un personnage avec un béret et une baguette est un Français).

454 La fonction du dessin de presse

◗ Le dessin de presse vise à attirer l'attention, à faire réfléchir, à émouvoir ou à dénoncer. C'est un **outil de contestation** qui analyse des faits de société et éveille le **sens critique** des lecteurs.

◗ Le dessinateur de presse porte un **regard décalé et humoristique** sur l'actualité et rend drôle ce qui ne l'est pas forcément.

◗ Lorsque le dessin de presse accentue certains aspects (souvent physiques), déplaisants ou ridicules, on parle de **caricature**. Celle-ci se fonde sur l'exagération du trait ou de la situation.

Lire l'image

Dessin de presse de Plantu (ci-contre)

Présentation

◗ Ce dessin de Plantu, célèbre dessinateur de presse français, a été publié en une du journal quotidien *Le Monde* en 2005.

Analyse

◗ La **disproportion** entre les deux personnages est très marquée et souligne une opposition : un très gros monsieur blanc, debout en position dominante, mange un énorme hamburger sans prêter attention à un tout petit individu noir et maigre, assis par terre, qui le regarde.

◗ Les **symboles** sont facilement identifiables : l'usine (à droite) est signe de richesse industrielle et de pollution ; la représentation de la Terre sous la forme d'un hamburger, seul élément **en couleur**, symbolise les ressources offertes par la planète englouties par la société de consommation occidentale. Parlant la bouche pleine, le gros monsieur fait rire car il mange vraiment ses mots et les déforme ; mais il dévore sans scrupule la planète, ce qui confirme le peu d'intérêt qu'il porte à l'écosystème.

◗ Derrière l'**humour**, Plantu dénonce les pays développés qui gaspillent les richesses sans se soucier des pays en voie de développement (l'Afrique ici suggérée par le personnage noir) qui souffrent et sans se préoccuper des problèmes d'environnement.

La bande dessinée

⟩ MORRIS et PATRICK NORDMANN, *Lucky Luke. La Légende de l'Ouest,* 2002.

455 Qu'est-ce que la bande dessinée ?

▶ La bande dessinée (abrégée en **BD**) est une suite de dessins qui racontent une histoire.

▶ Les dessins étant généralement accompagnés de textes, la bande dessinée est considérée à la fois comme un **genre littéraire** et un **art plastique**.

456 La composition d'une bande dessinée

▶ Une bande dessinée est composée de différents éléments :

– la **vignette** (ou case) : image de bande dessinée délimitée par un cadre ;

– la **bulle** (ou phylactère) : zone ronde ou rectangulaire de la vignette contenant les paroles ou pensées des personnages ; un **appendice** (la « queue ») est dirigé vers le personnage qui parle ;

– le **cartouche** : cadre rectangulaire contenant les informations narratives ou descriptives données par celui qui raconte l'histoire ;

– la **bande** : succession horizontale de vignettes ;

– la **planche** : page entière de la bande dessinée qui contient généralement plusieurs bandes de vignettes.

◗ La bande dessinée emprunte en grande partie ses codes au cinéma ▶ 460-463. À partir d'un **scénario**, l'auteur découpe l'action vignette par vignette. Les vignettes s'enchaînent en **séquences** (suite de vignettes qui se déroulent dans un même lieu et un même temps). Des **ellipses** (absence volontaire de certaines scènes de l'histoire) permettent d'accélérer le récit.

◗ Pour chaque vignette, dont la taille et la forme peuvent varier, l'auteur choisit :

– le **cadrage** ▶ 461 : plan d'ensemble, plan rapproché, gros plan… ;

– l'**angle de vue** : de face, en plongée (vu du dessus), en contre-plongée (vu du dessous).

◗ Pour le bruitage, l'auteur de BD utilise les **onomatopées**, c'est-à-dire des mots qui imitent des sons (*bang*, *boum*…). Il peut également indiquer les sentiments des personnages par des symboles appelés **idéogrammes**. Il souligne par des **traits** les déplacements rapides des personnages et des objets.

457 Genres et histoire de la BD

◗ Cette forme d'expression artistique, née au XIXe siècle, s'est surtout développée au XXe siècle. Longtemps considérée comme un art mineur, destiné aux enfants, elle est devenue un genre reconnu à partir des années 1960, s'adressant à tous les publics. On en parle désormais comme du **neuvième art**.

◗ Aux États-Unis, la bande dessinée s'est développée sous la forme de *comic strips*, bandes horizontales de deux ou trois cases de dessins, paraissant dans la presse quotidienne. C'est dans les *comic books* (magazines de BD) que naissent les **super-héros** des années 1930 et 1940 tels que Superman, Batman ou Captain America.

◗ En Europe, des auteurs de bande dessinée belges et français ont créé des héros désormais célèbres comme Tintin pour Hergé, Lucky Luke pour Morris, Astérix pour René Goscinny et Albert Uderzo. Leurs aventures sont racontées dans des **albums** publiés en séries.

◗ Si la bande dessinée a le plus souvent un caractère **humoristique**, elle couvre tous les **genres** et aborde tous les sujets : l'aventure (*Corto Maltese* de Hugo Pratt), la satire sociale (*Les Bidochon* de Binet ou *Agrippine* de Claire Bretécher), l'histoire (*Maus* d'Art Spiegelman) ou encore l'autobiographie (*Persepolis* de Marjane Satrapi).

◗ Depuis les années 1990, le **manga** connaît en Occident un grand succès auprès de la jeunesse. Cette bande dessinée populaire japonaise qui se lit de droite à gauche s'est diffusée dans le monde entier avec les séries *Akira* et *Dragon Ball*.

Lire l'image

Extrait d'une planche de la bande dessinée *Lucky Luke:*
La Légende de l'Ouest (→ p. 434)

Présentation

▶ *La Légende de l'Ouest* est la cent neuvième histoire de Lucky Luke, le cow-boy solitaire créé par le **dessinateur** belge Morris. Il s'agit du dernier album de Morris, qu'il réalisa, avant sa mort en 2001, avec le **scénariste** Patrick Nordmann et qui fut publié en 2002.

Analyse

▶ La **séquence** constituée par l'extrait étudié repose sur un renversement comique: Rantanplan, le chien de Lucky Luke, considéré comme le chien le plus stupide du Far West, fait ici preuve d'intelligence à la surprise de son maître et de Jolly Jumper, le cheval de Lucky Luke.

▶ La scène est découpée en quatre **vignettes** de taille différente: le cadrage de la première et de la dernière correspond à un **plan de demi-ensemble** montrant les personnages de la scène dans un décor de ville; la deuxième et la troisième sont des **plans moyens** qui ne retiennent que l'action de Rantanplan.

▶ En **arrière-plan**, le décor de maisons simplement esquissé et de teinte bleu clair donne une impression de profondeur. La rotation des roues, la secousse des objets sur le chariot, le saut de Rantanplan, la chute des biscuits sont suggérés par des **traits** en arc de cercle ainsi que par des **nuages** de poussière soulevés du sol.

▶ La dernière vignette contient deux **bulles**: la première contient les paroles de Lucky Luke; la seconde est constituée d'**onomatopées** indiquant que Rantanplan croque et avale les biscuits.

Le cinéma

▶ ALFRED HITCHCOCK, *La Mort aux trousses*, avec Cary Grant, 1959.

458 Qu'est-ce que le cinéma ?

▶ Le cinéma relève de l'**image mobile**, au même titre que la télévision, la vidéo, le dessin animé.

▶ Le mot *cinéma* est l'abréviation de *cinématographe*. C'est l'art de fixer (*graphein* en grec) le mouvement (*kinêma* en grec) sur un support : le film.

▶ Le **film** désigne aussi l'histoire, inventée ou réelle, enregistrée à l'aide d'une caméra puis projetée aux spectateurs, généralement dans un lieu clos, appelé lui aussi cinéma.

▶ Le cinéma est donc un **art du spectacle**.

459 Les métiers du cinéma

▶ Le **réalisateur** (ou **cinéaste**), le **scénariste**, le **dialoguiste** sont les auteurs du film. Le premier tourne le film avec sa caméra et met en scène les acteurs, le deuxième écrit au préalable l'histoire racontée dans le film, le troisième écrit les dialogues. Ces trois fonctions peuvent être tenues par une seule personne ou par plusieurs.

▶ Les **équipes techniques** entourent le réalisateur, lors du tournage du film : le **chef opérateur** chargé de la lumière, le **preneur de son**, le **cadreur** qui s'occupe de la caméra, le **décorateur**, le **costumier**, le **maquilleur**, le **responsable des effets spéciaux**... Une fois les images tournées et enregistrées intervient le **monteur** qui, avec le réalisateur, choisit les images et les séquences à garder et les assemble.

▶ Les **acteurs** jouent les personnages de l'histoire, comme le font les comédiens au théâtre.

▶ Un **compositeur** crée la musique qui accompagne le film.

▶ Le cinéma est également une entreprise qu'il faut financer. C'est le rôle du **producteur** du film de trouver les financements.

460 Le récit filmique

▶ Au cinéma, les images s'enchaînent pour former un **récit filmique**. Comme un roman le fait avec des mots, un film raconte une histoire avec des images et du son.

▶ Ce récit écrit avant de tourner le film est appelé **scénario**.

▶ Au moment du tournage, le récit devient une succession d'images appelées **plans** ou **prises de vue**. Un plan commence au moment où le réalisateur dit, à l'aide d'un clap, « Moteur ! » ou « Action ! », et se termine lorsqu'il dit « Coupez ! » et que la caméra s'arrête.

461 L'image filmique

▶ L'image filmique est appelée le **champ**.

▶ En observant un photogramme (photographie extraite d'un film), on peut voir sous quel **angle de prise de vue** la scène a été tournée, c'est-à-dire où se situe la caméra par rapport à l'objet filmé : en bas (contre-plongée), en haut (plongée), à l'horizontale ou comme si elle était dans les yeux d'un personnage (focalisation interne).

▶ Selon la distance à laquelle est placée la caméra, le spectateur voit des personnes ou des objets plus ou moins grands. L'**échelle des plans** correspond à la taille des personnages ou des objets dans l'image. On distingue :

– le **plan général ou plan d'ensemble**, qui montre une large étendue d'espace (le champ de vision est large et les objets ou personnages paraissent petits) ;

– le **plan de demi-ensemble**, qui rapproche les spectateurs des personnages (ces derniers commencent à être bien visibles dans le décor) ;

– le **plan moyen**, qui montre le personnage en pied, c'est-à-dire en entier, et se concentre sur lui et sur ses relations avec le décor ;

– le **plan américain**, qui le montre aux cuisses, le décor devenant secondaire ;

– le **plan rapproché**, qui ne montre que le visage et le haut du buste ;

– le **gros plan**, qui montre le visage ;

– le **très gros plan**, qui montre une partie du visage et permet de souligner l'état intérieur du personnage.

Plan d'ensemble

Plan de demi-ensemble

Plan moyen

Plan américain

Plan rapproché

Gros plan

462 La séquence filmique

🔵 Une série de plans caractérisés par une unité d'action, de temps et de lieu constitue une **séquence**.

🔵 Les séquences peuvent être reliées entre elles par des procédés techniques comme le **fondu enchaîné** (remplacement progressif d'une image par une autre) ou le **fondu au noir** (l'image s'obscurcit pour laisser place à la suivante).

463 L'animation des plans

🔵 Un plan peut être animé par un mouvement de caméra :
– quand la caméra se déplace horizontalement, sur un rail ou sur l'épaule du caméraman accompagnant le sujet (c'est-à-dire ce que l'on veut montrer), on parle de **travelling** ;
– quand la caméra se rapproche ou s'éloigne du sujet, par un mouvement de l'objectif, on parle de **zoom** ;
– quand la caméra pivote sur son axe et tourne sur elle-même, on parle de **panoramique**.

🔵 Pour varier les plans et les articuler, le réalisateur peut présenter une même scène, un même lieu selon deux angles symétriquement opposés. Tantôt le spectateur voit le lieu comme le voit un personnage (c'est le **champ**), tantôt il voit le même lieu comme le voit l'autre personnage qui fait face au premier (c'est le **contrechamp**). Le **champ/contrechamp** permet, par exemple, de voir celui qui parle et d'être dans la position visuelle de celui qui écoute.

Champ

Contrechamp

464 La bande-son

▶ En plus d'être un art de l'image, le cinéma est un art du son. Les composantes sonores sont de deux sortes :

– soit elles viennent de l'image (du champ) et de l'histoire elle-même, c'est le **son « in »** : dialogues, bruits ;

– soit elles sont extérieures au récit filmique, c'est le **son « off »** : voix d'un narrateur invisible, musique extérieure à l'action.

465 L'adaptation cinématographique d'une œuvre littéraire

▶ Le scénario d'un film peut être **original**, c'est-à-dire écrit spécialement pour le film.

▶ Le scénario peut s'appuyer sur une œuvre littéraire. Le film est alors une **adaptation** de cette œuvre.

▶ De très nombreux romans ont été adaptés au cinéma. Parfois, ce sont des pièces de théâtre qui sont adaptées.

> Le roman *La Reine Margot* d'Alexandre Dumas a été adapté par Patrice Chéreau en 1994.
> La pièce d'Edmond Rostand *Cyrano de Bergerac* a été adaptée par Jean-Paul Rappenaud en 1990.

▶ Littérature et cinéma utilisent des **outils différents**. L'adaptation d'une œuvre littéraire n'est pas une simple mise en images des mots du roman. Le cinéaste doit faire de nombreux choix.

▶ L'adaptation d'une œuvre littéraire est libre. Le cinéaste est un artiste créateur qui s'approprie en toute liberté l'œuvre d'un écrivain qu'il admire.

466 Les genres cinématographiques

▶ Les principaux **genres propres au cinéma** sont le burlesque, le film musical, le péplum, le western et le film de science-fiction.

▶ Les débuts du cinéma étant muets, le **burlesque** s'est imposé comme un genre comique reposant sur la gestuelle et le comique de situation.

> **Les films de Charlie Chaplin en sont l'exemple le plus connu.**

▶ Quand le cinéma est devenu parlant (en 1927), il a utilisé la bande-son pour mêler dialogues parlés et chantés, chansons et danses. On parle de **film musical**.

> **Le film *Chantons sous la pluie* de Stanley Donen et Gene Kelly (1952) est un film musical qui évoque ce passage du muet au parlant.**

▶ De nombreux films à grand spectacle se sont inspirés de l'Antiquité égyptienne, biblique, grecque ou romaine. On a fini par les nommer, en France, **péplums**. Ce nom, qui à l'origine désigne un vêtement féminin, a été utilisé, abusivement, pour faire référence aux costumes des personnages masculins des films qui se passaient dans l'Antiquité romaine.

> ***Ben-Hur* du réalisateur William Wyler (1959) ou *Gladiator* de Ridley Scott (2000) en sont de célèbres exemples.**

▶ Le **western** évoque l'histoire de la conquête de l'Ouest américain au XIXe siècle (guerre contre les Indiens, shérifs et bandits).

> **Les films de John Ford, comme *La Chevauchée fantastique* (1939) avec l'acteur John Wayne en héros et la Monument Valley en décor, sont les modèles du genre.**

▶ Depuis sa création, le cinéma produit des films de **science-fiction**. Grâce aux effets spéciaux, il sait rendre visuellement et techniquement la vie imaginaire des hommes dans le futur.

> ***Metropolis* de Fritz Lang (1927) est l'un des premiers chefs-d'œuvre de science-fiction de l'histoire du cinéma.**

Lire l'image

Séquence du film *La Mort aux trousses*

Présentation

▶ *La Mort aux trousses*, sorti en 1959, est un chef-d'œuvre du cinéaste, à la double nationalité britannique et américaine, Alfred Hitchcock, maître incontesté du **film à suspense**.

Analyse

▶ La séquence étudiée, présentée ici en trois plans, est l'une des plus célèbres du film : le personnage interprété par Cary Grant se rend à un rendez-vous au beau milieu d'une campagne quasi déserte. Au bout de plusieurs minutes d'attente incertaine, il voit un avion répandre des pesticides dans les champs, et comprend que cet avion est en fait là pour le tuer. La **séquence** dure dix minutes. Le spectateur suit en temps réel l'attente et l'angoisse grandissante du protagoniste, Roger Thornhill.

▶ Le premier photogramme (ci-dessus) est un **plan de demi-ensemble** qui présente Thornhill à l'arrêt du bus au milieu de nulle part. La caméra est **fixe** et rend l'atmosphère du lieu : en cadrant le personnage à côté du poteau de l'arrêt de bus (à gauche), le cinéaste nous permet d'apercevoir le regard du personnage qui observe les environs tout en laissant une large place (deux tiers de l'image environ) au paysage quasi désertique.

▶ Le deuxième photogramme (ci-dessus) nous montre la course du même homme vers la caméra, avec en **profondeur de champ** l'avion menaçant. Le **travelling arrière** implique fortement le spectateur qui voudrait tendre la main pour sauver le protagoniste.

▶ Le troisième photogramme (ci-dessus) se situe vers la fin de la séquence. On y voit, grâce à la caméra qui le filme cette fois de dos, Thornhill qui court pour se mettre à l'abri dans un champ de maïs.

ANNEXES

Abstrait (peinture) ▸ Se dit de ce qui ne représente rien du monde extérieur tel qu'on le voit ou l'imagine.

Adjectif qualificatif ▸ Mot qui caractérise un nom. Il peut être épithète, attribut ou apposé. *Cyprien, souvent **distrait** (apposé), n'a pas oublié son classeur aujourd'hui. Il est **content** (attribut), car il pourra montrer à ses parents ses **bonnes** (épithète) notes.*

Adjectif verbal ▸ Participe présent du verbe employé comme adjectif. Il varie en genre et en nombre : *tremblant(s)* ; *tremblante(s)*.

Adverbe ▸ Mot invariable qui permet de nuancer un verbe, un adjectif, un autre adverbe ou une phrase. Il existe différentes variétés d'adverbes : adverbes de manière *(rarement...)*, de temps *(demain...)*, de lieu *(là...)*, de quantité *(autant...)*, de liaison *(puis...)*, d'affirmation *(oui)*, de négation *(non)*, interrogatifs *(pourquoi...)*, exclamatifs *(comme...)*.

Analyse grammaticale ▸ Analyse qui consiste à identifier la nature et la fonction des différents éléments d'une phrase : mots, groupes de mots, propositions.

Antécédent ▸ Mot ou groupe de mots repris par un pronom : ***Salima** regarde la télévision. **Elle** est pourtant fatiguée. Salima est l'antécédent de elle.* L'antécédent est également un nom, un groupe nominal ou un pronom de la proposition principale que le pronom relatif représente dans la proposition subordonnée relative : ***La route qui** mène à la ville est en travaux. La route est antécédent de qui.*

Antonyme ▸ Mot de sens contraire. *Bon est un antonyme de mauvais.*

Apostrophe ▸ Mot ou groupe de mots qui servent à interpeller : ***Marc**, viens ici.*

Article ▸ Déterminant. On distingue les articles définis *(le, la, les)*, indéfinis *(un, une, des)* et partitifs *(du, de la, des)*.

Aspect verbal ▸ Indique à quel moment (début, milieu, fin) se situe l'action exprimée par le verbe.

Attribut ▸ Élément du groupe verbal qui exprime une caractéristique du sujet ou de l'objet par l'intermédiaire d'un verbe : *Auriane est **une bonne élève** (attribut du sujet Auriane). Je trouve son travail **rigoureux** (attribut de l'objet travail).*

Autobiographie ▸ Récit dans lequel l'auteur raconte l'histoire de sa vie.

Auxiliaire ▸ Verbe (*être* ou *avoir*) qui est utilisé pour la conjugaison d'autres verbes aux formes composées : *Elle **a** réussi son examen. Vous **êtes** venus en avance.*

Cadrage ▸ Manière de placer l'objectif d'un appareil photographique ou d'une caméra pour saisir ce que l'on veut montrer à l'intérieur des limites de l'image.

Champ ▸ Image filmique saisie par la caméra.

Champ lexical ▸ Ensemble de mots ou d'expressions qui, dans un texte, se rapportent à un même thème.

Champ sémantique ▸ Ensemble des significations d'un mot.

Classe grammaticale ▸ Ensemble des mots qui ont le même comportement grammatical et les mêmes caractéristiques formelles.

Comédie ▸ Pièce de théâtre qui cherche à divertir en mettant en scène des personnages issus de la petite noblesse ou de la bourgeoisie dans des situations du quotidien.

Comique ▸ Se dit de faits, de personnages ou de situations qui font rire. On distingue le comique de gestes, le comique de mots, le comique de situation, le comique de caractère et le comique de répétition.

Complément d'agent ▸ Complément de la voix passive du verbe. Il désigne celui qui accomplit l'action exprimée par le verbe : *La maîtresse a été écoutée par les élèves.*

Complément d'objet direct ▸ Complément de verbe construit sans préposition : *Cyprien mange un gâteau.*

Complément d'objet indirect ▸ Complément de verbe construit avec une préposition : *Luc parle à Dan.*

Complément d'objet second ▸ Complément d'objet indirect construit avec un complément d'objet direct. Il désigne le destinataire de l'action : *Vincent prête son livre à son frère.*

Complément de phrase ▸ Complément facultatif de la phrase qui indique les circonstances de l'action ou de l'état exprimé par le verbe. Il peut être de but, de cause, de comparaison, de concession, de condition, de conséquence, de lieu, de manière, de moyen, d'opposition, de temps.

Complément de verbe ▸ Complément du verbe qui forme avec celui-ci le prédicat de la phrase. C'est un complément essentiel qui ne peut être supprimé, ni déplacé. Il peut prendre la forme d'un COD, d'un COI, d'un COS ou d'un complément circonstanciel.

Complément du nom ▸ Fonction remplie par un mot ou un groupe de mots qui complète un nom. Il est le plus souvent introduit par une préposition : *La maison de mon père.*

Concordance des temps ▸ Ensemble des règles à respecter pour choisir le temps à employer dans une proposition subordonnée en fonction du temps utilisé dans la proposition principale.

Conjonction de coordination ▸ Mot invariable qui relie deux mots ou groupes de mots ayant la même fonction dans la phrase (*mais, ou, et, donc...*).

Conjonction de subordination ▸ Mot invariable qui introduit une proposition subordonnée et la place dans la dépendance de la proposition principale (*quand, pour que, de sorte que...*).

Connecteur ▸ Mot ou groupe de mots qui assure la cohérence d'un texte en reliant les phrases et les propositions entre elles. On distingue : les connecteurs logiques (*car, puisque, en effet...*), les connecteurs temporels (*alors, puis, d'abord...*), les connecteurs spatiaux (*ici, derrière, à côté...*).

Connotation ▸ Sens secondaire et suggéré d'un mot, variant selon les contextes : *le soleil* a pour connotation *la chaleur, la lumière, la vie...*

Constituant ▸ Élément composant une phrase. *Christine écrit une lettre.* Cette phrase comprend quatre constituants.

Conte ▸ Récit de faits imaginaires et souvent merveilleux destiné à distraire et à instruire.

Contre-utopie ▸ (appelée aussi dystopie) Récit fictif qui représente une société imaginaire, de façon inquiétante voire cauchemardesque, en accentuant les défauts de la société réelle.

Degré de l'adjectif ▸ Variation de l'adjectif qualificatif pour exprimer avec plus ou moins de force une caractéristique du nom auquel il se rapporte. Cette variation s'obtient grâce à l'ajout d'un adverbe : *Karim court **moins vite que** son père mais **plus vite que** sa sœur* (comparatifs). *Tu as **le plus beau** jouet* (superlatif).

Dénotation ▸ Sens précis et permanent d'un mot, donné par le dictionnaire : *le Soleil* a pour dénotation *étoile autour de laquelle gravite la Terre.*

Destinataire ▸ Personne à qui est destiné le message dans une situation d'énonciation. Destinataire est synonyme d'interlocuteur.

Déterminant ▸ Mot qui se place devant le nom et forme avec lui le groupe nominal minimal. On distingue plusieurs types de déterminants : les articles définis *(le...)*, indéfinis *(un...)* et partitifs *(du...)*, les déterminants démonstratifs *(ce...)*, possessifs *(mon...)*, indéfinis *(chaque...)*,

interrogatif ou exclamatif *(quel)*, numéraux *(deux...)*.

Épithète ▸ Fonction remplie par un adjectif qualificatif ou une proposition subordonnée relative qui caractérise un nom et forme avec lui un groupe soudé : *un bel arbre*. On parle également d'épithète liée.

Épithète détachée ▸ Autre nom de l'adjectif apposé qui est séparé du nom auquel il se rapporte par une virgule à l'écrit : *L'enfant, **têtu**, se mit à pleurer.*

Épopée ▸ Récit en vers ou en prose qui raconte les exploits d'un héros ou les hauts faits d'un peuple en mêlant la légende, l'histoire et le merveilleux.

Expansion du nom ▸ Mot ou groupe de mots qui apporte des précisions sur un nom et qui forme avec lui le groupe nominal. Les expansions du nom sont les adjectifs épithètes, les compléments du nom, les propositions relatives épithètes : *Le chat **de Marc** joue avec une **vieille** balle **qu'il a trouvée sous un meuble**.*

Fable ▸ Court récit en vers ou en prose qui illustre une leçon de morale.

Famille de mots ▸ Ensemble des mots formés sur le même radical par dérivation ou par composition. La famille du mot *terre* est : *terrasse, terrien, terrestre, terreau, atterrir, atterré, enterrer, terre-plein...*

Fantastique ▸ Se dit d'un fait qui semble surnaturel et qui surgit au milieu d'un cadre réaliste, en provoquant le doute, l'étonnement ou la peur chez le lecteur.

Farce ▶ Courte pièce de théâtre à l'intrigue simple et au comique grossier.

Figuratif (peinture) ▶ Se dit de ce qui représente le monde extérieur tel qu'on le voit ou l'imagine.

Focalisation ▶ Angle de vue d'après lequel un récit est organisé ; synonyme de point de vue. En recherchant la focalisation, on répond à la question : qui voit ?

Forme verbale conjuguée ▶ Verbe conjugué à un mode personnel (indicatif, subjonctif, conditionnel, impératif) : *tu chanteras* est une forme verbale conjuguée.

Forme verbale non conjuguée ▶ Verbe à un mode impersonnel (infinitif, participe, gérondif) : *chantant* est une forme verbale non conjuguée.

Gérondif ▶ Mode formé avec le participe présent du verbe précédé de la préposition *en* : *en chantant*. Le gérondif est utilisé comme complément circonstanciel. Il peut exprimer la manière, le moyen, le temps, la condition. Il a une valeur de simultanéité par rapport à l'action de la principale : *Mathilde fait ses devoirs en chantant*.

Groupe adjectival ▶ Groupe de mots construit autour d'un adjectif qui en est le noyau : *Il a acheté une maison très éloignée de toute autre habitation* (*éloignée* est le noyau du groupe adjectival).

Groupe nominal ▶ Groupe de mots construit autour d'un nom noyau : *Les chaussures de ma sœur sont trop petites* (*chaussures* est le noyau du groupe nominal).

Groupe nominal prépositionnel ▶ Groupe nominal construit à l'aide d'une préposition ou d'une locution prépositionnelle placée en tête du groupe : *dans la mer, par mégarde, à cause de son silence, à la montagne, avec ses amis*.

Groupe sujet ▶ Groupe de mots qui remplit la fonction sujet dans la phrase : *La robe bleue d'Anaëlle est trop petite*. Le groupe sujet est *la robe bleue d'Anaëlle*. On parle parfois de groupe sujet même si le sujet est un seul mot.

Groupe verbal ▶ Groupe de mots construit autour d'un verbe qui en est le noyau ; il constitue généralement le prédicat de la phrase : *Maria prépare un gâteau au chocolat*.

Homonyme ▶ Mot qui se prononce de la même façon qu'un autre mot mais qui n'a pas le même sens : *conte, compte, comte* sont des homonymes.

Homophone ▶ Qui a le même son : *-er, -é, -ez, -ai* sont des terminaisons verbales homophones.

Indice de l'énonciation ▶ Mot qui permet de répondre aux questions : qui parle ? à qui ? où ? quand ? On distingue les pronoms personnels et possessifs de première et deuxième personnes, les déterminants possessifs, les pronoms et les déterminants démonstratifs, les indices de temps, les indices de lieu, la valeur des temps.

Indice de la subjectivité ▸ Mot, groupe de mots, phrase, ponctuation qui révèlent comment celui qui parle (le locuteur) pense et juge. On distingue le vocabulaire mélioratif et péjoratif (*magnifique, affreux*), les modalisateurs (*peut-être, sans doute*), les types de phrase (déclaratif, impératif, interrogatif, exclamatif).

Infinitif prépositionnel ▸ Infinitif précédé d'une préposition et qui remplit une fonction de complément circonstanciel (temps, cause, conséquence, but, opposition, condition). Son sujet est le même que celui du verbe conjugué de la proposition à laquelle il appartient : *Il joue au lieu de travailler.*

Interjection ▸ Mot invariable qui exprime un comportement affectif, une émotion de la part du locuteur : *oh, fi, hélas, diable !*

Interlocuteur ▸ Personne à qui s'adresse le locuteur, celui qui parle, dans une situation d'énonciation. Interlocuteur est synonyme de destinataire.

Interrogation directe ▸ Question posée directement à l'aide d'un point d'interrogation et d'une intonation montante. Elle peut présenter l'inversion du sujet et du verbe : *Fait-il beau ?* Elle peut utiliser la locution *est-ce que* : *Est-ce qu'il fait beau ?* Elle peut contenir des mots interrogatifs (adverbes, pronoms, déterminants) : *Quelle heure est-il ?*

Interrogation indirecte ▸ Proposition subordonnée qui pose une question

par l'intermédiaire d'un verbe introducteur (*demander, chercher, dire, raconter...*). Elle n'a pas d'intonation montante, ni de point d'interrogation, ni d'inversion sujet-verbe : *Je demande s'il fait beau. Je demande quelle heure il est.*

Interrogation partielle ▸ Interrogation qui porte sur un élément précis de la proposition. On ne peut pas y répondre par *oui* ou par *non* : *Quel temps fait-il ? Où vas-tu ?*

Interrogation totale ▸ Interrogation qui porte sur l'ensemble de la proposition. On y répond par *oui* ou par *non* : *Pars-tu en vacances ?*

Intonation ▸ Ton utilisé à l'oral, qui varie essentiellement en fonction de la ponctuation. L'intonation peut être montante ou descendante.

Locuteur ▸ Celui qui produit un énoncé. Dans la situation d'énonciation, quand on répond à la question *qui parle ?*, on donne l'identité du locuteur.

Mémoires ▸ Récit dans lequel l'auteur raconte sa vie, en insistant sur le contexte historique dans lequel celle-ci s'inscrit.

Merveilleux ▸ Se dit de personnages, objets ou faits à caractère surnaturel, qui interviennent dans un texte littéraire sans provoquer l'étonnement du lecteur.

Modalisateur ▸ Mot, expression ou procédé qui révèle comment le locuteur se situe par rapport à ce qu'il affirme. Il sert à modaliser, c'est-à-dire nuancer une affirmation. *Sans aucun doute, il a raté son train* : par le modalisateur, on voit que le locuteur est sûr de ce qu'il affirme. *Peut-être a-t-il raté son train* : par le modalisateur, on voit que le locuteur n'est pas sûr de ce qu'il affirme.

Mode ▸ Catégorie du verbe. On distingue les modes personnels (indicatif, subjonctif, conditionnel, impératif) et les modes impersonnels (infinitif, participe, gérondif).

Niveau de langue ▸ (parfois appelé registre de langue) Manière de s'exprimer plus ou moins recherchée, qui dépend du niveau culturel et social de celui qui parle et des circonstances dans lesquelles il s'exprime. Il existe trois niveaux de langue : familier, courant, soutenu.

Nouvelle ▸ Court récit de fiction, contenant peu de personnages et une seule intrigue, se déroulant dans un cadre fixe. Elle est réaliste, fantastique ou historique.

Noyau ▸ Mot autour duquel est construit un groupe de mots. Le noyau du groupe donne au groupe sa nature.

Pacte autobiographique ▸ Engagement vis-à-vis du lecteur par lequel l'auteur d'une autobiographie promet de tout dire avec sincérité.

Paroles rapportées ▸ (appelées aussi discours rapporté) Paroles introduites dans un message. Elles peuvent être rapportées au discours direct, au discours indirect, au discours indirect libre ou dans un récit de paroles (ou discours narrativisé).

Paronyme ▸ Mot qui ressemble à un autre par la prononciation, mais qui n'a pas le même sens : *dénué* et *dénudé* sont des paronymes.

Personne ▸ Catégorie du verbe. On distingue la première personne qui renvoie à celui qui parle *(je joue)*, la deuxième personne qui renvoie à celui à qui l'on parle *(tu joues)*, la troisième personne qui renvoie à celui ou à ce dont on parle *(il joue)*.

Phrase ▸ Suite de mots grammaticalement organisés, ayant un sens complet, commençant par une majuscule et se terminant par une ponctuation forte.

Phrase complexe ▸ Phrase qui comporte plusieurs verbes conjugués, c'est-à-dire plusieurs propositions ; celles-ci peuvent être juxtaposées, coordonnées ou subordonnées : *Sarah **arrive** demain et **repartira** à la fin de la semaine* (propositions coordonnées).

Phrase déclarative ▸ Un des quatre types de phrase. La phrase déclarative permet d'apporter une information, de faire une constatation : *Il fait beau aujourd'hui.*

Phrase exclamative ▸ Un des quatre types de phrase. La phrase exclamative permet d'exprimer une émotion ou un sentiment ; elle se termine par un point d'exclamation : *Comme il fait beau !*

Phrase impérative ▸ (ou injonctive) Un des quatre types de phrase. La phrase impérative permet d'exprimer un ordre, une défense, une prière : *Viens ici !*

Phrase interrogative ▸ Un des quatre types de phrase. La phrase interrogative permet de poser une question : *Qui as-tu rencontré ?*

Phrase non verbale ▸ (appelée aussi phrase nominale) Phrase ne comportant pas de verbe conjugué : *Superbe, ce point de vue !*

Phrase simple ▸ Phrase qui ne comporte qu'un seul verbe conjugué.

Phylactère ▸ Bulle de bande dessinée qui contient les paroles ou les pensées des personnages.

Plan (cinéma) ▸ Suite d'images enregistrées sans interruption par une caméra. Plan est synonyme de prise de vue.

Plongée et contre-plongée ▸ Angle de prise de vue de l'objectif de l'appareil photographique ou de la caméra, au-dessus (plongée) ou en dessous (contre-plongée) de ce que l'on veut montrer.

Poésie ▸ Genre littéraire qui vise à décrire, suggérer ou exprimer par un travail sur le langage, en particulier le rythme et l'image. La poésie lyrique exprime des sentiments personnels ; la poésie engagée délivre un message politique ou social.

Point de fuite ▸ Point d'un tableau ou d'une photographie vers lequel convergent les lignes de fuite de manière à donner l'illusion de la profondeur.

Polysémique ▸ Mot qui a plusieurs sens : le mot *argent* est polysémique ; il désigne un métal et une monnaie d'échange.

Prédicat ▸ Constituant obligatoire de la phrase qui apporte des informations sur le sujet ; cette fonction est généralement remplie par le groupe verbal.

Préfixe ▸ Élément qui précède le radical dans un mot dérivé : *dé-faire*.

Préposition ▸ Mot invariable qui sert à mettre en relation un mot ou un groupe de mots avec un autre élément de la phrase : *de, à, par, dans...*

Présentatif ▸ Mot ou expression *(c'est, il y a, voici, voilà)* qui permet de présenter quelqu'un ou quelque chose : *Voici mon mari*. L'emploi d'une tournure présentative *(c'est... qui, voilà... que)* permet de mettre en valeur un mot ou un groupe de mots dans une phrase emphatique : *C'est le pull que j'ai vu en vitrine.*

Pronom ▸ Mot qui remplace un mot ou un groupe de mots : *Émile s'est réveillé à huit heures. Il va arriver en retard au collège*. Le pronom peut aussi représenter un élément de la situation d'énonciation : *Peux-tu me passer le sel ?*

Propos ▸ Dans une phrase, partie de l'énoncé qui constitue une information nouvelle donnée à l'interlocuteur, par rapport à la phrase précédente. Le propos est le contraire du thème : *Quand Camille est-elle arrivée à Paris ? Camille est arrivée à Paris hier*. Hier est le propos de la seconde phrase.

Propositions coordonnées ▸ Dans une phrase complexe, propositions reliées entre elles par une conjonction de coordination *(mais, car, or, et...)* ou un adverbe de liaison *(cependant, alors, puis...)* : *Le chat est monté en haut de l'arbre, mais il n'a pas réussi à redescendre.*

Proposition indépendante ▸
Proposition qui n'est ni principale
ni subordonnée.

Propositions juxtaposées ▸ Dans
une phrase complexe, propositions
séparées par une virgule, un point-
virgule ou deux points, mais non
reliées par un mot de liaison : *Elle est
calme et rêveuse : elle ne supporte
pas tant d'agitation.*

Proposition principale ▸ Dans une
phrase complexe, proposition dont
dépend une proposition subordonnée.

Proposition subordonnée ▸ Dans
une phrase complexe, proposition
qui dépend d'une autre proposition
(appelée principale) à laquelle elle
est le plus souvent reliée par un mot
subordonnant : *Pascal a compris
que son spectacle était une réussite.*
Pascal a compris est la proposition
principale ; *que son spectacle était
une réussite* est la proposition
subordonnée. Il existe six types
de propositions subordonnées.

**Proposition subordonnée
circonstancielle ▸** Proposition
complément circonstanciel de
la phrase : *Quand je serai grand,
je serai astronaute.*

**Proposition subordonnée
complétive ▸** Proposition complément
d'objet du verbe de la principale.

**Proposition subordonnée
conjonctive ▸** Proposition introduite
par une conjonction de subordination
comme *que, lorsque, parce que.*

**Proposition subordonnée
conjonctive complétive ▸** Proposition
complément d'objet du verbe,
introduite par la conjonction *que* :

*Je pense que la vie est un long fleuve
tranquille.*

Proposition subordonnée infinitive ▸
Proposition complétive avec un sujet
différent du sujet de la proposition
principale et un verbe à l'infinitif : *Les
enfants regardent la neige tomber.*

**Proposition subordonnée
interrogative indirecte ▸** Proposition
complétive reprenant les termes d'une
interrogation directe : *Où est Alice ?*
Je demande où est Alice.

**Proposition subordonnée
participiale ▸** Proposition
circonstancielle avec un sujet différent
du sujet de la proposition principale et
un verbe au participe : *Le soleil s'étant
levé, ils se mirent en route.*

Proposition subordonnée relative ▸
Proposition subordonnée introduite
par un pronom relatif et qui complète
un nom, un groupe nominal ou un
pronom de la proposition principale,
appelé antécédent : *Le train qu'a pris
Medhi est arrivé en retard.*
La proposition relative est épithète
ou apposée.

Radical ▸ Élément de base du mot qui
exprime son sens principal et auquel
peuvent s'ajouter des préfixes et
des suffixes. Il est l'élément commun
à l'ensemble des mots d'une même
famille. On l'isole en retirant
les préfixes et les suffixes : le radical
de *imprenable* est *pren-.*

Réaliste ▸ Se dit de ce qui fait
référence à la réalité telle qu'elle est,
de façon objective, et qui donne
au texte littéraire une impression
de vérité.

Récit ▸ Genre littéraire qui raconte une histoire réelle ou inventée.

Relative déterminative ▸ Proposition subordonnée relative qui ne peut pas être supprimée sans entraîner un changement du sens de la phrase. Elle a une fonction d'épithète et n'est pas séparée par une virgule :
*Les élèves **que j'ai désignés** iront au bureau du principal.*

Relative explicative ▸ Proposition subordonnée relative qui peut être supprimée sans modifier le sens général de la phrase. Elle est le plus souvent en fonction d'apposition, entre virgules : *Le chien, **qui semblait inquiet**, se mit à aboyer.*

Roman ▸ Récit de fiction assez long, pouvant contenir de nombreux personnages, à l'intrigue complexe, se déroulant sur une durée qui peut être longue et dans des lieux divers.

Satirique ▸ Se dit d'un texte ou d'une image qui fait la critique de quelque chose ou de quelqu'un en s'en moquant.

Schéma actanciel ▸ Ensemble des six rôles joués par des personnages, des objets ou des sentiments dans un récit. On distingue le sujet de la quête (ou héros), l'objet de la quête, les adjuvants (aides), les opposants (obstacles), le destinateur (qui pousse le sujet à agir), le destinataire (au bénéfice de qui se fait la quête).

Schéma narratif ▸ Ensemble des étapes d'un récit. On distingue la situation initiale, l'élément déclencheur ou perturbateur,

les péripéties, l'élément de résolution, la situation finale.

Sens figuré ▸ Sens second et abstrait d'un mot : un *pont*, au sens figuré, désigne tout ce qui fait une liaison entre deux éléments.

Sens propre ▸ Sens premier et concret d'un mot : un *pont*, au sens propre, désigne une construction permettant de franchir un obstacle.

Séquence (BD ou cinéma) ▸ Suite de vignettes ou de plans qui se déroulent dans un même lieu et un même temps.

Situation d'énonciation ▸ Situation de communication spécifiquement humaine dans laquelle un énoncé est produit oralement ou par écrit par un locuteur pour un interlocuteur. Elle se définit par la réponse aux quatre questions : qui parle ? à qui ? où ? quand ?

Situation de communication ▸ Toute situation dans laquelle est produit un message entre un émetteur et un récepteur : un singe qui pousse un cri pour alerter les autres singes d'un danger est une situation de communication.

Substitut ▸ Pronom qui remplace un élément de la phrase ou du texte : *La cavalerie chargea les Indiens. **Ceux-ci** appartenaient à la tribu des Comanches.*

Suffixe ▸ Élément qui suit le radical dans un mot dérivé : *coiff-**eur**.*

Sujet apparent ▸ (appelé aussi sujet grammatical) Sujet *(il)* qui, dans une tournure impersonnelle, ne désigne rien mais avec lequel doit s'accorder le verbe : ***Il** faut des fleurs pour l'accueillir.*

Sujet inversé ▸ Sujet placé après le verbe, souvent dans une phrase interrogative ou après certains adverbes : *Aimez-**vous** la danse ? Peut-être est-**il** en retard.*

Sujet réel ▸ (appelé aussi sujet logique) Sujet qui, dans une tournure impersonnelle, n'impose aucun accord au verbe mais correspond, par le sens, à ce qui fait réellement l'action : *Il tombe **de gros flocons**.*

Synonyme ▸ Mot qui a le même sens, ou un sens proche, qu'un autre mot : *tempête* et *ouragan* sont des synonymes.

Temps ▸ Catégorie du verbe qui permet de situer l'action par rapport au moment de l'énonciation : *Je **partirai** demain* : action future ; ou par rapport à une autre action : *Il partit après qu'elles lui **eurent fait** leurs adieux* : action antérieure. On distingue les temps simples et les temps composés.

Terminaison ▸ Partie variable qui se situe à la fin d'un verbe. Elle peut porter des marques de personne, de temps, de mode, de genre : *Nous porter**ons**.* La terminaison -*rons* indique la personne (première du pluriel) et le temps (futur).

Théâtre ▸ Genre littéraire et spectacle qui représentent une action fictive sous forme de dialogues entre des personnages.

Thème ▸ Dans une phrase, partie de l'énoncé qui constitue une information déjà connue de l'interlocuteur. Elle est le contraire du propos : *Quand Camille est-elle arrivée à Paris ? Camille est arrivée à Paris hier. Camille est arrivée à Paris* est le thème de ces deux phrases.

Tragédie ▸ Pièce de théâtre qui met en scène des personnages de condition sociale élevée, s'exprimant dans un langage soutenu, aux prises avec des forces supérieures qui les accablent.

Transformation passive ▸ Passage de la voix active de la phrase à la voix passive : *Catherine a bien préparé le travail du jour. Le travail du jour a été bien préparé par Catherine.*

Type de phrase ▸ Il existe, en français, quatre types de phrase qui correspondent chacun à un acte de parole : la phrase déclarative pour déclarer *(Il pleut)*, la phrase interrogative pour interroger *(Pars-tu ?)*, la phrase impérative pour ordonner *(Habille-toi)*, la phrase exclamative pour exprimer une émotion *(Quelle belle robe !)*.

Utopie ▸ Récit fictif qui représente une société idéale de manière à faire la critique de la société contemporaine de l'auteur.

Verbe défectif ▸ Verbe qui ne possède pas toutes les formes de la conjugaison : *falloir, pleuvoir.*

Verbe d'état ▸ (appelé parfois verbe attributif) Verbe qui exprime un état ou un changement d'état : *être, sembler, paraître, devenir...*

Verbe impersonnel ▸ Verbe qui ne se conjugue qu'à la troisième personne du singulier : *il faut, il pleut.*

Verbe intransitif ▸ Verbe qui se construit sans complément d'objet : *Elle dort encore.*

Verbe pronominal ▸ Verbe dont toutes les formes sont accompagnées d'un pronom personnel réfléchi : *il s'enfuit.*

Verbe transitif ▸ Verbe qui se construit avec un complément d'objet. Les verbes transitifs directs se construisent avec un complément d'objet direct : *Je regarde le coucher de soleil.* Les verbes transitifs indirects se construisent avec un complément d'objet indirect : *Elle contribue à son succès.*

Vocabulaire évaluatif ▸ Vocabulaire qui exprime un jugement personnel de la part de celui qui l'emploie. Il peut être mélioratif (positif) : *Ce paysage est splendide.* Il peut être péjoratif (négatif) : *La nourriture est infecte.*

Voix ▸ Catégorie du verbe. On distingue la voix active (*j'aime*) et la voix passive (*je suis aimé*).

Voici, en résumé, les huit principales règles permettant de simplifier l'orthographe française. (Rectifications orthographiques de 1990)

Questions d'accent

• **R1.** L'accent circonflexe disparaît sur les voyelles **i** et **u** : *cout, entrainer, nous entrainons, paraitre, il parait.*

On le maintient néanmoins dans les terminaisons verbales du passé simple (*nous prîmes, vous sûtes*), du subjonctif imparfait (*qu'il prît, qu'il sût*) et dans cinq cas d'homonymie (*j'ai dû, un fruit mûr, j'en suis sûr, il jeûne, la plante croît*).

• **R2.** Sauf *appeler, jeter* et leurs composés (y compris *interpeler*) qui doublent la consonne **l** ou **t** devant un **e** muet, les verbes en *-eler* ou *-eter* se conjuguent sur le modèle de *peler* ou d'*acheter* : *j'amoncèle, tu époussètes.*

• **R3.** On emploie l'accent grave (plutôt que l'accent aigu) au futur et au conditionnel pour les verbes en *é_er* comme *céder* : *je cèderai, ils règleraient.*

Trait d'union ou non ?

• **R4.** Les déterminants numéraux composés sont systématiquement reliés par des traits d'union : *vingt-et-un, deux-cents, trente-et-unième.*

• **R5.** La soudure s'impose dans un certain nombre de mots, en particulier :

– dans les mots composés de *contr(e)-* et *entr(e)-* : *contrattaque, entredeux* ;

– dans les mots composés de *extra-, infra-, intra-, ultra-* : *infrarouge, extraterrestre* ;

– dans les mots d'origine étrangère : *weekend.*

De manière générale, on privilégie la soudure : *portemonnaie.*

Formation du pluriel et cas d'invariabilité

• **R6.** Pour former le pluriel des noms composés du type *pèse-lettre* (verbe + nom) ou *sans-abri* (préposition + nom), on ajoute systématiquement une marque de pluriel au second élément : *un compte-goutte, des compte-gouttes* ; *un après-midi, des après-midis.*

• **R7.** Les mots empruntés à des langues étrangères forment leur pluriel de la même manière que les mots français et sont accentués conformément aux règles qui s'appliquent aux mots français : *des matchs, un révolver.*

• **R8.** Comme celui de *faire*, le participe passé de *laisser* suivi d'un infinitif est invariable : *Je les ai laissé partir.*

Les numéros renvoient aux numéros des paragraphes.

INDEX DES NOTIONS

Les astérisques (*) indiquent les notions qui sont définies dans le lexique.

Les numéros renvoient aux paragraphes.

Les numéros en gras indiquent l'endroit où la notion est le plus développée.

INDEX DES NOTIONS

ALPHABET PHONÉTIQUE (API)

Voyelles

[a]	cinéma	[ø]	jeudi
[ɑ]	château	[œ]	fleur
[e]	dé	[u]	chou
[ɛ]	mets	[y]	illusion
[ə]	petit	[ɑ̃]	chanter
[i]	souris	[ɛ̃]	jardin
[o]	rose	[ɔ̃]	ronfler
[ɔ]	océan	[œ̃]	brun

Semi-voyelles

[j]	lieu	[w]	oui

Consonnes

[b]	baba	[ʀ]	roi
[d]	déjeuner	[s]	sel
[f]	faim	[t]	table
[g]	gâteau	[v]	valise
[k]	cadeau	[z]	maison
[l]	lait	[ʃ]	chocolat
[m]	miel	[ʒ]	ange
[n]	nappe	[ɲ]	ignorer
[p]	pain	[ŋ]	parking

Avant de commencer : les CORRIGÉS

Les CORRIGÉS

Grammaire p. 14-15

1. un article ; un déterminant ; une préposition
2. a. dont • b. où • c. que
3. conjonction de subordination
4. une onomatopée ; une interjection
5. a. mais un peu tard • b. Autrefois • c. dans le courant d'une onde pure
6. ai attrapé un mauvais rhume
7. Deux réponses possibles : Le fromage du corbeau fut saisi par le renard ; Le fromage du corbeau est saisi par le renard.
8. trois
9. Parmi les réponses possibles : a. Les jeux Olympiques se déroulaient en Grèce dans l'Antiquité, puis ils ont été réinventés à l'époque moderne. • b. La comédie est un art théâtral qui cherche à faire rire les spectateurs. • c. Le printemps arrive quand les hirondelles font leur nid.
10. viennes ; vinsses
11. a. peut-être • b. fatale • c. à coup sûr
12. 1. b. ; 2. a. ; 3. c.
13. Ces fruits
14. donc
15. a. C'est Mathilde qui a voyagé en Ardèche cet été. • b. C'est en Ardèche que Mathilde a voyagé cet été. • c. C'est cet été que Mathilde a voyagé en Ardèche.

Orthographe p. 192-193

1. des tuyaus (on écrit des tuyaux)
2. a. trois cent mille • b. quatre-vingts • c. deux cents
3. des chaussures vert clair
4. a. vas • b. sommes
5. vrai
6. Quelle ville as-tu visitée cet été ?
7. a. Elle s'est coupé les cheveux toute seule. • b. Elle s'est lavée dans la rivière.
8. a. l'a • b. la
9. a. prêt • b. près
10. quels que
11. a. Elle a triché deux fois ! • b. Il veut jouer au tennis. • c. Vous vous trompez de route.
12. provocants
13. j'aperçois ; j'appelle
14. l'aggravation
15. violemment

Conjugaison p. 258-259

1. avoir ; être
2. il est cassé
3. réciproque
4. il prit (prendre) ; il lit (lire) ; il vit (vivre ou voir)
5. descendre
6. il vainc
7. il finit
8. je mangerai (futur simple alors que les autres verbes sont au conditionnel)
9. conclu
10. un souhait
11. 1. d. ; 2. a. ; 3. c. ; 4. b.

12. l'antériorité

13. Il dormait profondément.

14. aie confiance

15. 1. c.; 2. d.; 3. a.; 4. b.

Vocabulaire p. 320-321

1. 1. b.; 2. c.; 3. a.; 4. d.

2. amarrer

3. un suffixe

4. a. hypothermie • b. hippopotame • c. hippodrome

5. inonder (préfixe *in-* = dans)

6. un mot nouveau

7. au sens figuré

8. le Moyen Âge (*cheval* est ce qu'il dénote)

9. ver

10. port

11. aire

12. des antonymes

13. Tu viens au cinéma avec nous ?

14. péjoratif

15. canon (qui n'est pas un instrument de musique)

Littérature et image

p. 364-365

1. le narrateur

2. 1. a.; 2. c.; 3. d.; 4. b.

3. contes ; romans policiers ; romans de science-fiction

4. PERRICHON, relisant lentement la dernière phrase.; (À Daniel, très ému.) ; (Ils s'embrassent.) (Eugène Labiche, *Le Voyage de Monsieur Perrichon*)

5. le dénouement

6. a. lyrique • b. alexandrin • c. quatre • d. suffisantes

7. deux assonances (*Je fais souvent ce rêve étrange et pénétrant* ; Paul Verlaine, « Mon rêve familier », *Poèmes saturniens*)

8. une opposition de termes au sein d'une même expression

9. une métonymie ; une anaphore ; une hyperbole ; une personnification (Pierre Corneille, *Le Cid*)

10. a. reportage. • b. parallèles ; mouvement • c. de demi-ensemble ; l'homme ; tanks • d. blanche ; la chemise de l'homme

TABLE DES ILLUSTRATIONS

Conception graphique : Frédéric Jély
Mise en page : Julie Fabioux
Suivi éditorial : Gwendoline Rousseau
Illustrations : Henri Fellner
Schémas : Domino (p. 429, 440, 441)

Achevé d'imprimer enItalie par Rotolito Lombarda
Dépôt légal 02990-3/ 01 - Avril 2017

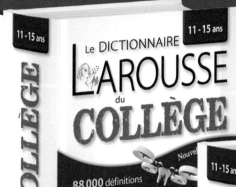